Lampenschein
und
Sternenlicht

YA - VOL
UN
TANK - U

ERIC MALPASS

Lampenschein und Sternenlicht

ROMAN

Deutsch von Anne Uhde

Die Originalausgabe erschien unter dem Titel
»The Lamplight and the Stars«
1985 im Verlag Arrow Books, London

Lizenzausgabe mit Genehmigung des
Rowohlt Verlages, Reinbek
für die Bertelsmann Club GmbH, Gütersloh
die EBG Verlags GmbH, Kornwestheim
die Buchgemeinschaft Donauland Kremayr & Scheriau, Wien
und die Buch- und Schallplattenfreunde GmbH, Zug/Schweiz
Diese Lizenz gilt auch für die Deutsche Buch-Gemeinschaft
C. A. Koch's Verlag Nachf., Berlin · Darmstadt · Wien
Copyright © 1985 by Rowohlt Verlag GmbH, Reinbek bei Hamburg
»The Lamplight and the Stars«
Copyright © 1985 by Eric Malpass
Umschlag- und Einbandgestaltung: E. und M. Kausche
Druck und Bindung: Wiener Verlag, Himberg bei Wien
Printed in Austria · Buch-Nr. 045260

1

UN-REED-DiT

An dem Tag, als Nathan Cranswicks drittes Kind geboren wurde, läuteten in der ganzen Welt die Kirchenglocken. In Hunderten von Städten sprengte die Kavallerie durch die Straßen, und lärmende Freudenfeuer schossen bunte Strahlen in die dunkle Nacht. Ein Rausch der Begeisterung schien die Welt erfaßt zu haben.

Das alles hatte natürlich mit der Geburt des Kindes gar nichts zu tun. Es war einfach so, daß Jack an eben dem Tag das Licht der Welt erblickte, da das britische Empire einen letzten großen Triumph feierte: das diamantene Regierungsjubiläum der Queen. Victoria, Regina Imperatrix, war Herrin der Ozeane, Pax Britannica herrschte über Land und Meer, und die nächsten sechzig Jahre – darüber waren sich alle einig – würden ebenso ruhmreich verlaufen wie die letzten sechzig.

Draußen auf der Straße vor dem nach vorn gelegenen bescheidenen Schlafzimmer der Cranswicks war ein Straßenfest im Gang, doch drinnen gab es neben Freude und Dankbarkeit auch noch andere Gefühle. Blanche war zwar angefüllt mit zärtlicher Liebe für das winzige neue Lebewesen, aber sie wußte auch, was Sorgen und Verantwortung hießen. Sie war die Älteste, und für sie war es selbstverständlich, daß sie nun *zwei* kleine Brüder wie eine Glucke unter ihre Flügel nahm.

Auch die Mutter des Kindes war nicht nur erfreut, denn der ganze Kreislauf war ihr im Grunde zuwider: der animalische Vorgang der Zeugung, die ermüdende Zeit der Schwangerschaft, die Schmerzen der Geburt, die Windeln und die Übelkeit, das gierige Trinken und die kleinen Fäuste, die immer wieder an ihre Brust schlugen. Gut, es war nicht immer so gewesen. Aber dies war ihr sechstes – das reichte. Allerdings waren drei nach kurzen unklaren Schmerzen aus der zweifelhaften Sicherheit des Mutterschoßes hinübergewechselt in die sichere Zuflucht des Grabes. Aber damit blieben immer noch drei, die ihr an der Schürze hingen. Und Zilla hatte einfach keinen Sinn für Ordnung und das Praktische und würde ihn auch nie haben. Außerdem: Wo sollte das enden? Sie war ein viel zu weicher und liebevoller Mensch, um jemals Nein zu sagen. Und Zeugung war nun ganz gewiß kein Thema, über das sich zwei Eheleute ruhig und sachlich unterhalten konnten.

So würde also alles so weitergehen wie bisher. Zilla war auch nie auf den Gedanken gekommen, daß sich das Leben irgendwie steuern ließe. Sie war nun einmal eine liebe, gutherzige kleine Schlampe, nachgiebig und bequem wie das Federbett, unter dem sie jetzt lag. Und daran würde sich auch nichts ändern.

Jetzt krachte Musik ins Zimmer: laute abgehackte Töne, militärische Pauken und Trompeten, es war einer der neuen Sousa-Märsche. Nathan Cranswick, glücklich im Bewußtsein, daß er einen weiteren Sohn hatte, spürte dabei, wie eine Woge freudiger Erregung in ihm aufstieg, wie sein Herz sich hob, als wolle es ihn hoch in die Luft tragen. Ein Sohn, am Jubiläumstag der Königin! Ein Sohn, und nun spielte die Kapelle in der Ferne *Rule Britannia*! Er schwamm in Seligkeit. Der Name –? Zilla meinte, Jack wäre hübsch. Aber es gab doch noch zweite Namen. Jack Jubilee Cranswick? Jack Britannia Cranswick? Wie alle Väter dachte er keinen Augenblick daran, was Jacks spätere Schulfreunde aus solchen Namen machen würden.

Ja, er war gerührt, er war zutiefst dankbar. Die Kapelle kam jetzt näher. In das Gewirr der ärmlichen, wenn auch soliden kleinen Straßen kam sie zwar sicher nicht, aber sie war immerhin deutlich zu hören. Nathan legte seinem älteren Sohn die Hand auf den langen Kopf und fuhr ihm

6

mit den Fingern durch das schwarze Haar. »Was meinst du zu deinem kleinen Bruder, Jungchen?« fragte er mit halb erstickter Stimme.

Tom ließ die Augen keinen Augenblick von dem lebenden Wunder, seinem Bruder. Es war kaum zu fassen. Vor einer Stunde noch waren sie vier gewesen, Ma und Pa, Blanche und er. Dann holte man ihn ins Schlafzimmer, und nun – waren sie fünf! Als hätte Ma ein Zauberkunststück vollführt. Er wußte nicht, wie es geschehen war, aber es war so. »Brüderchen«, flüsterte er leise vor sich hin. »Mein Bruder. Mein kleiner Bruder.« Für ihn war dies das schönste Wort der ganzen Sprache. Unsicher trat er näher ans Bett und schluckte. »Kann ich ihn mal anfassen?« flüsterte er.

»Natürlich, Jungchen. Aber weck ihn nicht auf, wenn's geht.« Tom streckte seine Hand so zögernd aus, als habe er hauchdünnes Porzellan vor sich, und faßte die winzige runzlige Babyhand. Erstaunt und entzückt merkte er, wie sie sich in seiner bewegte, stark und lebendig. »Oh«, seufzte er tief auf. »Mein Bruder«, sagte er sich wieder. »Mein kleines Brüderchen.« Und es kam ihm vor, als seien er und sein Bruder durch dieses vertrauensvolle Hand-in-Hand für alle Zeit miteinander verbunden.

Es klopfte an der Tür. »Darf ich hereinkommen und den Neuankömmling sehen?« Nathans von allen geliebte Schwester Edith kam ins Zimmer, groß und schlank; in der einen Hand trug sie ein Gebetbuch, in der anderen einen Sonnenschirm. In dem unansehnlichen Zimmer wirkte sie wie eine Taube im Hühnerhof, aber alle freuten sich, als sie kam. Sie umarmte Blanche und Tom stürmisch, drückte mit verständnisvollem Lächeln zärtlich den Arm ihres Bruders, küßte Zilla und betrachtete kritisch das rote runzlige Bündelchen Jack. »Na, er wird sich noch herausmachen«, sagte sie endlich.

»Häßlicher kann er nicht werden, das ist sicher«, sagte Zilla fröhlich.

Tom war tief gekränkt. »Ich finde ihn sehr schön«, sagte

er aufgebracht. Blanche sah die Tränen in seinen Augen und legte schwesterlich den Arm um ihn. »Sie machen nur Spaß«, sagte sie beschwichtigend. Aber das brachte Tom noch mehr auf. Sein kleiner Bruder war kein Thema für Späße. Es drängte ihn plötzlich, das Zimmer und die Erwachsenen mit ihren dummen Scherzen hinter sich zu lassen. »Kann ich jetzt raus und spielen?« fragte er bockig.

»Ja«, sagte Nathan. »Komm mit, Blanche. Edith, bleib du ein bißchen hier und schwatz mit Zilla. Ich muß mich mal draußen bei den Leuten sehen lassen. Und der Pfarrer wollte auch um diese Zeit hereinschauen, hat er gesagt.«

»Mr. Clulow, meinst du?« Edith stand über das Baby gebeugt und blickte nicht auf, aber sie sah aus, als warte sie gespannt auf seine Antwort.

»Ja«, sagte Nathan, der es jetzt offensichtlich eilig hatte, seine Frau und das Neugeborene zu verlassen.

»Ich kann nicht sehr lange bleiben«, sagte Edith. Aber Nathan und die Kinder waren schon draußen.

Die Straße glich einer grauen Schlucht; fast alle Häuser erhoben sich wie Felswände aus dem grauen Steinpflaster. Nur wenige – und darunter das Haus Nr. 37 der Cranswicks – standen etwas zurück und boten Platz für einen kleinen Vorgarten und ein Erkerfenster oben und unten. Immerhin: in einer Straße mit schäbigen Reihenhäusern erhoben Erkerfenster und Vorgarten ein Haus schon beinahe in die Klasse der Aristokratie.

Aber nicht deshalb wurde Nathan Cranswick draußen so stürmisch begrüßt. Er war ein Mann, wie ihn jedes Straßenfest braucht: ein warmherziger und fröhlicher Mensch mit unkomplizierten Gefühlen, die – ob Liebe, Glück oder auch Zorn – überschäumen konnten wie ein Glas Ingwerbier.

Alle umringten ihn, wie er da stand, die eine Hand stolz auf Toms, die andere auf Blanches Schulter gelegt. »Was macht deine Frau, Nathan?«

Nathan strahlte über das ganze faltige Gesicht. »Ein Junge ist es, Freunde!«

Die Mützen flogen in die Luft, alle schrien und lachten und fanden schnell Platz an einem Tisch, wo die drei sich hinsetzen mußten und wo im Umsehen vor Nathan ein Glas Bier und vor Blanche und Tom je ein Glas herrliche, lauwarme Limonade stand. Nathan hat einen Sohn, am Jubiläumstag! Hahnenkampf war nichts dagegen. Und wenn sie Tom ansahen, dachten sie: Vielleicht wuchs in dem neuen Sohn ein Ersatz heran. Wär nicht schlecht, denn Tom sah aus, als könne ihn ein Windstoß umblasen. Einige meinten bei sich, Tom werde sich wohl nicht mehr allzu lange dieser Welt erfreuen.

Tom sah sich mit großen staunenden Augen um. Stafford Street, seine Straße, war nicht wiederzuerkennen. Rot-weiß-blau in den Fenstern, an den Türen, auf den Brettertischen, die wie durch ein Wunder überall standen. Überall der Union Jack. Mr. Potter hatte sich sogar einen um den Hut gebunden. Und die Kleider! Alle kleinen Mädchen in hübschen Kleidchen und Schürzen, alle kleinen Jungen mit blankgescheuerten Gesichtern, fest angeklebten Haaren und blanken Stiefeln. Fast wie sonntags, nur daß sie heute alle so übermütig waren. Tom schlürfte seine Limonade und sah mit dunklen empfindsamen Augen um sich, verzaubert und leicht erschreckt ob dieses ungekannten Feierns, voller Angst davor, daß womöglich auf einmal die Königin selber in der Stafford Street erschien, und doch tief im Innern warm und glückselig in dem Bewußtsein, daß er einen Bruder hatte. Dieses Wissen war ein ruhiger Pol im Wirrwarr all seiner Ängste, die ihn seit eh und je bedrängten.

Jetzt stand Nathan Cranswick auf und hob sein Glas. »Auf die Königin, Freunde. Gott segne sie.«

»Gott segne sie!« riefen alle in Hörweite. Es war ein Segenswunsch, der ihnen aus dem Herzen kam und der mehr Kraft in sich trug als die Segnungen der Geistlichkeit. »Gott segne sie.« In dieser Straße gab es keinen Mann, der die rundliche, runzlige alte Dame im fernen London nicht liebte: die alte Frau, die das Empire war, so wie ihre Vorgängerin Elizabeth England gewesen war. »Gott segne sie«, sagten alle. Unbewußt meinten sie damit Windsor und Indien und das dunkelste Afrika und all die grauen und doch gemütlichen, hungrigen Gassen Englands. Gott segne die Königin, die alle diese Dinge verkörperte!

Tom hätte sich nicht zu ängstigen brauchen: Die Königin erschien nicht in der Stafford Street von Ingerby.

Wer erschien, war der Pfarrer, Mr. Clulow.

Der Pfarrer Martin Clulow war ein einsamer und verschlossener Mann. Einsam war er immer gewesen, besonders seit dem Tode seiner Frau vor einem Jahr. Auch verschlossen war er stets gewesen, getrennt von seinen Schäflein durch seine Stellung, sein Wissen und seine herbe Natur.

Die Gemeinde akzeptierte ihn als freundlich-reservierten Mann von anderem Schlag als gewöhnliche Menschen: ein Wesen etwa zwischen ihnen selber und dem Allmächtigen: allwissend, ohne Sünde und dennoch sterblich.

Aber er war nicht ohne Sünde. Martin Clulow hatte ein böses Geheimnis: ein Geheimnis, das ihn – hätte man es gekannt – weit unter den Verworfensten seiner Gemeinde gestellt hätte; ein Geheimnis, das so schrecklich, so finster war, daß Martin nicht einmal mit seinem Gott darüber sprach. Beide vermieden das Thema, obgleich es natürlich am Jüngsten Tag nicht mehr umgangen werden konnte, denn dann würde der ruchlose Martin Clulow trotz all seiner Gelehrtheit in den finstersten Schlund der Hölle geschleudert werden.

Kein rot-weiß-blaues Band schmückte den Pfarrer. Er war wie immer von Kopf bis Fuß in Schwarz gekleidet, bis auf den weißen Priesterkragen, und den sah man kaum unter dem krausen grauen Bart.

Das lag nicht etwa an einem Mangel an Respekt; er war genauso patriotisch wie jeder andere. Nur war er der Meinung, man solle an einem solchen Jubeltag dem Allmächtigen in der Methodistenkapelle von Zion für seine Güte danken, nicht aber in einer aufgeputzten Straße, wo überdies so unübersehbar an jedem Tisch ein Faß Bier aufgestellt war.

Doch er war kein Spielverderber; er machte gute Miene und behielt sie sogar bei, als er bestürzt und traurig einen neuernannten Laienprediger mit einem Glas Bier in der Hand erblickte. »Ah, Mr. Cranswick«, sagte er und bemühte sich, den Alkohol zu übersehen, »wie geht es Ihrer lieben Frau?«

Nathan erhob sich und behielt tapfer das Glas in der Hand. »Sie hat mir heute einen Sohn geschenkt, Mr. Clulow.«

»Oh, da gratuliere ich Ihnen, lieber Mr. Cranswick! Und an einem solchen Jubeltag! Gewiß ist Ihr Herz voller Dankbarkeit.« Er hätte gern noch etwas darüber hinzugefügt, daß ein dankbares Herz keiner alkoholischen Anregung bedürfe. Da er jedoch ein gütiger und vernünftiger Mensch war, sagte er nichts – und machte sich dann Vorwürfe, weil er feige gewesen war und nicht offen geredet hatte.

»Ja, das ist es«, sagte Nathan ernst. Er wollte sein Glas an den Mund führen, besann sich aber und stellte es auf den Tisch. »Sie werden doch die Taufe vornehmen, Mr. Clulow?«

»Ja, natürlich. Mit Freuden. Ich . . . glauben Sie, Sie können Ihre Eltern zum Kommen überreden?«

Nathans frohe Miene bewölkte sich. »Ich werde mein Bestes versuchen, Mr. Clulow. Aber . . .«

Mr. Clulow berührte ihn am Arm. »Ich weiß, ich weiß. Aber sehen Sie nur zu, was Sie tun können.« Bis vor wenigen Jahren waren Mr. und Mrs. Cranswick senior wahre Säulen der Methodistengemeinde gewesen. Und dann, von einem Tag zum anderen, hatten sie keinen Fuß mehr in die Kapelle gesetzt. Niemand kannte den Grund, ihre dünnen Lippen verrieten nichts. Mr. Clulow war sehr betrübt; vermutlich hatte er irgend etwas Falsches gesagt.

11

Und obgleich es ohne die beiden in der Kapelle Zion viel heiterer zuging, versuchte er bei jeder Gelegenheit, sie in seine Herde zurückzuholen.

Doch jetzt hatte er noch etwas anderes im Kopf. Er sagte: »Nicht wahr, Sie halten am Sonntag Ihren ersten Gottesdienst als Laienprediger, Mr. Cranswick.«

»Ja, das stimmt. In Moreland.«

»Sehr schön. Sehr schön. Wenn man bedenkt, daß Sie keine Vorbildung hatten, so haben Sie es wirklich zu etwas gebracht, Mr. Cranswick.«

Nathan strahlte. Er war ein hochgewachsener starkknochiger Mann, die langen Gliedmaßen waren locker zusammengefügt wie bei einer Puppe; er hatte ein graues, fleischiges Gesicht voller Falten und Fältchen, das nicht so leicht ein Gefühl ausdrücken konnte. War es jedoch einmal soweit, dann war das Ergebnis beeindruckend und überzeugend. Nathans strahlendes Gesicht drückte jetzt Freude, Dankbarkeit, Zuneigung und Wärme aus. »Danke, Mr. Clulow. Ich hab's ja auch Ihnen zu danken, meine ich.«

Mr. Clulow bestritt das nicht. »Nur – trauen Sie sich zu Anfang nicht gar zuviel zu. Nicht gleich nach den Sternen greifen, nicht wahr. Jedenfalls nicht bei Ihrem begrenzten Wissen. Aber wenn Sie mit beiden Füßen auf dem Boden bleiben, werden Sie gewiß zurechtkommen.« Er lächelte Nathan ermutigend zu. »Ja, übrigens – wird denn Ihre liebe Frau auch ohne Sie fertig am Sonntag?«

»Ja. Ich nehme Tom mit, dann ist sie den los.« Er fuhr Blanche liebevoll durchs Haar. »Und du, mein Mädchen, du wirst ihr helfen, was?«

Blanche nickte schüchtern.

»Sie ist schon eine richtige kleine Hausfrau«, sagte Nathan stolz. »Bringt im Handumdrehen ein Essen für die ganze Familie auf den Tisch.«

»Du bist ein gutes Kind, Blanche«, sagte Mr. Clulow freundlich. Das Mädchen errötete. »Aber du mußt auch spielen und nicht nur arbeiten, weißt du.«

»Ja, Mr. Clulow.« Blanche senkte den Kopf. Der Pfarrer wandte sich zu Nathan. »Ein schüchternes kleines Ding«, sagte er herzlich. »Aber ich denke, sie ist ganz glücklich dabei. Und wie steht es mit Tom?«

Tom erhob sich ungeschickt und nahm die Mütze ab. Mr. Clulow sagte: »Du mußt doch stolz sein, daß du einen Bruder hast, Tom.«

»Das bin ich auch«, sagte Tom. Wie stolz er war, das ahnte keiner.

Der Pfarrer seufzte. »Beneidenswert, diese jungen Menschen, was, Cranswick? Was erben sie alles! Das größte Empire, das die Welt je gesehen hat. Das Leben hat ihnen so viel zu bieten.«

»Das ist gewiß wahr, Mr. Clulow.«

»Und nun Ihr Jüngster. Genau an dem Tag auf die Welt gekommen, da Ihre Majestät . . . Sicher nehmen Sie das als ein Omen? Welche Namen geben Sie ihm denn?«

»Jack Jubilee.«

»Aha, ja. Ja, gewiß. Jack Jubilee.« Der Pfarrer tat etwas, was er in der Öffentlichkeit selten tat: Er erlaubte sich ein kurzes Lachen. »Wir leben in einer ruhmreichen Zeit, Mr. Cranswick. Der Herr hat dieses unser Land gesegnet.«

Er brach ab. England und sein Empire waren ihm auf einmal nicht mehr wichtig. Er strich sich über den grauen Bart und glättete die dichten Augenbrauen. »Ist das nicht Ihre Schwester?«

»Ja.« Edith war gerade aus dem Hause gekommen und hatte sie bereits entdeckt; mit knappen eleganten Schritten kam sie eilig herüber. »Ich gehe jetzt, Nathan. Oh – guten Tag, Mr. Clulow.«

Er zog den Hut. »Guten Tag, Miß Cranswick. Ich wollte gerade gehen. Darf – – darf ich Sie begleiten?«

»Nein – nein, vielen Dank. Ich muß noch einen Besuch machen.«

Er senkte höflich den Kopf. Und dann – so schien es Nathan – starrten sie einander lange an: sehnsüchtig, verzweifelt, hungrig. Bis die schöne und nicht mehr ganz junge Frau in die eine Richtung forteilte und der gutaussehende, würdevolle, nicht mehr ganz junge Mann in die andere.

Und dem betroffenen Nathan kam es vor, als sei bei der Trennung eine Sehne mitten durchgerissen.

Nathan mahnte das Gewissen an seine Pflichten, und so ging er zurück und setzte sich ans Bett seiner Frau. Blanche sagte zu Tom: »In der Leicester Street braten sie einen Ochsen am Spieß. Wollen wir hingehen?«

Tom erhob sich, trank den Rest der köstlichen Limonade aus und folgte seiner Schwester ohne große Begeisterung. Er hatte eigentlich gar keine Lust auf einen Ochsen am Spieß. Der Vorwurf in den großen geduldigen Tieraugen – das würde er so leicht nicht vergessen können. Deshalb war er sehr erleichtert, als er hinkam und feststellte, daß der Ochse gar keinen Kopf hatte und erst recht keine Augen. Der unförmige fetttriefende Fleischklumpen sah überhaupt nicht wie ein Ochse aus. Wenn er je so ein starkes und edles Tier gewesen war, so hatte man ihn erniedrigt, entwürdigt, zu einem abstoßenden Stück Fleisch gemacht.

Tom war zu jung für solche Gedanken, aber ähnliches empfand er fast körperlich: Man hatte einem Lebewesen Schmerz zugefügt; bei dem Anblick zog sich alles in ihm zusammen, und seine junge Seele schauderte.

Trotzdem schämte er sich seiner Gefühle. Das siedende brodelnde Fleisch drehte sich an dem großen Spieß, die Zuschauer drängten mit ihren Tellern nach vorn, und Schlachter Hardcastle schob die Ärmel zurück; das Zischen des Messers auf dem Stahl glich dem Zischen von Schlangen, lauter als das Brutzeln und Spritzen der Fettklümpchen, wenn sie in das lodernde Feuer fielen. Tom betrachtete die grauen Gesichter unter den grauen Mützen und sah in keinem einzigen einen Ausdruck des Abscheus oder des Mitleids für die mißhandelte Kreatur. Alles, was er sah, war Gier, wortloser Triumph beim Anblick von soviel gefällter Kraft, und animalischer Hunger. Und er schämte sich, daß offenbar er allein unter all diesen Menschen so unpatriotisch und unmännlich war und an diesem Jubeltag nur Mitleid mit der Kreatur aufbrachte.

»Du brauchst 'n Teller«, sagte eine dünne Stimme, und Tom sah, wie Bessy Truman Blanche einen Teller hinhielt. Er war überrascht, als Blanche heftig den Kopf schüttelte und zurückwich.

Bessy warf ihr einen kurzen Blick voller Verachtung und Ärger zu. Bessy (mit Mütze, Pantoffeln und Schürze, selbst an diesem festlichen Tag) hatte den Verdacht, daß die Cranswicks sich für etwas Besseres hielten, besonders seit der Hausherr zum Laienpriester berufen worden war. Die verbitterten Augen in dem hageren Gesicht beobachteten Tom aufmerksam, als sie jetzt ihm einen Teller entgegenstreckte.

Tom wich noch heftiger zurück als Blanche. »Ganz wie du willst«, murmelte Bessy und ging weiter. »Ist ihm wohl nicht gut genug«, sagte sie zu Toms Nachbarn und machte eine Kopfbewegung zu Tom hinüber.

Tom wußte, daß man ihm das Erröten ansah; davor schützte ihn auch die Abenddämmerung nicht. Das Fett rann immer noch aus dem riesigen Fleischklumpen, und wenn die Spritzer auf die Kohlen fielen, schossen die Flammen hoch und erhellten die Szene wie Wetterleuchten: die flachbrüstigen Häuser, die Fenster mit den Spitzengardinen, die Mützen und die Zylinder und die mit Blumen und Früchten verzierten Hüte der Frauen; die hungrigen, listig-wölfischen Gesichter der Zuschauer, hundemüde nach einem solchen langen Feiertag; und Toms errötendes Gesicht.

Doch nun war er aufmerksam geworden. Warum war Blanche vor dem Teller zurückgewichen, als wäre er rotglühend? Sicher hatte doch keiner außer ihm dieses absurde und unnatürliche Mitgefühl für ein totes Tier? Blanche war ein Mädchen. Schlimmer, eine Schwester. Noch schlimmer, eine große Schwester. Große Schwestern hatten keine Gefühle, sie waren einfach da. Blanche war

Blanche, so wie Pa eben Pa und Ma Ma war. Immerhin, plötzlich interessierte sie ihn, und er betrachtete ihr Profil.

Was er da im Dämmerlicht und im flackernden Feuerschein sah, war ein süßes, zartes, blasses und empfindsames Gesicht, umrahmt von dichtem schwarzem Haar. Er sah eine weiße Schürze, schwarze Baumwollstrümpfe und schwarze Schuhe: Er sah Blanche. Aber er sah noch mehr: Er sah ein menschliches Wesen.

Loll Hardcastle, der Sohn des Schlachters, reichte ebenfalls Teller herum. Wieder sah Tom, wie Blanche zurückwich. Aber damit kam sie bei Loll schlecht an. »Hier, los – nimm«, sagte er ungeduldig.

»Ich will nichts«, sagte Blanche und verschränkte die Arme.

»Los – nimm doch!« Loll drängte ihr den weißen Teller auf; er zwängte ihn ihr fast zwischen die vor der Brust gekreuzten Arme. Blanche ließ mit einem leisen Ausruf des Widerwillens die Arme fallen, und der Teller zerbrach auf dem Kopfsteinpflaster.

»Dumme Kuh!« schrie Loll Hardcastle.

»Du glaubst wohl, die Teller wachsen auf den Bäumen!« rief der Schlachter, der noch immer geräuschvoll das Messer am Stahl wetzte.

Blanche wäre am liebsten im Boden versunken. Tom stand jetzt zu ihr. »Das sagst du nicht noch mal zu meiner Schwester!« rief er Loll zu.

Loll kam zu ihm zurück. »Was soll ich nicht sagen?« fragte er grinsend.

Tom schluckte. Er brachte es nicht fertig, ein Schimpfwort wie »dumme Kuh« auszusprechen. »Was du eben gesagt hast«, erwiderte er lahm.

»Na, was hab ich denn gesagt? Was hab ich gesagt zu der dummen Kuh?«

Jeder kannte Tom als netten, höflichen gesitteten Jungen, der keiner Fliege ein Leid antun konnte. (Wie auch? Mit dem kleinen abgemagerten Gesicht, den dünnen Fingern, die aus der zu großen Jacke herauslugten, und den spindeldürren Beinen war er ja selber nicht mehr als ein Fliegengewicht.) Das fand Tom im Grunde auch selber. Doch nur er wußte, daß hinter der ruhigen Verhaltenheit eine Peitsche des Zorns steckte, die sich monate- oder jahrelang nicht rührte, die ihn aber innerhalb einer Sekunde in einen anderen Menschen verwandeln konnte. Er war fast selbst überrascht, als er mit seiner kleinen knochigen Faust Loll einen knallharten Schlag auf die Nase versetzte.

Der Schlag war ungeübt, aber wirksam. Loll Hardcastle heulte auf, griff sich an die Nase und ließ dabei den ganzen Tellerstapel fallen.

Tom war jetzt schrecklich verwirrt; sein Zorn war so schnell verflogen, wie er gekommen war. Er ließ sich auf die Knie nieder, durchsuchte die Scherben und fand zwei heile Teller, die er schweigend und demütig Mr. Hardcastle hinhielt.

Doch Mr. Hardcastle hatte mit dem Servieren begonnen. Sein Messer fuhr spritzend durch das saftige, würzige Fleisch, und auf Toms oberen Teller ließ er eine dicke Scheibe fallen – fettes, siedendes, aromatisches Ochsenfleisch.

Tom war nahe daran, sich zu übergeben, aber er bezwang sich. Er war ein sehr zurückhaltender Junge und hatte für heute schon reichlich viel im Rampenlicht gestanden. Unbemerkt stellte er die Teller auf eine weiße Steinstufe und gesellte sich dann vorsichtig und leise zu Blanche. »Warum wolltest du keinen Teller?« flüsterte er.

»Ich mochte das nicht«, sagte sie. »Mir waren einfach alle zuwider. Das arme Tier«, fügte sie erklärend hinzu.

»Ja.« Einträchtig begaben sich die Geschwister fort von der Freßorgie. Dann sagte Blanche zögernd: »Vielleicht müssen sie sonst immer hungern. Und dann gibt's auf einmal so viel zu essen – kaum zu fassen. Da wollten sie einfach nichts verpassen.«

»Ja«, sagte Tom noch einmal. Plötzlich war er froh. Ja, so

war es sicher. Die Menschen waren gar nicht gierig. Aber was konnte man erwarten, wenn man einer Menge hungriger Menschen plötzlich einen ganzen gebratenen Ochsen vorsetzte? Tom war froh, daß Blanche das nicht gesagt hatte. Er mochte nicht gern schlecht von den Menschen denken.

Sie hatten jetzt die hektisch-heiße Straßenschlucht hinter sich gelassen. Hier war die Luft kühl und frisch; die Häuser waren etwas zurückgesetzt, so daß die beiden am Himmel den goldenen Nachglanz des großen Tages sehen konnten. Während sie dort noch standen, schoß eine Rakete in den Abendhimmel, hing einen Augenblick still, zerbarst dann und fiel in einem Schauer glitzernder Sterne zur Erde nieder, unter den spöttischen Augen des Abendsterns, der hell und rein ohne jegliche Hilfe vom britischen Empire am Himmel erschienen war und der noch hell und rein dort stehen würde, wenn das Empire – so unwahrscheinlich das anmutete – längst zu Staub zerfallen war.

Wieder durchdrang die weiche Abendluft das zischende Geräusch und das Platzen einer Rakete. »Hoffentlich wacht unser Jack nicht davon auf«, sagte Tom besorgt und vorwurfsvoll.

Blanche lächelte. »Schade«, sagte sie, »das alles an seinem Geburtstag, und er weiß nichts davon. Er wird sich an gar nichts erinnern.« Sie schob ihre Hand in Toms Hand. »Aber wir vergessen das nicht, nicht wahr?«

Hand in Hand schlenderten sie nach Hause: zwei kleine Menschen, älter als ihre Jahre, die kurz vom Glück der Erwachsenen gekostet hatten.

2

»Ich muß es den alten Herrschaften wohl sagen«, meinte Nathan Cranswick mißmutig.

»Wenn du's nicht tust, gibt's Ärger«, meinte Zilla und fügte dann nachdenklich hinzu: »Und wenn du's tust, auch.«

Sie lächelten einander zu. Es war das etwas schiefe Lächeln, mit dem sie so viele der kleinen täglichen Ärgernisse aufnahmen. »Ja. Und dem Pfarrer liegt daran, daß sie zur Taufe kommen. Das werden sie auch nicht gern schlucken.« Er seufzte. »Ich bring's am besten gleich hinter mich«, sagte er, stand auf und drückte seiner Frau einen Kuß auf die Stirn. »Auf bald, mein Kleiner«, flüsterte er dem schlafenden Jack Jubilee zu. Dann machte er sich auf den Weg zu den Eltern.

Er war noch nicht draußen, als Blanche und Tom ins Zimmer stoben, dann anhielten, kicherten und artig stillschwiegen.

»Na, na, die Mutter kann keinen Lärm gebrauchen«, sagte Nathan munter. Nicht, daß ihm etwa munter zumute war, und von dem Besuch bei seinen Eltern war auch nicht viel Aufmunterung zu erwarten. Leise schloß er die Tür hinter sich.

Blanche – wie immer die Wortführerin – fragte: »Können wir Tante Täubchen besuchen?«

»Ja, wenn ihr nichts Besseres zu tun habt.« Zilla nickte lächelnd. »Komm her, Tom, laß mal sehen, wie du aussiehst.« Tom trat vor, und Zilla blickte ihn zärtlich an. Sie wußte, eine Mutter sollte kein Lieblingskind haben. Aber Tom –? Es war, als sei das Kind mit dem traurig-nachdenklichen kleinen Gesicht durch unsichtbare Bande mit ihrem Herzen verbunden. Was immer Tom zu leiden hatte, das litt sie mit. Die langen Nächte mit Ohrenschmerzen oder Zahnweh: bei Kerzenlicht hatten sie und Tom gemeinsam sie durchgestanden. Und sie hätte geschworen, daß sie dabei ebenso gelitten hatte wie er.

Trotzdem musterte sie ihn streng. Er stand da, den schmalen Körper eingepackt in den auf Zuwachs berechneten Anzug, und wartete schweigend und geduldig auf ihr Urteil.

Endlich lächelte sie und sagte: »Es geht. Aber bleibt nicht zu lange. Ich will nicht, daß ihr die halbe Nacht draußen seid, Diamant-Jubiläum hin, Diamant-Jubiläum her.«

»Ja, Ma«, sagten sie, ohne auf ihre Worte zu achten. Sie wußten, Ma hatte ihre Anweisungen noch schneller vergessen als die Kinder.

Dann waren sie fort, und Zilla wandte sich wieder um und starrte fast mit Abneigung auf ihre jüngste Bürde. »Kann mir nicht vorstellen, daß _du_ viel leiden wirst«, flüsterte sie. »Nicht wie Blanche – die leidet für alle mit. Aber sie ist stark. Und auch nicht wie Tom. Nein, nicht wie Tom, der arme kleine Kerl.«

Mit einer halbherzigen Geste versuchte sie, die Bettdecke glattzuziehen, aber sie ließ sich nicht glattziehen, und Zilla gab es bald auf. Zilla gab immer bald auf. Sie hatte sich längst damit abgefunden, daß sie keinerlei Macht über leblose Gegenstände hatte. Sie boten ihr einfach Trotz. Wenn sie, was selten geschah, ihre Küche aufzuräumen versuchte, so sah das Ende stets genauso aus wie der Anfang: ein Haufen schmutziger Kochtöpfe, mehrere Krüge, die alle einen Fingerbreit Milch enthielten, auf jedem Stuhl ein Stapel Zeitungen, Schränke, die beim Öffnen ihren Inhalt auf den Fußboden ergossen, ein Wäscheständer, der stets mit zwei Wäschestücken vor dem Feuer stand. Nathan pflegte scherzend zu sagen, bevor man in Zillas Küche irgend etwas tun könne, müsse man erst immer etwas aus dem Weg räumen.

Nathan Cranswick wohnte in einer der vielen grauen Gassen einer reizlosen Stadt in den Midlands, und doch war es ihm nie in den Sinn gekommen, sich zu fragen, warum er deshalb nicht der glücklichste Mensch auf der Welt sein sollte. Was er im Grunde auch fast immer war.

Doch woher er auch seinen Frohsinn hatte: von seinen Eltern hatte er ihn nicht.

Mr. Cranswick senior sah aus, als sei sein Gesicht aus graurotem Sandstein geschnitten und daher außerstande, jemals zu lächeln oder sonst ein Gefühl zu zeigen, außer grämlicher Ablehnung. Es war eigentlich nur der Rahmen für zwei gelbliche Augen, einen Mund, der einer stählernen Falle glich, und Nasenlöchern, die jeden üblen Geruch aufnahmen, doch niemals den Duft einer Rose bemerkten. Das also war das Gesicht, von dem Nathan an der unwillig geöffneten Haustür begrüßt wurde.

Vater und Sohn sahen einander an. Dann rief der alte Mann in die Küche: »Nathan isses, Ma.«

»Soll reinkommen«, hörte man eine schrille unmelodische Stimme. »Komm rein«, sagte Nathans Vater.

»Tag.« Nathan trat in den schäbigen Flur. »Geh nur durch«, sagte sein Vater.

Nathan ging nach hinten. »Hallo, Ma.«

»Du hast was getrunken«, sagte seine Mutter. Ihr starrer Blick wirkte durch die dicken Brillengläser noch aggressiver.

Es war seltsam. Auf der Kanzel, mit seinen Freunden oder im Kreise seiner Familie war Nathan ein selbstsicherer, natürlicher und heiterer Mann. Sobald er vor seinen Eltern stand, war er wieder zwölf Jahre alt. »Nur ein Glas, Ma«, sagte er.

Emily Cranswick schnaubte. »Willst dich setzen?« Sie wies auf einen ungepolsterten Stuhl.

»Danke.« Er setzte sich. »Wir haben wieder eins«, sagte er.

Sie starrten ihn an. Endlich sagte sein Vater ungläubig: »Du willst doch nicht sagen . . .«

Nathan nickte. Sie starrten immer noch. Dann sagte sein Vater:

»Du mußt ja wohl verrückt sein.«

»Ihre Schuld isses«, sagte seine Mutter gelassen. »Hat nie keinen Verstand gehabt.«

Nathan, wieder zwölf Jahre alt, sagte: »Es war nicht ihre Schuld. Meine war's.«

»Dann solltest du dich schämen«, erwiderte sein Vater.

»Ich dachte, du hättest genug Münder zu füttern«, sagte seine Mutter.

Nathan schwieg. Sie schwiegen alle. Doch Mrs. Cranswick besaß zwar so viel Mutterinstinkt wie ein weiblicher Kuckuck, war aber nicht ohne großmütterliche Neugier. »Was isses?« wollte sie wissen.

»'n Junge.«

»Wie soll er heißen?«

»Jack Jubilee. Oder Jack Britannia.«

»Oha«, sagte sein Vater.

»Was für 'n Name, wenn man jeden Morgen damit aufstehen muß«, sagte seine Mutter.

Wieder schwiegen sie.

Dann sagte Nathan: »Wir würden uns freuen, wenn ihr zur Taufe kommen könntet.«

Sie starrten, blickten einander fragend an, dann ging der Blick zurück zu ihrem Sohn. »Da wird *er* wohl auftreten, was?« fragte Bert Cranswick angewidert.

»Mr. Clulow? Ja, natürlich.«

Emily verkündete den gemeinsamen Beschluß. »Vielleicht. Vielleicht auch nicht.«

»So ist es«, sagte Bert. »Vielleicht. Oder vielleicht auch nicht.«

»Kommt drauf an«, sagte Emily.

»Ja. Auf allerhand«, sagte Bert.

Ende des Wechselgesangs. Nathan erhob sich halb. »Dann will ich mal gehen«, sagte er.

»Wie geht's ihr?« fragte seine Mutter.

»Gut, danke.« Er ging zur Tür.

»Warte.« Die Mutter verschwand in der Küche und kam mit einem Krug zurück, den sie ihm in die Hand drückte. »Kannst du ihr geben«, sagte sie. »Pfeffergurken.«

»Danke«, sagte Nathan. »Danke, Ma.«

»Pfeffergurken«, sagte sie. »Wird sie mögen.« Beschämt und verlegen, daß sie Gefühl gezeigt hatte, schloß sie die Tür hinter ihrem Sohn und ging schnell in die Küche zurück. »Jack Jubilee«, sagte sie abfällig zu ihrem Mann. »Nicht zu glauben.«

»Hätten ihn ja auch Bert nennen können«, sagte Bert. »Aber sie tun doch, was sie wollen.«

»Kann man nichts machen«, sagte Emily. Und sie erstarrten wieder in Schweigen, wie Glut in der Asche.

Zu den vielen Dingen, die Tante Täubchen eine besondere Aura verliehen, gehörte die Tatsache, daß sie in einer Wohnung lebte, während alle anderen in Häusern wohnten.

Die Wohnung lag über der Schlachterei Hardcastle; das hieß, daß sie sich meistens hoch über allen anderen aufhielt, und wenn sie sich zu gewöhnlichen Sterblichen gesellen wollte – zu Besuchen oder beim Einkaufen oder auf dem Weg zur Bücherei, wo sie arbeitete –, dann mußte sie herabsteigen. Wie der Erzengel Gabriel oder der Allmächtige selber. »Seht, sie steigt herab aus den Wolken«, hatte Nathan einmal gesagt. Doch der Scherz hatte nicht gezündet, denn die Kinder hatten ihn wörtlich genommen, und Zilla wußte nicht recht, ob er es an Respekt für das methodistische Gesangbuch oder für den Allmächtigen fehlen ließ, und mochte ihn daher in keinem Fall gutheißen.

Jetzt lag Abenddämmerung über der kleinen Stadt; die Straßen waren verlassen, denn alle Leute waren entweder zum Feuerwerk in den Park gezogen, oder sie saßen im Pub, oder sie waren schon berauscht zu Hause. Die beiden Kinder waren deshalb überrascht, als plötzlich Pfarrer Clulow vor ihnen auftauchte, gerade als sie auf die Tür zugingen, die zu Tante Täubchens Treppenhaus führte. Eben war er noch nicht da, und im nächsten Moment stand er vor ihnen. Tom wußte zwar, daß ein methodistischer Pfarrer mit Zauberei nichts zu tun haben konnte, aber sie erschraken trotzdem.

Und das Seltsame war, daß Mr. Clulow offenbar genauso erschrocken war. »Ah – hallo ihr – Kinder«, sagte er offenbar verwirrt. »Wo wollt ihr denn hin?«

»Zu Tante Täubchen, Mr. Clulow«, sagte Blanche und knickste.

»Ah ja, zu Miß Cranswick. Nun, dann geht nur zu.«

Abwartend sah er ihnen nach, als sie die Tür aufschoben.

»Guten Abend, Mr. Clulow«, riefen sie.

»Guten Abend«, sagte er. Dann wandte er sich um und ging die Straße hinunter, ein einsamer Mann unter dem Licht der Gaslaternen.

Blanche und Tom stiegen bedächtig die linoleumbelegten Stufen zu Tante Täubchens Wohnung empor. Ihre Mutter hatte zwar belustigt gesagt: »Wenn ihr nichts Besseres zu tun habt«, aber es *gab* ja auch gar nichts Besseres als einen Besuch bei Tante Täubchen. Denn alles um Tante Täubchen war so ganz anders als das tägliche Leben daheim.

Weder sie selber noch sonst jemand wußte, wie sie zu diesem ungewöhnlichen Namen gekommen war. Aber er paßte zu ihr, denn sie hatte wirklich etwas Taubenhaftes. Die Stimme – im Gegensatz zu dem harten Akzent der Midlands ringsum – war sanft und gurrend. Alle ihre Bewegungen waren sacht und ruhig. Sie nahm kleine Bissen beim Essen; sie war adrett und gelassen und sah immer gepflegt aus. Taubengrau war die Farbe, die ihr am besten stand und die sie fast immer trug. Das Gesicht war oval, weich und heiter, und der Busen war so sanft gerundet wie eine Vogelbrust.

»Hallo, ihr zwei«, sagte sie, als sie die Tür geöffnet hatte. Merkwürdigerweise schien sie nicht recht zu wissen, was sie weiter sagen sollte; erst nach einer Weile

fragte sie, als suche sie verzweifelt nach einem Gesprächs-
thema: »Habt ihr es denn schön gehabt heute?«

Sie kamen ins Zimmer und setzten sich. Tom ließ sich
offenbar erschöpft in einen der bequemen Sessel fallen.
»Ja, danke schön, Tantchen.«

»Und was hast du gemacht, Tantchen?« fragte Blanche
höflich.

»Ich bin zur Messe gegangen. Und danach bin ich zu
Hause geblieben.«

»Du warst in der Kirche?« fragte Blanche erstaunt.

Tante Täubchen nickte lächelnd.

»Es ist doch gar nicht Sonntag heute.«

»Nein. Aber die Königin ist das weltliche Oberhaupt
meiner Kirche, und da gehört es sich wohl, daß wir ihr Ju-
biläum feiern, meint ihr nicht?«

Das war wieder eins der geheimnisvollen Dinge um
Tante Täubchen: ihr anglikanischer Glaube. Manchmal
nahm sie Sonntag morgens Blanche mit zum Hochamt;
das war für Blanche eine Welt, die dem Himmel näher war
als der Erde. Der Gottesdienst in der Methodistenkapelle
von Zion war einfach wie eine Fortsetzung des Alltagsle-
bens im Hause Cranswick: dort waltete Mr. Clulow in seinem üblichen dunklen Anzug schlicht und unauffällig seines Amtes in einer Umgebung aus Kiefernholz und brau-
nem Farbanstrich; während die anglikanische Kirche von
St. Lukas angefüllt war mit göttlichen Wundern: Priester
in Gold und Weiß, Meßdiener in Leinen und Spitzen, der
Chor rotberockt. Unablässig geschah etwas: Man roch
Weihrauch und Kerzenwachs, die Augen tranken Hellig-
keit und Farben, in den Ohren klangen helle Knabenstimmen, die Seele trank Ehrfurcht und Gottesnähe. Da saß
man, blickte auf die alten Steine und die Gedenktafeln für
die Toten; man hatte neben sich Tante Täubchen, die heiter und aufrecht stand oder die Knie beugte oder in der
Bank niederkniete oder sich bekreuzigte: das alles war, als
nähme ein Engel einen bei der Hand und sagte: »Sieh, eine
Stadt von lauterem Golde gleich dem reinen Glase.«

Tante Täubchen sah ihre kleinen Freunde lächelnd an. »Und ihr habt euch schön amüsiert bei dem Straßenfest?«

Sie nickten, schon etwas schläfrig.

»Hungrig seid ihr also nicht –?«

Tom lachte. »Doch –«

Tante Täubchen ging in die Küche und kam gleich darauf wieder mit einem Steinkrug voll Ingwerbier, zwei Gläsern und einem prachtvollen dunklen klebrigen Kuchen.

Zwei Paar Augen hefteten sich hungrig an die Ingwerbierflasche. In ihrem jungen Leben war so eine Flasche das Symbol für ein außergewöhnliches und ausgedehntes Fest, vom ersten schäumenden Glas bis zum letzten säuerlichen kleinen Tropfen. Zu Hause wurde der Inhalt millimetergenau eingeteilt und dann in dem Bewußtsein getrunken, daß jeder Schluck die Anzahl der restlichen Schlucke verminderte. Bei Tante Täubchen hingegen konnte man ganz unbekümmert trinken, ihre Flasche hatte etwas vom biblischen Ölkrüglein der Witwe. Tom räkelte sich und trank und stopfte sich mit Kuchen voll. Tante Täubchen sah ihn mit leichtem Mißfallen an und sagte:

»Mein Junge, beim Essen und Trinken läßt man die Schultern nicht hängen. Man setzt sich gerade hin und gibt sich den Anschein, daß man interessiert und dankbar ist, und freut sich, daß es einem schmeckt.«

Tom setzte sich hastig gerade. Der kleinste Tadel brachte ihn aus der Fassung. Auch Blanche, die kerzengerade am Tisch saß, versteifte sich. Ihr lag viel daran, von Tante Täubchen zu lernen; sie hätte es zwar nicht ausdrükken können, aber Vornehmheit gefiel ihr, und Tante Täubchen war der einzige Mensch, den sie kannte, der ein bißchen vornehm war.

»Wir haben Mr. Clulow unten auf der Straße getroffen«, erzählte Tom.

»Ja –?« sagte Tante Täubchen und faßte mit der schlanken Hand leicht an ihren Halskragen, bevor sie noch einen kleinen Schluck Wein trank. »Er wird sicher euer neues Brüderchen taufen, nicht wahr?«

»Ja. Er war gerade unten vor deiner Haustür.«

»Wirklich?« Tante Täubchen schien von diesem Zufall nicht weiter beeindruckt zu sein. Doch im stillen sagte sie sich, wieder und wieder: ›O Martin, mein Liebster, mein lieber Liebster – wir sind ja verrückt. Wir spielen mit dem Feuer. Es kann nicht gutgehen, Martin. Es kann einfach nicht gutgehen.‹

3

Die Methodistenkirche hatte still und unauffällig dafür gesorgt, daß Nathan so etwas wie Bildung erhielt.

Er war vom Beruf her ein kleiner, aber erfolgreicher selbständiger Maurer. Das Besondere an ihm war die Arbeit, die er außerhalb seiner Werkstatt leistete: Abendunterricht, Sonntagsschule, Betstunden; dort traf er – zu seinem heimlichen Stolz – auf fast gleicher Stufe mit Männern zusammen, die ihm an Bildung und Wissen überlegen waren. Und nun war es soweit, daß seine Ausbildung sonntags auf die Probe gestellt und gerechtfertigt werden sollte. Denn er war jetzt als Laienprediger in der Methodistenkirche angenommen worden, und das erfüllte ihn mit Demut und Dankbarkeit und stillem Stolz. Er war auch ehrlich genug, sich zu sagen, wenn die jahrelange Arbeit ihn sowohl geistig wie sozial weitergebracht hatte, dann war eben beides wichtig für ihn.

Am folgenden Sonntag legte er also alle Spuren des Maurermeisters Nathan Cranswick ab und verwandelte sich in den Laienprediger Mr. Nathan Cranswick. Dazu setzte er nicht etwa eine wichtigtuerische Miene auf oder dachte in frommen Sprüchen. Nein: er blieb der gleiche Nathan – amüsiert, freundlich, witzig, handfest-irdisch und dabei stets fest im Glauben an den himmlischen Vater. Die Verwandlung ging so vor sich, daß er in das Kragenbündchen seines Flanellhemds vorn und hinten einen Knopf einsteckte und daran den steifen weißen Kragen mit der Steckkrawatte befestigte. Dann wurden an die Hemdsärmel zwei steife weiße Manschetten geknöpft, worauf Nathan Rock und Zylinder anlegte, die Manschetten herunterschüttelte, Bibel, Gesangbuch und Stock ergriff und seine Frau zum Abschied küßte. Dann machte er sich auf den langen Weg in das Dorf, in dem er den Gottesdienst zu halten hatte und wo – wäre er nicht gewesen – die Methodisten nur die schwere Wahl zwischen dem Anglikanismus und dem blanken Nichts gehabt hätten.

Er ging mit beschwingten Schritten und kam bald aus den grauen Straßen in hübsche Vororte und dann hinaus aufs Land, wo Wildmöhren und Löwenzahn die Wege säumten. Beglückt sah er, wie sich die Welt von hartem Grau in weiches Grün verwandelte, wie Fabrikschornsteine Ulmen und Pappeln wichen und das Steinpflaster weichen Sandwegen Platz machte. Seine Stimmung hob sich bei jedem Schritt, beim Anblick jedes Vogels und jedes grünen Busches. Und nach etwa vier Meilen war sein Herz weit geöffnet zum Lobe des Herrn.

Er ging nicht allein. Tom, sauber und blankgescheuert wie ein Hirtenjunge aus Porzellan, schritt ernsthaft neben ihm.

Anfangs waren beide gehemmt und redeten kaum; Väter und Söhne haben oft wenig Gemeinsames. Tom und sein Vater fanden es ganz natürlich, daß einer, der nichts zu sagen hatte, auch nichts sagte. Plätschernde Unterhaltung war ihnen so fremd wie ein Frack mit weißer Binde. Außerdem war Tom angefüllt mit Ängsten und Spannung. Er kannte bisher nichts als karge städtische Straßen und sollte nun »das Land« kennenlernen, für ihn eine vage formlose Gegend mit Kühen und Pferden und Bullen und bissigen Hunden. Landwege hatte er nie gesehen, und als er die vielen Blumen am Rande der staubigen Landstraße sah, fragte er:

»Wer hat all die Blumen gepflanzt, Pa?«

»Gott«, sagte Nathan. Für ihn war das eine ganz vernünftige und annehmbare Antwort; außerdem war er in Gedanken bei seiner Predigt.

Tom sah im Geist Gott mit einer kleinen Schaufel am Werk, und das Bild gefiel ihm. Es mußte allerhand Arbeit gewesen sein, selbst für jemanden, der Himmel und Erde in sechs Tagen erschaffen hatte. Vielleicht hatte er sich am Sabbat erst mal schön ausgeruht und das hier am achten Tag vollbracht.

Tom stapfte weiter. Die Spitzen weiß vom Staub, schleiften seine Schuhe über den steinigen Boden. Pa nahm seine Hand; ihm fiel erst jetzt ein, daß Toms Schulweg nur etwa zwei Meilen lang war und daß der Junge auch nicht zu den Stärksten gehörte. »Ist nicht mehr weit«, sagte er tröstend. Er hatte keine Ahnung, wie weit es noch war. Doch zu seiner großen Erleichterung bog die Landstraße jetzt ab zum Fluß. Einen Fluß hatte Tom noch nie gesehen, und so war die Müdigkeit schnell vergessen.

Robert Heron, Gutsherr auf Moreland Hall in Derbyshire, war auf dem Weg ins Dorf, um seinen neuen Laienprediger zu begrüßen. Der stille Sonntagmittag tat ihm wohl. Er war nicht der Mann, so etwas mit poetischen Etiketten zu versehen oder seinem Herrgott dafür zu danken. Er genoß einfach den Tag, so wie Rover, sein goldfarbener Retriever, ihn genoß. Eine sonnendurchflutete englische Landschaft und zu Mittag dann ein zarter Lammrücken: mehr konnte sich ein Mensch nicht wünschen.

Robert Heron gehörte zu den Engländern, die man sich in ihren besten Jahren vor einem Hintergrund aus Tudors, Kricket, Roastbeef mit Yorkshire Pudding, erstklassigem Tweed und Landleben vorstellt. Sein Gesicht war frisch, von Sonne, Wind und Regen gebräunt, der Blick klug und freundlich. Drei Mahlzeiten am Tag verzehrte er mit gutem Appetit. Er war kein eifernder Methodist; Alkohol war für ihn ein guter und geschätzter Freund.

Er war verheiratet, und seine Frau wäre außer sich gewesen, hätte man ihr gesagt, was zweifellos zutraf, daß er sie weit besser verstand als sie ihn. Sie hätte es niemals geglaubt. Das Gesinde liebte und verehrte ihn.

Doch an seinem Horizont gab es an diesem schönen Morgen eine Wolke. Seine Frau hatte gewollt, daß dieser

Prediger zusammen mit der Dienerschaft in der Küche zu Mittag aß. »Wie ich höre«, hatte sie abfällig erklärt, »ist er –« dramatische Pause, dann mit verengten Augen und mitleidiger Herablassung – »ein Handwerker.«

»Das ist mir egal, und wenn er Straßenkehrer ist. An seinem einzigen freien Tag geht der Mann meilenweit, um Leuten wie Martha Kenwoody ein wenig Erbauung zu bringen. Er ißt mit *uns*.«

Widerspruch schätzte Dorothy Heron nicht. Sie war dann beleidigt, aber zum Streit ließ sie es selten kommen, »ach, Robert, er wird sich bei den Dienern viel wohler fühlen, glaub mir.« Sie troff geradezu vor Mitgefühl mit dem abwesenden und ihr unbekannten Nathan Cranswick. »Diese Leute können sehr oft gar nicht mit Messer und Gabel umgehen, weißt du.«

»Liebe Doll, wenn er die Bibel auszulegen versteht, dann werden ihm Messer und Gabel auch keine Schwierigkeiten machen.«

»Darum geht es nicht. Er wird sich bei uns nicht wohl fühlen und wir uns auch nicht. Und nenne mich bitte nicht Doll.«

»Sorry. Dorothy. Wir essen also zu dritt.« Damit wandte er sich ab – anscheinend ungerührt, anscheinend durchaus der Herr im eigenen Haus und auf dem eigenen Besitz. Doch er wußte, ganz so einfach war es nicht. Eine Niederlage für Dorothy war niemals ein uneingeschränkter Sieg für ihn. Der Abnutzungskrieg, der darauf folgte, war immer ermüdend und nervenaufreibend.

Er traf auf einen Mann mit großen knochigen Händen, großen Füßen und einem ledernen faltigen Gesicht, das einer alten ramponierten Reisetasche glich. Da der Mann staubige Stiefel hatte und eine Bibel mit Gesangbuch in der Hand trug, streckte ihm Robert Heron freundlich die Hand entgegen. »Mr. Cranswick? Sie haben einen tüchtigen Marsch hinter sich. Willkommen. Und hier haben wir –?« Er lächelte Tom zu.

Tom hielt ihm seine müde Hand entgegen und nahm

die Mütze ab. Lächeln konnte er nicht mehr. Nathan sagte: »Mein Sohn Tom.« Er sah Roberts großkarierten Tweedanzug, die Stiefel, blank wie frischgefallene Kastanien, den steifen niedrigen Hut. Er sah auch das gute offene Gesicht, das fast so blank schien wie die Stiefel. In den Fingern spürte er noch den warmen Willkommensdruck der Hand. Von diesem Augenblick an gehörte er Robert Heron mit Leib und Seele.

Nie hatte Nathan jemanden gekannt, der so viel Autorität und gleichzeitig so viel Charme besaß wie Robert Heron. Solche Männer gab es nicht in Nathans Welt. Die besten Lehrer Englands hatten ihn erzogen, die besten Schneider Englands arbeiteten für ihn, Fuchs- und Moorhuhnjagd hatten ihm ihren Stempel aufgedrückt. Doch das alles hätte Nathan Cranswick ohne die Wärme und Freundlichkeit dieses Mannes nicht weiter beeindruckt.

Robert sagte: »Hallo, Tom, du siehst müde aus.« Er lächelte Nathan zu. »Sie sind zum Lunch bei uns.«

Nathans offenes Gesicht verzog sich zu einem breiten Lächeln. »Das kann ich gebrauchen. Danke! Ich muß zugeben, daß ich ziemlich hungrig bin. Danke!« Sie stiegen den Hügel hinauf. Jetzt bogen sie in die kiesbedeckte Einfahrt ein, die von Rhododendron und Lorbeerbäumen eingefaßt war. Die Bäume hörten auf, und das Haus stand vor ihnen, breit und viereckig, aber nicht eigentlich imposant, mit einem Säulenvorbau, der Nathans ganzes Haus hätte aufnehmen können, der aber in dieser Umgebung eher bescheiden wirkte.

Als Tom das Haus sah, blieb er abrupt stehen. Da konnten sie doch nicht hineingehen!

Jetzt stellte Robert Heron eine Frage, die, wie er meinte, geklärt werden mußte. »Mr. Cranswick, ich trinke gewöhnlich ein Glas Bier vor dem Essen. Aber heute sind Sie ja mein geistlicher Mentor. Ich möchte Sie nicht irgendwie in Verlegenheit bringen.«

»Ich würde gern eins mittrinken«, sagte Nathan einfach.

»Wirklich? Das ist großartig, mein Bester.«

Nathan nahm Tom an die Hand und setzte ihn wieder in Bewegung. Sie gingen also tatsächlich auf die enorme Haustür zu. Sie wurde von einem Mann in schwarzem Rock geöffnet, der Tom etwas beunruhigte, weil er ihm die Mütze abnahm und sie irgendwo verschwinden ließ. Ein Trost war nur, daß er das gleiche mit Pas Hut und Stock tat.

Dorothy mußte bei Tisch enttäuscht feststellen, daß dieser Prediger sehr wohl mit Messer und Gabel umzugehen wußte. Oder er war so aufmerksam und umsichtig, daß es wenigstens so aussah.

Um Punkt zwei Uhr fünfundvierzig führte Robert Heron – jetzt in Gehrock und Zylinder – sein Gefolge hinunter zum Nachmittags-Gottesdienst.

Neben ihm schritt sein neuer Freund Nathan Cranswick, und beide Männer unterhielten sich so zwanglos und froh, als hätten sie einander ihr Leben lang gekannt. Dann kam Dorothy Heron, groß und stattlich. Es folgten Mrs. Hill, die Köchin, mit Mr. Hill, dem Butler, und zuletzt Dina, das Kleinmädchen, das sich laut Anweisung ihrer Herrin um den Sohn des Predigers zu kümmern hatte.

Tom blickte Dina schüchtern von der Seite an und stellte fest, daß Mädchen doch nicht immer nur Jungens zweiter Ordnung waren. Es waren Wesen, die zwar als Bestandteil zur Welt gehörten, die aber der Welt einen Glanz und Zauber verliehen, von dem man nur träumen konnte. Dina war von den Mädchen in der Stadt, die Tom bisher kannte, so verschieden wie ein sonnenreifer Apfel von einer gelben Quitte. Ihre Haut war fest und gebräunt von Sonne und Wind; und vor allem strahlte sie vor unbekümmerter Lebensfreude. Tom starrte sie an wie einen sehr irdischen Engel.

Ein Sonntagnachmittag im Sommer ist nicht ganz die richtige Zeit für einen Gottesdienst. Die Jungen treten un-

33

ruhig gegen die Kirchenbank, weil sie Wiesengras unter den Füßen haben und im Fluß herumtoben wollen. Die Alten, angefüllt mit Roastbeef, Yorkshire Pudding und Apfelauflauf, kämpfen heroisch gegen die blamable Versuchung des Einschlafens während der Predigt. Einige machen es wie Martha Kenwoody und zählen entschlossen bis tausend, wobei sie bei fünfzig jedesmal ein lautes »Halleluja!« von sich geben, ein Trick, der nicht nur sie selber wachhält, sondern auch ihre Altersgenossen nicht einschlafen läßt.

Die Liebenden aber haben nur Blicke für die Geliebten und denken weit mehr an stille Waldgründe und einsame Wiesen als an die Epistel des Paulus, an die Epheser, die Mr. Cranswick soeben als den heutigen Text angekündigt hatte.

Tom hatte einen Marsch von vier Meilen hinter sich, den gleichen noch einmal vor sich und zwei große Portionen Apfelauflauf in sich; er versuchte gar nicht erst wach zu bleiben.

Gleich als die Predigt begann, betrachtete Mrs. Hill den blassen, müden kleinen Stadtjungen, legte mit liebevollem Lächeln den Arm um ihn und zog ihn an sich. Tom nahm das als direkte Aufforderung zum Schlaf und schlief prompt ein. Als Sohn des Predigers hatte er ein Gefühl, das er im Leben nur selten haben sollte: Er war hier privilegiert.

Es gab in der methodistischen Kirche bessere Prediger als Nathan Cranswick, auch unter den Laien. Doch keiner war einfacher, redlicher und aufrichtiger, und gewiß gab es keinen, der seine Gemeinde mehr liebte als er. Als Nathan seinen Text angesagt hatte, hielt er inne und blickte sich um.

Die Methodistenkapelle in Moreland war kein architektonisches Glanzstück. Das Innere war anspruchslos eingerichtet mit Holzbänken, Öllampen, Kanzel und Harmonium. Als Teppich diente der nachmittägliche Sonnenschein. Vor den Fenstern sah man Bäume und ferne Hügel. Es roch nach Paraffin, feuchten Gesangbüchern und Sonntagskleidern.

Nathan nahm sich zusammen und wiederholte den Text. »Halleluja!« rief Martha Kenwoody, die bei den ersten Fünfzig angekommen war. Nathans Mut sank. Es war zwar schmeichelhaft (und auch ganz üblich), daß die Predigt von Rufen wie »Halleluja« und »Lobe den Herrn« unterbrochen wurde, nur kam es vor, daß so etwas die Jungen zum Kichern brachte und die weniger Andächtigen irritierte. Doch er fuhr fort mit seiner Predigt, und er sprach von der Liebe Gottes mit einer Wärme, die nur ein Herz voller Liebe aufbringen konnte. Jetzt störten ihn auch die wiederholten »Hallelujas« nicht mehr als das Summen der Fliegen oder das Schnarchen des alten Mr. Harvey an diesem verschlafenen Sommernachmittag.

Es war vermutlich eine ziemlich durchschnittliche Landgemeinde: Sie nahm etwa zehn Prozent auf von dem, was der Prediger sagte. Die Gedanken schweiften manchmal ab, kehrten aber immer wieder zurück wie Hausschwalben zu ihrem Nest.

Erst nach einer Weile merkte Nathan, daß ein Mensch da unten saß, dessen Gedanken nicht abschweiften. Zwei Augen, amüsiert und sehr blau, blieben fest auf sein Gesicht geheftet. Nun ist Amüsiertheit in der Gemeinde für einen ungeübten Prediger nicht gerade das, was er sich wünscht. Doch es störte Nathan nicht. Er spürte, daß diese gutgekleidete und überaus intelligent aussehende Dame nicht über seine schlichten Gedanken oder seinen ungeschickten Vortrag lachte. Sie gehörte zu den seltenen Menschen, die die Frage, ob das Leben eine Komödie oder eine Tragödie sei, längst beantwortet und sich für die Komödie entschieden haben, wobei sie die tragische Seite nolens volens in Kauf nehmen.

Neben ihr saß ein junger Mann, sicher ihr Sohn. Beide hatten die klar blickenden Augen, die schmale sportliche Figur und den prachtvoll gesunden Teint englischer Landleute.

Endlich war es soweit: Das Harmonium ächzte und schrillte, als der Organist kraftvoll zur letzten Hymne ansetzte. Dann waren sie draußen in der warmen Sonne, jeder schüttelte jedem die Hand, besonders Tom, der das Gefühl des Privilegiertseins schon verloren hatte und nun schüchtern und verwirrt in der Menge stand.

Robert Heron machte Nathan mit einigen Leuten bekannt und sagte dann: »Ah, Vin, da bist du ja. Darf ich dir unseren neuen Prediger vorstellen?«

Die Dame mit den klaren Augen kam heran und lächelte freundlich. »Dies ist Mr. Cranswick«, sagte Heron und wandte sich an Nathan. »Das ist Mrs. Lavinia Musgrove von der Hall Farm, meine gute Nachbarin.«

Nathan streckte ihr die große knochige Hand entgegen, und Lavinia Musgrove schüttelte sie herzlich. »Guten Tag. War eine gute Predigt. Hat mir gefallen.«

Auch Nathan lächelte herzlich. »Ich danke Ihnen.«

»Hier ist mein Sohn Adam. Adam, dies ist Mr. Cranswick, der Prediger.«

»Guten Tag, Sir.« Adam lächelte und schüttelte Nathan höflich die Hand.

Es muß leider gesagt werden, daß Nathan sich geradezu erhaben vorkam, als ihn jemand von der Hall Farm »Sir« nannte (und dabei hatte Paulus ausdrücklich vor so etwas gewarnt!). Jetzt nahm ihn Robert Heron beim Arm und sagte: »Nun trinken Sie aber noch eine Tasse Tee mit uns, bevor Sie sich auf den Rückweg machen, Mr. Cranswick. Und ihr natürlich auch, Vin und Adam. Dina, du gehst mit Tom hinunter und zeigst ihm den Fluß.«

Dina ergriff Toms Hand. »Komm mit«, befahl sie, aber sie lächelte sehr lieb dabei, und schon liefen sie fort. Tom wurde von seiner quecksilbrigen Gefährtin mitgezogen; ihm fiel das Laufen über Gras und Wiesen nicht leicht, denn er war bisher nur über gepflasterte Straßen gelaufen.

Er war so verwirrt, als habe ein Engel ihn bei der Hand genommen.

Er wußte, er war langsam und linkisch. Und als sie endlich stehenblieb, fand er sich an einem sehr seltsamen Ort: eine kleine Bucht aus Sand und Kies mit hoher Uferböschung auf der einen und dem großen rauschenden Fluß auf der anderen Seite.

Der Nachmittag war windstill und heiß. Die meisten Kinder hätten gejubelt beim Anblick des kühlen, plätschernden Wassers. Für Tom, den Städter, war Wasser ein feindliches Element. Die einsame kleine Bucht erschreckte ihn. Und am meisten erschreckte ihn das Mädchen neben ihm – ein Mädchen, das keine Schwester war. Er wollte zu Pa zurück. Er wollte nach Hause. Er fand alles auf dem Lande einfach schrecklich. Und diese Dina mit den grünen Augen starrte ihn so fest an, daß er an sein Brennglas denken mußte, das wie viele von Toms wenigen Schätzen ursprünglich etwas anderes gewesen war, nämlich eine Linse in einem Fernglas. Er wand sich fast unter ihrem Blick, obgleich der ganz freundlich war. Und dieser Fluß da unten, der so hastig und drohend vorbeijagte ... Gab es nicht etwas wie eine Flut? Wer weiß, ob nicht die Flut auf einmal in diese geschützte Bucht hereinschoß und sie beide hinaus ins Meer trug ...

Dann kam etwas noch Schlimmeres. Dina warf sich in den Sand und begann eilig ihre Stiefelbänder aufzubinden.

»Ich will jetzt waten«, sagte sie. »Los – zieh doch Stiefel und Strümpfe aus!«

Tom konnte sie nur erstaunt anstarren. »Da – da hinein?« fragte er und wies auf den Fluß.

»'türlich – was dachtest du denn? Im Nachttopf?« Sie lachte schrill auf und zog den ersten Stiefel aus.

Tom war schon vorher wehrlos gewesen – dieses ländlich-grobe Bemerkung warf ihn um. Langsam und tief errötend schüttelte er den Kopf.

Dina erkannte seine Verlegenheit und sprang auf die Füße. Sie lachte nicht mehr. Mit der einen Hand stützte sie sich auf seine Schulter und zog den anderen Stiefel aus. »Entschuldige, du, jetzt hab ich dich erschreckt, was?«

»Nein, woher denn.« Männlich-erhaben schüttelte er den Kopf.

»Doch, hab ich. Bei dir zu Hause reden sie wohl nicht so. Nun komm doch mit runter, waten«, drängte sie ihn und machte sich daran, ihre langen schwarzen Strümpfe auszuziehen.

Tom sah sich in einem gräßlichen Dilemma. Gegen das Waten im Wasser gab es unüberwindliche Einwände. Zunächst mal: Wenn am Sabbat etwas Spaß machte, so war es Sünde. Und er würde es auch nie wagen, Stiefel und Strümpfe abzulegen und seine Beine so nackt zu zeigen, wie Dina es tat. Nacktheit war noch viel schlimmer und sündiger, das hatte man ihm aus dem Moralkodex schon beigebracht. Ein paar Minuten Waten im kühlen Wasser – so was würde bestimmt mit ewigem Fegefeuer geahndet. Das lohnte sich einfach nicht. Aber es gab noch einen dringenderen Grund, den er Dina unmöglich nennen konnte: Er hatte einfach nicht den Mut, einen Schritt in das fremde Element zu tun, so wenig wie er einen Gang über glühende Kohlen gewagt hätte.

Dina hielt sich immer noch an seiner Schulter fest und musterte ernsthaft das verängstigte Jungengesicht. Und dann verstand sie. »Gut, du«, sagte sie. »Dann geh ich allein rein, und du wartest hier.«

Lachend und juchzend lief sie ins Wasser; der Ernst war von ihr abgefallen. »O Tom, es ist herrlich!« Schlamm stieg vom Flußboden auf und legte sich wolkig um ihre Beine. Sie spreizte lachend die Zehen in dem mulmigen Boden, nahm Wasser in die Hände und warf es spritzend hoch, so daß die Tropfen glitzernd wie Diamanten vor ihr herflogen. Sie war in einem Paradies aus Sonnenlicht und Himmelsblau und herrlich kaltem Wasser. Und sie sah zu Tom hinüber, der ängstlich und verlegen in seinem armen dunklen Knickerbocker-Anzug und den engen Stiefeln allein am Ufer stand – sie betrachtete ihn, wie ein fröhlicher Cherub eine verlorene Seele betrachtet, der die Hölle einen freien Nachmittag gewährt hat.

Auf dem Rückweg ins Herrenhaus ging Lavinia Musgrove an Nathans Seite. Sie schritt aus, als habe sie Freude am Gehen, und stach dabei mit der Spitze ihres Sonnenschirms in den sandigen Boden. »Wo wohnen Sie, Mr. Cranswick«, fragte sie, wie immer mit freundlichem Lächeln.

»In Ingerby.«

»Wie sind Sie denn hergekommen?«

»Zu Fuß, Mrs. Musgrove.«

»Alle Achtung – ein tüchtiger Weg.`Und der Junge auch? Der wird gut schlafen heute nacht.«

»Ja.«

»Darf ich wohl mal etwas sagen, das mich nichts angeht?«

»Selbstverständlich«, sagte Nathan und wappnete sich. Vermutlich wollte sie an seiner Predigt Kritik üben.

»Sieht mir nicht sehr gesund aus, das Schmaltierchen. Er müßte auf dem Lande leben. Ah – da sind wir schon. Tasse Tee wird uns guttun, was?«

Und damit hatte sie recht. Der Nachmittagstee hier im Herrenhaus, dachte Nathan, unterschied sich wie der Gottesdienst bei einer Eucharistiefeier in St. Lukas von der Morgenandacht im methodistischen Zionssaal oder vom Tee zu Haus in der Küche. Es war vor allem das Ritual, das alles beherrschte. Der Tee war blaß und schwach, und von den Gurkensandwiches wäre kein Sperling satt geworden. Aber Mr. Hill, der unter devoten Verbeugungen silberne Schüsseln darbot, verlieh der Mahlzeit eine fast priesterliche Note. Nathan sah erstaunt, wie mit feierlicher Geste Wasser in die silberne Teekanne gefüllt wurde. Er spürte einen Blick und sah sich um. Mrs. Musgrove beobachtete ihn, amüsiert wie stets, und als sie seinen Blick auffing, verwirrte sie ihn noch mehr und blinzelte ihm heimlich zu. Beim Abschied schüttelte sie ihm fest und freundschaftlich die Hand und sagte:

»Großartig, daß Sie gekommen sind, Mr. Cranswick. Wir sind Ihnen sehr dankbar. Und ich bitte um Verzeihung, daß ich dem Laienprediger zugeblinzelt habe. Sie wußten gar nicht mehr wohin, was?« Und dabei lachte sie so laut, wie man es von einem so eleganten Geschöpf kaum erwartet hätte. Dann beugte sie sich zu Tom hinunter, nahm seine mageren Wangen in beide Hände und gab ihm einen schallenden Kuß. »Dich sollte man aufpäppeln, mein Jungchen«, sagte sie ernst.

Vater und Sohn waren auf dem Heimweg. Der Mond stieg über den Hügeln auf und wanderte mit ihnen gütig und ernst dahin. Bäume und Felder schimmerten im Zwielicht aus Tag und Mondenschein, weich und sanft und still wie die Liebe Gottes, dachte Nathan.

Toms Gedanken waren weder bei der Abendstille noch bei der Liebe Gottes. Sie waren bei seinen Stiefeln.

Seine zarte Haut, nur geschützt durch die dicken handgestrickten Socken, hatte keine Chance gegen das steife bösartige Stiefelleder. An jeder harten Wegstelle überfiel ein neuer Schmerz den eingeschlossenen Fuß: Die Haut wurde gezwängt, rieb sich wund, riß ab, bildete Blasen, die dann aufgingen und bei jedem Schritt schmerzten. Das alles ertrug Tom mannhaft und ohne zu klagen. Er hätte auch nicht gewußt wie, denn in seiner Welt fand man sich mit Schmerzen ab wie mit Regen und Kälte. Das gehörte alles zum Leben.

Er klagte nicht, aber zuletzt blieb er einfach stehen wie eine Lokomotive, die keinen Dampf mehr hat.

Ein paar Schritte lang merkte Pa gar nichts. Er hatte an zu viel zu denken. Der strahlende Abend draußen im Grünen war für ihn eine Offenbarung gewesen, wie er sie in seinen vertrauten Straßen nicht kannte. Zum erstenmal war ihm klargeworden, daß das Leben in der Stadt auch Nachteile hatte.

Es war nämlich noch etwas anderes geschehen, etwas eher Greifbares. Nach dem Tee hatte Mr. Heron mit ihm einen kleinen Spaziergang gemacht; da waren sie an einem vernachlässigten Cottage vorbeigekommen; unbewohnt und halb versteckt; hinter dem überwachsenen Garten lehnte es an einem niedrigen Hügel. Und halb im Scherz hatte Mr. Heron gesagt: »Warum kommen Sie nicht her und ziehen hier ein? Das war mal ein recht nettes kleines Cottage und könnte wieder eins werden.«

Nathan hatte gelacht. »Ich hab genug damit zu tun, die Miete für mein Haus zu bezahlen. Noch eins könnte ich mir nicht leisten.«

Darauf hatte Robert Heron ruhig gesagt: »Ach was, die Miete wäre belanglos – das Cottage gehört mir, und für mich ist es eine Belastung. Ich würde mich freuen, wenn jemand es zurechtmachen und darin wohnen wollte. Ich kann es nicht leiden, wenn etwas verkommt.«

Sie hatten beide gelacht und ihren Weg fortgesetzt. Doch vor Nathans innerem Auge war plötzlich ein seltsames Bild erschienen: Er sah sich und Zilla mit den Kindern in dem kleinen Garten sitzen an einem Abend wie heute und später hineingehen zum Nachtessen, bei dem die Lampe auf dem Tisch stand, und die Treppe hinaufgehen ins Schlafzimmer unter dem Dach, wo sie dann schliefen und morgens aufwachten bei strahlendem Sonnenschein.

Es gab noch einen anderen Anreiz. Heute hatte er Menschen kennengelernt – Mr. Heron, Mrs. Musgrove und ihren Sohn –, die eine kraftvollere Luft atmeten; Menschen, die mehr Leben besaßen und ausstrahlten als die Menschen, die er kannte. Der Nachmittag hatte ihm die Augen geöffnet, er hatte sich verliebt in eine herrliche geordnete Welt, von der er nie zuvor etwas gewußt hatte. Und er war stark und praktisch, er konnte es schaffen. An den Wochenenden, an den Feiertagen konnten sie dort draußen wohnen. Die Stadtwohnung war für Arbeitstage immer noch gut genug.

So was kostete natürlich Geld, aber nicht allzuviel für einen Mann, der vieles selber machen konnte. Seine Eltern würden ihn für verrückt halten, das taten sie ja jetzt schon. Zilla? Zilla wäre vielleicht auch nicht gleich dafür. Lieber

nichts davon sagen, bis sie sich etwas erholt hatte. Tom –
ach, Tom wäre begeistert, und Mrs. Musgrove hatte ja
auch gesagt, die Landluft müßte Wunder wirken bei ihm.
Aber wo war denn Tom?

Er drehte sich um. Tom stand mitten auf dem Weg, ein
Stückchen weiter zurück: stumm und verzagt, mit flehendem Blick.

Pa lächelte und breitete weit die Arme aus. »Na, komm
schon, altes Roß!«

Das alte Roß rührte sich nicht. Es hob einen Fuß und
setzte ihn dann mit schmerzverzogenem Gesicht wieder
nieder. Nathan ging zurück, hockte sich neben seinen
Sohn und sagte:

»Los, aufsteigen.«

Tom konnte nicht mehr reden. Wortlos stieg er auf,
legte seinem Vater die Arme um den Hals und die Beine
um den langen Körper. Pa erhob sich, machte ein paar
muntere Laufschritte und ging dann für die restlichen
Meilen mit seinem unermüdlichen beschwingten Schritt.

Zillas Vorstellung vom Himmel war weniger ätherisch als
die ihres Mannes. Das Höchste für sie war Toast mit Butter und Tee im Bett am Sonntagnachmittag. Und das
wurde ihr heute zuteil. Sie hatte gedöst und sah beim Erwachen, wie Blanche mit dem Teetablett ins Zimmer kam.
Ihr war, als stünde ein Engel vor ihr.

»O ja, schenk uns ein, Liebes«, sagte sie, nahm eine
Scheibe Toast und besah sich lange die goldgelb zerflie-
ßende Butter, bevor sie die Zähne in das buttergetränkte
Brot grub. Dann kam ein kleiner Schluck Tee darauf, langsam und genußvoll, der Rest aus der Tasse, während sie
sich weich und behaglich in das große Federbett zurück-
lehnte. »Danke, Schatz. Du hast sicher genug Arbeit –
brauchst nicht immer meinetwegen rauf und runter zu
laufen. Gehst du zur Kirche?«

Die Sonne, die es heute mit Nathan und Tom so gut
meinte, hatte auch für das Haus in der Stafford Street 37

eine kleine Portion erübrigt; sie malte ein schmales gelbes Viereck auf eine Ecke des Linoleums und ließ es langsam an der dunklen Tapete hochklettern. Blanche beobachtete es sehnsüchtig. Der kleine Sonnenfleck sprach vom Wind, der durch den Park blies, vom Lachen junger Menschen, von den Kerzen in St. Lukas und unbekümmerter Fröhlichkeit, nur nicht vom Geschirrspülen und Windelnwaschen und Abendbrotmachen für Tom und Dad.

Aber Blanche neigte nicht zum Klagen oder zum Selbstmitleid; für sie war es Lohn genug, daß die Mutter sich so über den Tee freute, den sie ihr gebracht hatte. Sie sagte: »Ja – ich würde gern zu St. Lukas gehen. Aber ich muß wohl in unsere Kirche ...«

Zilla versuchte, sich mit dieser Frage zu beschäftigen. Normalerweise wäre sie gar nicht darauf gekommen, aber da nun Blanche es erwähnt hatte ... »Ja, ist wohl besser, mein Mädchen. Wo Vater doch nun selber predigt und ...«

»Ja.« In freundlichem Schweigen trank sie ihren Tee aus; dann brachte Blanche das Tablett nach unten. Im Geiste sah sie noch immer die starken Farben und das Ritual der anglikanischen Kirche vor sich, als sie sich auf den Weg zum Gottesdienst im Zionssaal machte. Sie wußte, das einzig Anziehende an der methodistischen Kirche war für sie der Sohn des Geistlichen, und der war weit fort im Internat. Das Stipendium, das er damals erhielt, hatte ihn aus ihrem Leben fortgeweht, vielleicht für immer.

Aber nein, er war da! »Ah, Blanche«, sagte Mr. Clulow, als er nach dem Gottesdienst die Hände seiner Schäfchen schüttelte, »erinnerst du dich an Guy? Er hat dich bestimmt nicht vergessen.«

Der hochgewachsene junge Mann, der neben dem Pfarrer stand, schien über den Scherz nicht sehr begeistert. »Tag, Blanche«, sagte er ohne Wärme.

Sie sah ihn verwirrt an. Bestimmt hätte er sie gar nicht beachtet, wenn sein Vater ihn nicht dazu gezwungen hätte. Wortlos knickste sie und ging weiter. Doch plötzlich ergriff jemand sie von hinten beim Arm, und sie wandte sich um. Er stand vor ihr und sagte: »Komm – laß dich mal ansehen.« Aus seinen Augen sprach Bewunderung. »Sag mal, bist du wirklich Blanche Cranswick?«

Sie nickte und blickte nicht auf.

»Na so was. Du – weißt du noch? Die Tees in der Gemeinde und die Prozessionen am Pfingstmontag? Mein Gott, haben wir uns amüsiert!« Er hatte ihren Arm losgelassen, starrte sie aber immer noch bewundernd an. »Wir müssen uns jedenfalls bald mal wieder treffen.«

Jetzt blickte sie ihn ebenfalls an. Er war groß und sah sehr gut aus, nur hatte er etwas Spöttisches, fast Herablassendes an sich, fand sie. Na ja, das war zu verstehen: Er hatte mehrere Jahre Public School hinter sich. Sein Vater war Geistlicher; ihr Vater war gerade eben zum Laienprediger ernannt worden, und außerdem war er ein Handwerker, der nur durch die Hintertür in der Geistlichkeit Zutritt gefunden hatte. Er war ungebildet, sprach mit grobem Midland-Akzent und würde für die methodistische Elite immer zum geistlichen Gesinde gehören. Und das ist wirklich schandbar, dachte Blanche aufsässig. Dad ist ein besserer Mensch als viele von denen, auch wenn er nicht so vornehm reden kann. Für ein fügsames Mädchen wie Blanche waren das einigermaßen ungewöhnliche Gedanken.

4

Es war nicht erstaunlich, daß der Anblick von Mr. Clulows graugesprenkeltem Bart, der plötzlich vor dem Gesicht des Täuflings auftauchte, Jack Jubilee einen Schrecken einjagte. Als er die Taufe vollzogen hatte, war der Pfarrer, der von stattlicher Statur war, ins Schwitzen gekommen. Denn Jack Jubilee nahm die heilige Handlung deutlich übel: Er schrie und heulte und stieß erbost die winzigen Fäuste in die Luft.

Mr. Clulow meinte, obwohl der Gedanke reichlich unpassend war, ein Schweinchen und nicht ein kleines Christenkind vor sich zu haben. Und als dann das Wasser an die Reihe kam, lief das Kind so zornrot an, daß es Mr. Clulow angst und bange wurde.

Fast ebenso empört war der große Bruder Tom. Daß jemand mit einem kleinen Kind so rücksichtslos umgehen konnte – noch dazu ein Geistlicher –, war für ihn etwas kaum Entschuldbares. Und da das unglückliche Wesen sein Bruder Jack war, gab es überhaupt kein Verzeihen. Tom wußte sehr wohl, daß es unfair und unlogisch war, aber von diesem Tag an mochte er Mr. Clulow nicht mehr und auch nicht die methodistische Kirche.

Später, beim Imbiß im Hause Cranswick, sagte Tante Täubchen scherzend zu Mr. Clulow: »Ich glaube, er mag Ihre Kirche nicht. Wenn er größer ist, werde ich es mal in unserer Kirche mit ihm versuchen.«

Sie hielten beide ihre Teetassen in der Hand und sahen einander ernst über den Tassenrand an. Dann lächelten sie: Es war ein schnelles, nachdenkliches Lächeln, das gleich wieder verschwand – ein Lächeln wie an einem grauen Tag ein kurzer Lichtstrahl, der nicht zu hellem Sonnenschein wird. Sie waren gleich wieder ernst und schwiegen, nur die Augen schienen zu sprechen. Dann neigte der Pfarrer den Kopf und ging weiter.

Sie blickte ihm einen Augenblick nach und fing dann mit plötzlicher Lebhaftigkeit ein Gespräch mit ihrer Schwägerin Zilla an.

Zilla war immer noch müde. Das Haus war angefüllt mit schwatzenden Leuten; außerdem wurde ihr bald klar, daß Blanche nicht genügend Sandwiches vorbereitet und auch nicht genug Kuchen gebacken hatte; Großonkel Lewis sah so unruhig aus – mußte er vielleicht einen Gang durch den Garten zum WC antreten, aber wie sollte man ihn durch die Menschenmenge schleusen; und nun war auch noch ihre Mutter im Begriff, sich zum Klavier durchzudrängen; bestimmt hatte sie vor, mit »Ich bin doch Heinerich der Achte, der immer wußte, was er machte« loszulegen anstatt »Nun leite mich zum Licht«. Das alles führte dazu, daß Zilla, sonst immer frohgesinnt und unkompliziert, wie auf Nadeln saß. Sie blickte hinüber zur Anrichte, wo die Platten schon halb geleert waren. Sie blickte zum Tisch, wo Blanche unablässig die Tassen mit Tee füllte. Sie sah Großonkel Lewis und dachte erleichtert: Gott sei Dank, daß Nathans Eltern nicht gekommen sind. Auf ihre Schwiegereltern konnte Zilla verzichten.

Jetzt wurde die Haustür, die direkt ins Wohnzimmer führte, geöffnet. In der Türöffnung erschien Bert Cranswicks verdrossenes Gesicht und hinter ihm seine froschäugige Frau.

»So, jetzt alle zusammen!« rief Zillas Mutter in den Lärm und schlug mit »Hoch das Bein, Mutter Brown!« donnernd auf die Tasten ein. Zillas Mutter hatte – daran war nicht zu zweifeln – ein goldenes Herz. Aber ebenso stand fest: Sie war ziemlich gewöhnlich.

Zilla fing den Blick ihres Mannes auf und deutete erregt auf die Haustür. Nathan fuhr leicht zusammen, dann begann er, sich durch die Menge zu seinen Eltern durch-

46

zudrängen, deren Gesicht deutlich Mißbilligung ausdrückte.

Ausgerechnet jetzt müssen sie kommen, dachte er. Typisch. Sie wollten nicht sagen, ob sie kämen. Sind zur Taufzeremonie nicht erschienen, aber jetzt, wo das Essen knapp wird, sind sie da.

»Tag, Dad. Tag, Ma«, rief er laut. »Kommt rein – hier, eine Tasse Tee und 'n Sandwich.«

»Wir haben schon Tee getrunken«, sagte seine Mutter.

»Bevor wir herkamen«, sagte sein Vater.

»Nun, noch eine Tasse könnt ihr doch trinken.«

»Könnt ich nicht mehr runterkriegen«, sagte Emily fest und warf einen abfälligen Blick zum Klavier hin. »Ihre Mutter ist also auch da.«

»Ja, natürlich.«

»Nette Musik für eine Taufe«, sagte Emily.

»Genau wie erwartet«, sagte Bert.

Sie blickten sich im Zimmer um. »Clulow ist auch da«, sagte Bert.

»Sieh mal, mit wem er da spricht«, sagte Emily.

Nathan blickte hin. Martin Clulow unterhielt sich erneut mit Tante Täubchen, die das Gespräch jetzt unterbrach und ihren Eltern freundlich zuwinkte.

»Die und ihr Weihrauch«, sagte Bert und schniefte verächtlich.

»Weihrauch? Das ist schon mehr als Weihrauch, wenn du mich fragst«, sagte Emily.

Was haben die denn nur, fragte sich Nathan plötzlich besorgt. Er dachte an die Blicke, die bei dem Straßenfest zwischen Edith und dem Geistlichen hin- und hergegangen waren. »Also dann, macht es euch gemütlich«, sagte er zu seinen Eltern und wandte sich ab. Ihn zog es mehr zu Menschen, die sich zu freuen verstanden, auch wenn ihre Lieder nicht aus dem methodistischen Gesangbuch stammten.

Martin Clulows Sympathien lagen in der gleichen Richtung; nur war ihm klar, daß die Leute ohne seine dunkle

Gestalt auf diesem Fest glücklicher wären. Man wußte auch nie, wie solche Feste sich entwickelten, selbst im Hause eines Laienpredigers. Allzu oft verschwand jemand mit ein paar Krügen, um Bier zu holen, und danach konnte alles mögliche passieren. So sagte er ruhig zu Edith: »Ich werde jetzt gehen.« Und mit flehendem Blick, in dem die Hoffnung schon erloschen war, fragte er: »Wäre es möglich . . .«

Sie lächelte liebevoll und schüttelte den Kopf. »Aber ich gehe nachher vielleicht ein bißchen im Park spazieren.«

»Auf Wiedersehen.« Er berührte leicht ihre Hand und ging zu Nathan und Zilla hinüber, um sich zu verabschieden. Er war ein guter und redlicher Mensch, und trotzdem wirkte sein Fortgehen auf die Zurückbleibenden wie ein plötzlicher Luftzug auf ein matt glosendes Feuer. Sie wurden deutlich munterer, obgleich die einzigen, die ihn gehen sahen, Bert und Emily Cranswick waren.

»Sie ist nicht mitgegangen«, sagte Bert.

»Die wird schon bald hinterhergehen, darauf kannst du dich verlassen«, sagte Emily.

Sie behielt recht. Zehn Minuten später bedankte sich Tante Täubchen bei Zilla, gab dem engelhaft schlafenden Jack einen Kuß, verabschiedete sich höflich von ihren Eltern und verschwand, ganz Lächeln und Heiterkeit.

Bert gab seiner Frau einen Rippenstoß. »Da – jetzt ist sie weg. Wie du gesagt hast.«

»Man kann zuviel kriegen«, sagte Emily. »*Unsere* Tochter. Die High School war eben ein Fehler, hab ich ja immer gesagt.«

Und insgeheim dankte sie nachdrücklich dem Allmächtigen dafür, daß sie selber ihre fleischlichen Wünsche stets im Zaum gehalten hatte.

Alle Jahre wieder kommt ein Tag, an dem der Herbst zum erstenmal an des Sommers Tür klopft, sanft und zögernd und doch unmißverständlich.

Auch am Abend von Jacks Tauftag war es so.

Im großen offenen Stadtpark wirbelten ein paar Blätter über die Grasflächen. Graue Wolken ballten sich zusammen und verhüllten die untergehende Sonne. Plötzlich kam im Süden ein kalter Wind auf und legte sich wieder. Martin Clulow schauerte zusammen und zog den Mantelkragen hoch.

»Kalt?« fragte seine Gefährtin.

»Nein. Nur eine Gänsehaut. Jemand ist über mein Grab gegangen.«

Eine Hand legte sich besorgt und bittend auf seinen Arm, und Tante Täubchen sagte ernst: »Sprich nicht von deinem Grab, Liebster.«

Er wandte sich ihr zu. »Heute vor einem Jahr ist Agnes . . .«

Er schwieg. Nicht weit von ihnen entstand plötzlich ein heftiges Handgemenge, ein paar Jungen spielten in der Nähe Fußball, und ebenso plötzlich war es vorbei. Weich und gemildert durch die Entfernung hörte man das Blechgeschmetter einer Militärkapelle.

»Das war mir nicht bewußt«, sagte Edith. »Oh, Martin.« In ihrer Stimme lag Trauer und tiefes Mitgefühl.

»Und nun«, sagte er, »haben wir ein neues *junges* Leben. Der Herr hat's gegeben, der Herr hat's genommen«, schloß er flüsternd.

Schweigend gingen sie weiter. Er sagte: »Ich kann mir einfach nicht vorstellen, was ich – ohne dich getan hätte.«

Sie kamen an einer Bank vorbei, und er wies darauf.

»Jemand könnte uns sehen«, sagte sie ernst.

Er nickte seufzend und ging weiter. »Eigentlich ist es erstaunlich, daß sie – nicht *mehr* reden.«

»Würden wir es erfahren?«

»Nein, wahrscheinlich nicht.«

Sie gingen weiter. Er suchte nach ihren behandschuhten Fingern und hielt sie fest, und sekundenlang überließ sie sie ihm. Dann drückte sie ihm liebevoll die Hand und zog sie zurück. Die Wolken verzogen sich, und die Sonne schickte ihre letzten hellglänzenden Strahlen über den

Park. Dann kam eine neue Wolke. Und diesmal verzog sie sich nicht wieder, bis die Sonne unter dem Horizont verschwunden war: Sie hing da tief und dunkel wie eine schwere Schuld, und mit ihr löschte der letzte Rest des hellen Tages aus.

5

Tom fand sich mit dem Winter ab, wie er sich mit allem abfand.

Er kam nie auf die Idee, daß der Winter scheußlich war. Zwar waren seine Winterstiefel noch steifer und unnachgiebiger als die Sommerstiefel und machten jeden Schritt zur Qual. Zwar peinigten ihn Frostbeulen an jedem Finger und jedem Zeh, juckten und brannten, so daß man immer versucht war zu kratzen, und wenn man das tat, entzündeten sie sich und wurden wund und schmerzten noch mehr. Zwar war er wegen der spindeldürren Glieder noch kälteempfindlicher als andere, weil er nicht genug Fleisch auf den Knochen hatte. In der schlotternd kalten Umwelt war die Küche die einzige warme Zuflucht; in den Schlafzimmern hätte man Fleisch einfrieren können. Schon zum Ausziehen brauchte man sehr viel Mut. Aber das morgendliche Herausschlüpfen aus dem warmen Bett in eine Temperatur unter Null, das Waschen in kaltem Wasser, während man auf dem bitterkalten Linoleum stand: dafür hätte man jeden Tag einen Orden verdient.

Natürlich gab es auch Lichtblicke. Manchmal malte der Frost Blüten und Farnkräuter an die Fenster. Und während Tom sich anzog – wobei die etwas vorstehenden Zähne vor Kälte klapperten –, kam manchmal die Sonne heraus und überzog die Farnkräuter mit Gold; dann war es Tom, als habe der liebe Gott sein Schlafzimmer in eine Feengrotte verwandelt. Und beim Frühstück war das Feuer in der Küche von einer so himmlischen und beglückenden Wärme, wie verwöhntere Menschen sie niemals erlebten.

Manchmal schneite es auch. Dann malte Tom sich aus, wie die Schneeflocken herunterwirbelten, Tag für Tag, mehr und mehr, und wie er selber auf einem schmalen schnellen Schlitten hügelabwärts sauste. Die Tatsache, daß Ingerby gar keine Hügel besaß und er selber natürlich auch keinen Schlitten, spielte für die Träume keine Rolle. Aber nach wenigen Stunden hörte das Schneetreiben auf, der Schnee schmolz und nahm die schmutziggraue Farbe der Straßen an, und der Rest drang als kaltes Schneewasser in Toms Stiefel ein.

Martin Clulow und Edith Cranswick hatten den Winter gern: Sie waren dann nicht so oft im Scheinwerferlicht der Sonne. Und die dunklen windigen Gassen, in denen keine Gaslaternen ihre trüben Kreise zeichneten, waren eine kalte, aber sichere Zuflucht für schuldbewußte Liebende.

Schuldbewußte Liebende? Es war das Wort, das beide auf sich angewendet hätten. Denn Agnes war noch am Leben gewesen, als Martin zuerst diese warme zärtliche Zuneigung für Agnes' beste Freundin gespürt hatte. Agnes war noch am Leben gewesen, als Edith erkannte, daß das Zusammensein mit dem Mann ihrer Freundin für sie die größte Freude war und daß die verführerischen Gedanken während der Nachtwachen und auf den einsamen Spaziergängen bald weniger harmlose Wege gingen.

Und nun, ein Jahr nach Agnes' Tod, waren sie ... was? Es gab manche Leute, die das gern gewußt hätten. Gute Freunde, gute Kameraden, und durch die Engherzigkeit ihrer Umwelt dazu getrieben, sich nur selten und heimlich zu treffen? Zwei anziehende, nicht mehr ganz junge Menschen, die einander liebten und doch für immer getrennt waren durch Prinzipien, die so sehr zu ihnen gehörten wie das Mark ihrer Knochen? Zwei schuldbewußte Liebende, die dem methodistischen Jehova und dem leidenden anglikanischen Christus Trotz boten, wenn ihre Liebe zueinander in den mondlosen Dezembernächten die Grenzen sprengte? Keiner wußte es – die Liebenden hüteten ihr Geheimnis.

Nathan Cranswick hatte den Winter gern, weil ihn Gott in seiner Weisheit gemacht hatte, also mußte er gut sein.

Doch erst als er sich zum zweitenmal auf den Weg nach Moreland machte, um dort den Gottesdienst zu halten, entdeckte er, was ein Winter auf dem Lande wirklich war.

Diesmal ging er allein. Die Wege waren verschlammt, die Bäume trugen kein Laub, das Land lag tot und leblos da, der Fluß stand hoch im grauwirbelnden Wasser.

Er war zwar zum Lunch auch heute wieder im Gutshaus, doch der Tag war so kurz, daß er keine Zeit fand, das verlassene Cottage aufzusuchen, an das er so unablässig gedacht hatte. Immerhin aber schüchterte ihn beim Essen die Gegenwart der Besucher – Lavinia und Adam Musgrove – nicht allzusehr ein, und so wandte er sich an Robert Heron und fragte: »Übrigens, das Cottage, Mr. Heron – das am Hügel. War es Ihr Ernst, als Sie sagten . . .«

»Mein Ernst? Natürlich war es mein Ernst. Würde mich sehr freuen, wenn Sie es nähmen.«

Eine zänkische Stimme legte sich wie Rauhreif auf Nathans Glück. »Was für ein Cottage«, verlangte Mrs. Heron zu wissen. Offenbar war ihr Mann im Begriff, etwas zu verschenken. Immer verschenkte er Sachen und häufig an ganz unmögliche Leute, wenn sie solche Anwandlungen nicht schnell im Keime erstickte. Und darauf verstand sich Dorothy Heron, das konnte man sagen.

»Die Arche Noah«, sagte Robert Heron gelassen. »Ich dachte, Mr. Cranswick könnte sich das Häuschen zurechtmachen.«

»Die Arche Noah zurechtmachen? Unmöglich.«

»Ich würde es sehr gern versuchen, Mrs. Heron«, sagte Nathan bescheiden. Wollte die Frau denn seine Träume zertreten? Aber zu seiner Erleichterung sagte Robert Heron ruhig:

»Wenn Mr. Cranswick sagt, er kann es, dann kann er es auch, Dorothy. Ich traue ihm sehr viel zu.«

Dorothy schwieg. Sie hätte gern darauf hingewiesen, daß ihr Mann bis jetzt Mr. Cranswick nur nach einer einzigen Predigt beurteilen konnte, und die war wirklich nichts Besonderes gewesen. Aber es war nicht ihr Stil, unhöflich zu einem Gast zu sein. Sie ließ das Thema jetzt ruhen. Ihren Mann würde sie sich später vornehmen.

Lavinia Musgrove kannte solche Hemmungen nicht. Ihr durchdringender Blick ging hinüber zu Nathan. »Oh, Mr. Cranswick, was für eine großartige Idee! Ihr Junge – der wird da ein neuer Mensch werden. Landluft! Heilt beinahe alles.« Und zu Dorothy gewandt: »Natürlich kann das Cottage zurechtgemacht werden, Doll.« Dann gingen ihre Augen zu Robert. Sie sagte: »Adam hat noch ein paar Steine übrig von der neuen Scheune, die bringt er Ihnen rüber, nicht wahr, Adam?«

Adam lächelte Nathan zu. »Aber natürlich, gern, Mr. Cranswick.«

»Danke«, sagte Nathan verlegen und überwältigt von so viel Freundlichkeit. Nur Dorothy kochte im stillen. Mit zwei Worten hatte Lavinia es ihr fast unmöglich gemacht, sich Robert »später vorzunehmen«. Und sie auch noch Doll genannt. Doll! Ein Dienstmädchenname. Noch schlimmer war das kurze Lächeln auf Roberts Gesicht, als er das ungehörige Wort hörte. Zuweilen konnte Dorothy Heron ihre Busenfreundin Lavinia Musgrove nicht ausstehen.

Diesmal hatte man die Öllampen schon vor dem Gottesdienst angezündet. Die Gesichter schimmerten im Lampenlicht: Robert Herons frisch und heiter, im Gesicht seiner Frau waren die harten Linien etwas gemildert; die beiden Hills blickten behaglich drein, Dina eher aufmüpfig; Mrs. Musgrove klar und scharf, die Lachfältchen um die Augen vertieft vom goldenen Lampenschein.

Die kleine Gemeinde im weichen Licht schien ganz abgetrennt von der Welt. Kein Laut drang von draußen herein; drinnen hörte man nur das An- und Abschwellen der Stimme des Predigers. Nathan hatte plötzlich das Gefühl – vielleicht lag es an der Erwähnung der »Arche Noah« –, sie wären alle an Bord eines hell erleuchteten Schiffs, das über das dunkle, schweigende Meer fuhr, und er sei der Kapitän, von seinem Können hänge es ab, ob das Schiff und die Fahrgäste das neue Jerusalem erreichten oder an einer dunklen und schrecklichen verlassenen Küste strandeten. Er beschloß seine Predigt und begann zu beten, mit schlichten und demütigen Worten, denn er wußte nicht, um was er bat: um Gnade, um Wissen, um Verständnis? Er hatte seine Zuhörer fast vergessen. Doch Robert Heron starrte auf das bewegte und sanft erleuchtete Gesicht, er lauschte den ruhigen Worten, und ein Schauer überlief ihn. Er hatte das Gefühl, da vor ihm spreche ein Freund in tiefem Ernst und fast als Mann zu Mann mit seinem Gott.

Nathan, immer noch aufgelöst, erteilte der Gemeinde den Segen, und heute spürte er, daß sie wirklich gesegnet war. Dann traten sie hinaus in die dichte winterliche Abenddämmerung. Er schüttelte allen die Hände, dankte den Herons für die Einladung zum Essen, empfand voller Freude die Wärme, die aus Lavinia Musgroves Händedruck in ihn floß, lächelte Dina zu und machte sich auf in die Dämmerung mit der Hoffnung, ein gutes Stück Weg hinter sich zu bringen, bevor es ganz dunkel würde. Er war in seltsam beschwingter Stimmung. In der erleuchteten Kapelle hatte er auf einmal das Gefühl gehabt, er gehöre wirklich unter alle diese fremden Menschen. Es war noch mehr: Es war das Gefühl, zu lieben und geliebt zu werden, so wie Gott es von den Menschen erwartete.

Was hatte Mr. Heron bei seinem letzten Besuch gesagt? »Wir könnten einen Prediger am Ort gebrauchen. Wie wär's, wenn Sie herkämen und hier wohnten?«

Das war natürlich Unsinn. Die Kirche würde niemals einen Prediger in einen so winzigen Ort berufen; und wenn doch, dann gewiß nicht einen unerfahrenen Laien wie Nathan Cranswick. Und hier wohnen und seinen Unterhalt in Ingerby verdienen, das wäre ausgeschlossen.

Jetzt hatte er das Dorf im Abendnebel hinter sich gelassen. Hügelaufwärts bog rechts ein schmaler Weg ab – genau der Weg, der zum Cottage führte!

Er mußte nach Hause. Hier draußen auf dem Lande gab es für einen Städter alle möglichen Gefahren. Die Aussicht auf den Heimweg, bei dem sich der Fluß wie etwas Lebendiges neben ihm entlangschlängelte, machte ihm etwas Angst. Trotzdem bog er ein in den schmalen Weg. Verrückte Träume sind zuweilen stärker als Wirklichkeit und Vernunft.

Der Weg wurde bald zu einem tief eingeschnittenen Hohlweg mit hohen Bäumen, die sich oben zu einem Dach mit vielen Sternenfenstern vereinigten. Dann stand er vor dem kleinen Haus. Die Balken hoben sich wie schwarze Rippen vom grauen Hintergrund ab.

Vorsichtig suchte er sich einen Pfad durch das winterliche Gestrüpp des verlassenen Gartens mit den langen Ranken, dem nassen Gras und hier und da einer blassen Rosenleiche. Die Haustür hing lose in den Angeln. Er ging hinein und strich ein Streichholz an. Das Licht flammte auf, sekundenlang sah er eine Küche mit Ausguß und schwarzem Herd, hörte das Rascheln und Huschen von nächtlichem Getier. Er trat durch eine innere Tür und strich noch ein Zündholz an. Ein kleiner Wohnraum mit zerbrochenem Kamingitter. Durch den Fußboden wuchs Gras. Im Fensterrahmen hing noch ein Stück Glas, das in dem flackernden Licht so gezackt und kalt aussah wie ein Eisberg. Das ganze Haus roch nach dumpfiger Fäulnis.

Und doch hatten hier einmal Familien gelebt. Männer hatten ihre jungen Frauen hergebracht. Kinder hatten hier gespielt, Menschen hatten glücklich gelacht, hatten sich auch dem Unglück gestellt und hier ihr kleines unbedeutendes Leben beschlossen. Ein Arbeiter hatte dieses Haus in der dunklen frostkalten Morgenfrühe verlassen und war unter dem Abendstern zurückgekehrt. Diese Mauern hatten all dies Leben umschlossen.

Und das konnte auch wieder geschehen, hatte Mr. Heron gesagt. Er, Nathan, und Zilla; die Kinder könnten über

Felder und Wiesen laufen anstatt über Straßenpflaster, und Tom bekäme ein bißchen Farbe in die schmalen Wangen. Das alles könnte sein werden – es hing von niemandem ab, nur von ihm. Von ihm und von seiner Kraft und Entschlossenheit. An beidem brauchte er nicht zu zweifeln.

Und von Gott? Auf diesem seltsamen Heimweg zwischen schlammigen Wegen und nebligem Sternenhimmel legte er Gott das Für und Wider vor (wobei er allerdings das Für etwas mehr ins Licht rückte). Als dann die Lichter von Ingerby vor ihm auftauchten, war er ziemlich sicher, daß Gott ihm wohlwollend zugehört hatte.

Doch auch wenn das zutraf: Mit dem Wetter half Er nicht, und Er befahl auch der Sonne am Himmel nicht stillzustehen, damit Nathan endlich anfangen konnte. Nein, das Wetter war und blieb scheußlich. Die Sonne ging immer später auf und immer früher unten. Vor Weihnachten gab es sogar noch mehr dunkle Tage als sonst. Nathan saß wie auf Kohlen, weil er nicht anfangen konnte mit der Arbeit. Er konnte es kaum erwarten, daß Weihnachten vorüber war und der Abendhimmel ein bißchen heller wurde. Für den ersten Weihnachtstag lag die unveränderliche Routine seit langem fest: zum Frühstück Eier mit Speck, um elf Uhr eine Tasse Tee mit Auflauf, dazu unbestimmte Krisenstimmung in der Küche, wo die weiblichen Familienmitglieder vor dem schwarzen Herd werkelten. Auf dem Herd, der die Küche wärmte, wurde Wasser gekocht, in Pfannen gebrutzelt und die Gans gebraten. Im Wohnzimmer bewachte Nathan das flackernde und stoßweise qualmende Feuer, das nicht recht brennen wollte, und horchte dabei auf ein Klopfen an der Haustür, das ein Ende des Friedens anzeigen würde: Man erwartete seine Eltern, Zillas Mutter, Tante Täubchen und Großonkel Lewis. Tom hatte in der klamm-feuchten Pracht des selten benutzten Zimmers seine Zinnsoldaten aufgebaut und spielte damit.

Sie waren denn auch alle erschienen, und alles war abgelaufen wie erwartet. Großonkel Lewis mußte sich sofort in den Garten begeben; Nathans Vater hate einen ablehnenden Blick auf das Feuer geworfen und gesagt: »*Das* brennt doch nicht«; Tante Täubchen hatte gegurrt wie eine Turteltaube; Zillas Mutter blieb auf der Türschwelle stehen und schlug sich laut lachend auf die Schenkel, keiner wußte warum; und Nathans Mutter hatte sofort ihren Mantel abgelegt, eine weiße Schürze ausgepackt und umgebunden und war mit finsterem Gesicht in die Küche marschiert mit dem deutlichen Vorsatz, dort das Kommando zu übernehmen.

Auch das Weihnachtsessen war wie erwartet abgelaufen. Da es ein Festmahl war, erschien zu aller Freude die große steinerne Brauseflasche auf dem Tisch, Tom fand in seinem Plumpudding einen silbernen Sixpence; Opa Cranswick hatte in der Zeitung gelesen, daß schon mancher, der Geld in seinem Plumpudding gefunden hatte, dadurch zum Spieler geworden war; und Oma Cranswick kannte sogar jemanden, der als Kind beinah an einem solchen Sixpence erstickt war. Diese Geschichte verkündete sie bei jedem Weihnachtsessen so sicher, wie die Kirche die Geburt Christi verkündete.

Dann verschwanden die Frauen wieder in der Küche, um abzuwaschen und Tee zu kochen; die Männer ließen sich im Wohnzimmer nieder, dösten und schnarchten und machten ab und zu die üblichen passenden Bemerkungen, bis sie zum rituellen Nachmittagstee mit Konservenlachs und Konservenobst und Kuchen gerufen wurden. Tante Täubchen hatte den Pudding geliefert, der Sherry enthielt, was dazu führte, daß Zillas Mutter ihre alte Nummer darbot und sich sinnlos betrunken stellte, was bei allen peinliche Verlegenheit auslöste.

Ja – alles am Weihnachtsfeiertag stand fest: jede einzelne Speise, jeder Gast, jedes gesprochene Wort, jedes Spiel und jedes Weihnachtslied. Selbst Tante Täubchen ließ sich von dieser Routine mitziehen. Denn jetzt verkündete Zillas Mutter nach einem krachenden Klavierakkord, daß Miß Cranswick nun *Thora* singen werde.

Feierliches Schweigen füllte den Raum. Zilla nahm die Schürze ab und setzte sich, und Tom schmiegte sich in ihren Schoß. Bert rückte sich zurecht mit der säuerlichen Miene eines Mannes, dem ein Zahn gezogen werden soll. Blanche kam eilig aus der Küche, nahm die Schürze ab und setzte sich müde auf einen Stuhl. Zillas Mutter schlug das Notenheft auf, stellte es auf den Ständer und prägte sich stumm die Noten ein, während die Finger lautlos über die Tasten huschten. Es gab keinen Zweifel: Alljährlich, wenn Tante Täubchen *Thora* vortrug, war das der weihnachtliche Höhepunkt. Jetzt war der Augenblick gekommen für ein bißchen Kultur, ein bißchen Lebensart und für das wärmste aller Gefühle: ein bißchen Sentimentalität auf vollen Magen.

Tante Täubchen stand auf und stellte sich ans Klavier. Sie war groß und schlank und hielt sich ganz gerade. Das taubengraue Kleid fiel in weichen Falten vom Hals bis zum Boden. Sie lächelte kurz und nahm dann, als die Introduktion auf dem Klavier einsetzte, eine zum Lied passende tragische Miene an. »Ich lebe im Lande der Rosen, doch ich träum vom Lande des Schnees.« Tante Täubchens Altstimme war so warm wie alles an ihr: das dunkelschimmernde Haar, die weichen Wangen, die Kleidung und ihr ganzes Wesen. Die tiefen vibrierenden Töne fanden den Weg in jedes Herz, sogar in das Bert Cranswicks. Tom, der sie mit schläfrigen Augen betrachtete, spürte, wie alle seine Ängste sich legten; und auch die anderen empfanden das Lied als etwas Schönes in ihrem beschränkten Leben. »Ein Land der Rosen«, »ein Land des Schnees«. Sie sahen im Geist sommerliche Gärten voller Rosen, sie sahen eine helle schneeweiße Landschaft – diese Menschen, die sich längst damit abgefunden hatten, daß es für sie höchstens einmal eine Rose irgendwo in einem grauen Hinterhof gab und daß für sie der Schnee schon schmutziggrau aussah, bevor er noch auf den Straßen lag.

»Sprich, o sprich zu mir, Thora«, flehte Tante Täubchen und bemühte sich, ihre Stimme über die Klavierbegleitung zu erheben.

Und nun wurden die Zuhörer ergriffen: Sie erfuhren von romantischer Liebe, einer tragischen hoffnungslosen Liebe, die den Tod überdauerte. Das hier war weit entfernt von jener Liebe, die sie kannten: kurzes Werben und dann der Übergang in eine Ehe, deren Ketten oft schwer und lästig wurden. *Thora*, die aus dem Lande der Rosen kam und der Kummer und Sorgen nicht erspart blieben. Und trotzdem war der Raum, dank dem gefühlvollen Lied, voller Träume. Nathan trug Zilla, seine lachende junge Frau, über die Schwelle der umgebauten Arche Noah. Blanche ging erstaunt Hand in Hand mit Guy Clulow, der sich gar nicht mehr lustig machte, sondern ernst und aufrichtig zu ihr sagte: »Blanche, meine Liebste, du bist zwar von einfacher Herkunft, doch will ich dich trotzdem fragen, ob du meine Frau werden willst.« Darauf blickten sie einander an und küßten sich . . . Sogar Bert Cranswick erhaschte einen Blick aus einer Welt, in der Schönheit und Lachen und Güte den grauen Alltag und das Mißvergnügen verdrängten. Träume, lauter Träume.

Und Tante Täubchen selber?

Sie war in einem anderen Zimmer, in einem anderen Jahr. Sie saß mit gesenkten Augen da oder blickte voller Liebe und Mitgefühl auf die zusammengesunkene blasse Frau, die den Tod schon im Herzen spürte.

Arme Agnes! Armer Martin! Tante Täubchen hatte damals gefürchtet, das lange Leiden und dann der unwiederbringliche Verlust würden ihn von seinem Gott abwenden. So war es nicht gekommen. Aber es hatte ihn ihr zugewandt. Welcher Mann hätte sich in den langen Wochen des Wartens, in den verzweiflungsvollen Tagen nach dem Verlust, nicht einer starken verständnisvollen Frau zugewandt, vor allem da ihrer beider Liebe und Fürsorge für Agnes ein festes Band zwischen ihnen war?

Sie hatte ihn weiß Gott nicht ermutigt; sie hatte ihn weit

von sich gehalten. Und anfangs war es Mitleid, das sie verführt hatte, nicht Liebe.

». . . meinen Namen kennt niemand mehr«, sang sie melancholisch mit weicher Stimme. Ihren Namen – ja. Der Tag *mußte* kommen, an dem er aus der Kirche ausgeschlossen wurde und man ihren Namen zusammen mit dem der Huren nannte, mit Jezabel und Delilah.

Und doch war es Mitleid gewesen, warmes Mitgefühl, das sie zuerst verraten hatte.

Der Tag ging zu Ende. Wieder ein Weihnachten vorbei. Zurück in die Schachtel mit den Hirten und dem Christkind und der Mutter Maria. Zurück in die Schachtel mit Friede auf Erden und den Menschen ein Wohlgefallen.

6

Das Jahr 1898 war ein ruhiges Jahr, die Stille vor dem Sturm. Blanche wurde noch lieblicher, stiller, in sich gekehrter. Sie war zum bezauberndsten aller Geschöpfe geworden: ein junges Mädchen, das zum erstenmal liebt.

Merkwürdig: Sie und Guy Clulow waren Kindheitsfreunde gewesen; dann war er fortgegangen, und sie hatten sich nicht wiedergesehen bis an jenem Abend in der Kirche. Und seitdem hatten sie einander nicht gesehen.

Das Jahr 1898 war auch das Jahr, in dem das Cottage neu gebaut wurde.

Nathan Cranswick war kein Narr: Er wußte, er hatte nichts Schriftliches. Wieviel er auch hineinsteckte für den Umbau, das Cottage blieb Mr. Herons Eigentum. Er, Nathan, konnte jederzeit hinausgewiesen werden.

Doch er besaß Menschenkenntnis. Er war selber ein redlicher Mensch und wußte, wann er einen anständigen Menschen vor sich hatte. Noch mehr: Das Band warmer Freundschaft zwischen ihm und Robert Heron bestand nicht nur aus Freundschaft: Respekt und Ehrenhaftigkeit gehörten auch dazu. Er und Mr. Heron brauchten nichts Schriftliches. Es kam ihm zwar kurz in den Sinn, daß Mrs. Heron die Sache vielleicht anders ansah, aber das schob er gleich von sich. Dies hier war Männersache.

Sein nächster Besuch in Moreland fiel in den Vorfrühling, als blasse Schneeglöckchen die Köpfe hängen ließen und die Weiden – die einzigen unter den Bäumen – es mit dem ersten zarten Grün versuchten. Bei diesem Besuch zeigte er Robert Heron seine Pläne, und Heron war begeistert.

»Ausgezeichnet«, sagte er. »Ich werde Timmins bitten, einen Vertrag aufzusetzen. Dann sind Ihre Interessen geschützt.«

»Ach, das möchte ich lieber nicht«, sagte Nathan schnell. Robert sah ihn scharf an. »Warum nicht?«

»Das würde so aussehen, als traute ich Ihnen nicht, Mr. Heron.«

»Mein lieber Mann, das ist Unsinn. Wir sind beide Geschäftsleute.«

»Ich würde es lieber so lassen, Mr. Heron«, sagte Nathan. »Ich meine – wie unter Freunden, wenn ich das sagen darf.«

Robert Heron lehnte sich im Sessel zurück und blickte ihn nachdenklich an. »Sie sind ein guter Mensch, Cranswick, und Ihr Vorschlag ehrt mich. Also gut, wenn Sie es so wollen.«

»Danke. Ich hätte nicht gern . . .« Er hielt inne. »Ich dachte, ich könnte jetzt bald anfangen, wenn wir offenes Wetter haben. Wenn Ihnen das recht ist?«

»Aber natürlich. Übrigens hat Adam Musgrove einen großen Haufen Ziegelsteine für Sie abgeladen. Er ist ein guter Junge. Zuverlässig. So was mag ich.«

»Wie nett von ihm. Mr. Heron . . . ?«

»Ja?«

»Würden Sie mir wohl einen Rat geben – ich weiß nicht, soll ich anbieten, die Steine zu bezahlen? Oder hingehen und mich bedanken? Oder ihm einen Brief schreiben? Ich bin nicht allzu geschickt mit der Feder.«

Robert Heron lächelte. »Gehen Sie hin und danken Sie ihm, und bieten Sie ihm Bezahlung an. Er wird nein sagen und so tun, als ob er es übelnähme, aber es wird ihn doch freuen.«

»Vielen Dank, Mr. Heron, das hilft mir sehr. Es hört sich wohl nicht sehr wichtig an, aber ich verstehe nicht viel von diesen Dingen.«

»Sie lernen immerhin recht schnell«, sagte Heron anerkennend.

Nathan kehrte nach Ingerby zurück. Am folgenden Samstagnachmittag belud er seinen Wagen mit Dachziegeln, Holz, Werkzeugen und Tom, spannte das alte Pferd zwischen die Deichseln und fuhr los nach Moreland. Oben am Hohlweg zog er die Zügel an, und das Pferd blieb stehen. Nathan sagte: »Ich will das Cottage da wieder herrichten, Tom, damit wir drin wohnen können. Willst du mir helfen?«

»Muß ich dann von hier aus zur Schule gehen?« fragte Tom. Der Gedanke erschreckte ihn, denn er entsann sich gut an das letzte Mal, als er von Moreland nach Ingerby marschiert war.

»Nein. Hier wollen wir nur an den Wochenenden wohnen. Aber das würde dir doch Spaß machen, oder?«

Tom wußte nicht recht. Die ganze Sache war ihm noch zu neu, und er sah auch nicht ein, wozu man zwei Häuser zum Wohnen haben mußte. Er überlegte und sagte dann zögernd: »Samstags spiele ich doch immer mit Fred Birkin.«

Nathans Freude ebbte leicht ab, aber er wollte nicht gleich klagen. »Na, dann nehmen wir eben Fred im Wagen mit, was meinst du? Dann könntet ihr beide am Fluß spielen.«

Tom schwieg. Er wollte nicht am Fluß spielen. Er wollte den Fluß überhaupt niemals wiedersehen. Der Fluß machte ihm höllische Angst.

Aber wovor er mehr Angst hatte: vor dem Fluß oder vor Dina – das hätte er nicht sagen können.

Da hatte Adam tatsächlich die Steine gebracht, es war ein ziemlich großer Haufen, wahrscheinlich mehr, als er brauchte.

Es juckte Nathan zwar in den Fingern, gleich mit der Arbeit anzufangen, doch erst ging er mit Tom geradewegs zur Hall Farm, einem schönen, mit Efeu bewachsenen georgianischen Bau, nicht so prächtig wie das Herrenhaus, doch solide und in gutem Zustand.

Er fand die beiden Musgroves im Kuhstall beim Melken: Sie waren völlig verschieden von den Leuten, die er kennengelernt hatte. Beide trugen Stallkittel und zerbeulte alte Hüte.

Lavinia sah ihn zuerst; sie sprang auf und warf ihren dreibeinigen Melkschemel um. »Da ist ja Mr. Cranswick – und Tom!« Sie strahlte den Jungen an. »Kannst du eine Kuh melken, Tom?«

»Nein, Ma'am«, sagte Tom eingeschüchtert und zog die Tweedmütze ab.

»Macht nichts, das wird dir Dina schon beibringen. Mr. Cranswick, das ist aber eine hübsche Überraschung.« Sie ahnte nicht, wie sehr sie Tom mit ihren Worten erschreckt hatte. »Adam!« rief sie laut zu ihrem Sohn hinüber. »Besuch!«

Adam kam herüber, seinen Schemel in der Hand. »Willkommen, Mr. Cranswick. Entschuldigen Sie, ich hatte Sie nicht gehört.«

»Ich wollte Ihnen für die Steine danken, Mr. Musgrove«, sagte Nathan. »Großartig sind die. Und – was bin ich Ihnen schuldig?«

Adam sah ihn mit dem durchdringenden Blick seiner Mutter an. »Sie schulden mir gar nichts, Mr. Cranswick«, sagte er langsam und betonte jede Silbe.

»Das ist wirklich sehr freundlich von Ihnen.«

»Unsinn. Kommen Sie, trinken Sie ein Glas Milch mit uns. Schade, daß wir nicht viel Zeit haben, aber am Samstag müssen wir immer aushelfen«, sagte er mit jungenhaftem Grinsen.

Mr. Heron hatte also recht gehabt, dachte Nathan, als er etwas später zu seinem Cottage zurückging. Wie gut, daß er ihn um Rat gefragt hatte. Und nicht zum erstenmal fand er, Mr. Heron sei wirklich ein Turm an Stärke und Kraft.

Nathan – anders als sein Herrgott – ruhte nicht aus am siebenten Tag. Ein Laienprediger hat am Sabbat so viel zu tun wie an jedem Wochentag. Für den Umbau seines kleinen

Hauses blieb also nur der Samstagnachmittag und gelegentlich ein freier Tag, den er als sein eigener Chef sich erlauben konnte.

Trotzdem kam er mit dem Bauen gut voran. Die Mauern waren solider, als er angenommen hatte; das Hauptproblem waren Fenster, Türen und Dach. Er arbeitete hart, der Sommer war süß, und Tom, wenn auch mit schwachen Kräften, war ein fröhlicher Helfer. Als Mittsommer herankam, hatte Nathan ein Ziel und insgeheim einen Plan: Bankfeiertag – im August, bis dahin würde das Haus bestimmt fertig sein. In der Woche vorher wollte er auf den Markt gehen und ein paar guterhaltene gebrauchte Möbel kaufen, ferner Bettzeug und Decken, Kessel, Töpfe, Petroleumlampen. Dann würde am Samstagmittag die Familie in den Wagen gepackt und zu ihrem ersten Wochenende aufs Land fahren. Er konnte es kaum erwarten.

Na ja, Zilla würde zuerst sicher Bedenken haben: Macht eine Menge Arbeit (aber sie konnten doch alle mithelfen!), und wo sollen wir denn alle schlafen? (Er und Zilla und das Baby in dem einen Zimmer, Blanche in dem andern, Tom vor dem Herd in der Küche.) Und wenn nun Ma und Pa uns zu Hause besuchen und niemand da ist? (Es ist fünf Jahre her, daß sie mal unerwartet aufgekreuzt sind. Ach was, wir sagen ihnen, ich hätte den Buckingham-Palast gekauft.) Aber wegen Zilla machte sich Nathan keine Sorgen. Zilla war ein guter Kerl; sie würde zuerst noch ein bißchen lamentieren, aber das hatte gar nichts zu bedeuten. Nach ein paar Stunden waren ihre Bedenken verschwunden wie der Frühmorgentau.

So werkelte Nathan weiter durch die immer länger werdenden Samstagnachmittage des ruhig-lieblichen Sommers. Und er war glücklicher, als er – wie er meinte – von Rechts wegen sein durfte, denn er war puritanisch erzogen, er hatte Angst vor dem Glück und mißtraute ihm; für ihn war Glück etwas, das Gott im Grunde mißbilligte und für das man irgendwann in dieser oder in der nächsten Welt würde bezahlen müssen.

Doch selbst wenn er es versuchte: Er konnte einfach nicht anders als glücklich sein. Die Sonne schien ihm ins Gesicht, er arbeitete stetig und geschickt, er arbeitete zum frohen Gesang der Lerchen und zum eifrigen Summen der Bienen. Er sah in der Ferne das Ende der Arbeit vor sich, und sie endete mit Zufriedenheit und Freude nicht nur für ihn, sondern auch für die, die er liebte. Vor ihm lag ein Leben, das reicher, erfüllter und farbiger war für sie alle: Wiesengras anstatt der Pflastersteine, Bäume anstatt der Schornsteine, ein Fluß anstatt einer Straße. Sonnenschein anstatt Dunst und Schatten. Wer wäre da nicht glücklich gewesen.

Auch Tom war glücklich. Vogelsang und Bienen bedeuteten ihm nicht viel, aber er half seinem Pa. Ohne ihn würde Pa die Arbeit niemals fertigkriegen. Er fühlte etwas, das er bisher selten gefühlt hatte und das er auch später selten fühlen würde: Er war wichtig. Wenn er und sein Vater ihr Werkzeug niederlegten und auf einem Mäuerchen in der Sonne saßen, mit den Beinen baumelten und ihr Brot verzehrten und sich dabei unterhielten, von Mann zu Mann, dann waren das vielleicht die stolzesten Minuten in Toms ganzem Leben. Wenn sie dann heimfuhren bei Sternenschein und beim Licht der flackernden Wagenlaterne und dem Klip-klop der Pferdehufe, dann schlief Tom ein, wachte wieder auf und döste weiter mit einem Gefühl des Wohlseins und der schläfrigen Behaglichkeit.

Ach, es war ein wundervolles, ein zauberhaftes Wochenende. Nathan kannte Zilla so gut, daß er im Geist alle Bedenken durchging, die ihr in den Kopf kommen würden, und sich die Antworten darauf zurechtlegte. Und als sie dann abends in dem niedrigen Schlafzimmer im Bett lagen, nahm sie ihn in die Arme und sagte: »Wunderschön ist es. Wirklich wunderschön.« Sie seufzte glücklich. »Bist ein kluger Kerl, Lieber.«

»Ja«, sagte er und lachte leise. »Das bin ich.«

Für die Kinder war es das erste Mal, daß sie fern von der Stadtwohnung schliefen, und schon das war aufregend. Blanche klapperte die enge gewundene Treppe hinauf und entdeckte ihr Kämmerchen unter dem schrägen Dach; das winzige Fenster (das am Fußboden begann) ging hinaus auf die sonnigen Wiesen am Fluß. Und Tom erwachte in seinem Deckenhaufen und sah die letzte Glut des erlöschenden Feuers: Sie gab ihm ein Gefühl von Wärme und Sicherheit, wie er es nie gekannt hatte.

Das Schweigen ringsum, das sie beim Erwachen umgab und das nur vom Schwatzen der Vögel und vom fernen Muhen der Kühe unterbrochen wurde, war etwas völlig Neues. Sie machten Feuer und holten Wasser von der Pumpe; Blanche und Tom gingen mit einer Milchkanne zum Gutshaus und holten schäumende Milch, noch warm von der Kuh, und Eier, noch warm von den Hennen: Es war der erste Schritt zur Selbstversorgung. Dann kam ein herrliches Frühstück mit Eiern und Speck und heißem, starkem Tee. Nachmittags drängten sie sich dann alle in die kleine Kapelle, um Pa predigen zu hören, und nachher wurden sie mit dem freundlichen Mr. Heron und der liebenswürdig-herablassenden Mrs. Heron bekannt gemacht, ferner mit Mrs. Musgrove, die sie alle überaus interessiert und freundlich betrachtete, und mit ihrem Sohn Adam Musgrove, den offenbar Blanche mehr interessierte als die anderen. Er hatte schon vorher Mr. Cranswicks Tochter mehr Interesse zugewandt als der sorgfältig vorbereiteten Predigt ihres Vaters.

Der Montag war frei von den strengen Sabbatvorschriften, sie spielten Fangen und Greifen im Sonnenschein. Doch dann, beim Ballspiel, wurde Tom plötzlich von Angst und Verlegenheit gepackt – bei den dunklen Wolken, die seinen Himmel so oft verdunkelten. Zilla wollte ihm gerade den Ball zuwerfen, hielt ihn jedoch an und starrte über das Feld. Alle standen still und blickten ebenfalls hinüber.

Am Rande des Feldes stand ein Mädchen, allein, und

blickte aufmerksam zu ihnen herüber. Alle starrten zurück. Keiner rührte sich. Dann rief Blanche ihr zu: »Willst du mitspielen?«

Das Mädchen antwortete nicht; sie machte zögernd zwei Schritte vorwärts und blieb dann wieder stehen.

Wieder war es Blanche, die jetzt zu ihr ging und sagte: »Wir wohnen jetzt hier im Cottage an den Wochenenden. Du kannst immer mit uns spielen, wenn du Lust hast.«

Das Mädchen rührte sich nicht. »Tom kenne ich schon«, sagte sie, wie um sich bekannt zu machen.

Blanche versuchte, Toms Blick aufzufangen und ihn heranzubitten, aber er starrte auf den Boden, als hoffte er, von ihm verschlungen zu werden. Also sagte Blanche jetzt: »Komm doch mit, du«, und führte sie zu den anderen. »Stell doch deine Freundin mal vor«, sagte sie kühl zu Tom.

Tom blickte nicht auf. »Sie heißt Dina. Ich hab sie getroffen, als ich mit Pa herkam.«

»Ich bin Küchenmädchen oben im Herrenhaus«, sagte Dina.

»Wie ist das?« fragte Blanche schnell. Küchenmädchen: Das war vielleicht auch einmal ihr Los, wenn Jack Jubilee seine Mutter nicht mehr so in Atem hielt.

»Scheußlich. Tag, Tom.«

»Tag«, sagte Tom mürrisch.

Dina warf plötzlich ihre Befangenheit ab. »Ich hab neulich was gesagt, was ich nicht durfte, nicht, Tom?«

»Weiß ich nicht mehr.«

»Was hast du denn gesagt?« fragte Zilla.

»Och, das mag ich nicht sagen. Darf ich wirklich mitspielen?«

»Klar.« Sie spielten. Dina kicherte und lachte, sie war schnell und geschickt und verwandelte das etwas steife Spiel in Lust und Freude. Zilla lachte so viel, daß sie sich die Seiten halten mußte. Nur Tom war erleichtert, als Pa meinte, es sei Zeit zum Einpacken und zur Rückfahrt in die Stadt. Doch merkwürdigerweise dachte auch Tom noch an einen kastanienbraunen Haarschopf und an ein ansteckendes Lachen, als er abends in seiner Schlafkammer lag, in die das trübe Licht der Straßenlaternen schien.

Der scheidende Sommer brachte noch mehr solcher Wochenenden: Schlaf vor dem Herdfeuer oder unter dem niedrigen schützenden Dach; Fangen und Ballspiele mit Dina als Anführerin, laut, fröhlich und ein bißchen gewöhnlich. Es war auch Dina, von der Tom ganz sachlich mit einem weiteren ländlichen Element bekannt gemacht wurde, als eine Sau einen Wurf fröhlich quiekender Ferkel zur Welt brachte. Das Erlebnis machte Tom unsicher: Es war doch nicht möglich, daß Ma ihn und seine Geschwister auf die gleiche Weise in die Welt gesetzt hatte?

Aber es gab auch andere Dinge, wunderschöne Dinge, die sie ebenfalls nie gekannt hatten: die aufgehende Sonne, die sich in die Fenster drängte, während noch der Nebel über dem Flußtal lag; ein Gang auf den hellen staubigen Wegen, wenn die Sonne unterging und der Mond hinter dem Hügel aufstieg und die Fledermäuse ihren unbekümmerten Zickzackflug begannen; die Arbeit im Garten, wenn man sich schwitzend abmühte, ein bißchen Ordnung in das grüne Durcheinander zu bringen, während in der Ferne schwere Herbstwolken am Himmel aufzogen. Es war so süß, so unbeschreiblich wohltuend. Bis dann unbarmherzig die sonnigen Tage kürzer wurden, die bunten Wolken Dunkelheit und Sturm brachten und das kleine Haus aufgeräumt und für den Winter zurechtgemacht war. Die Haustür wurde abgeschlossen und die Gartenpforte verriegelt – bis der Sommer wiederkam.

Als sie an diesem letzten Spätherbsttag auf den Wagen kletterten, spürte Nathan Cranswick nur leichte Traurigkeit, nicht mehr als sanfte Melancholie. Denn im Jahre 1898 war das Leben geordnet; dieses Jahr war wie letztes Jahr, und das nächste Jahr würde so sein wie dieses Jahr. Die Königin, das britische Empire, die Pax Britannica und die methodistische Kirche hatten den Weg geebnet für die

Cranswicks und würden das mit Gottes Hilfe auch weiterhin tun. Davon war man im Haus Nummer 37 der Stafford Street fest überzeugt.

Doch Downing Street, die Berliner Wilhelmstraße und Pretoria hegten weniger idyllische Vorstellungen.

7

Die erste der Krisen, die das Jahr 1899 erschütterten, begann für die Familie Cranswick nicht in den Regierungszentren. Sie begann in der Wohnung von Tante Täubchen über dem Schlachterladen.

Und wer das Feuer an die Zündschnur legte, war ausgerechnet Tom.

Es war am 1. April, dem Tag der Narren; das Wetter war windstill und klar, und Nathan dachte bei sich, wenn es so bliebe, könnten sie nächste Woche das Cottage aufmachen, alles lüften und vorbereiten für Ostern. Nicht nur für Ostern, natürlich: für einen ganzen Sommer voll froher Wochenenden. Kein Mensch konnte so viel zum Freuen haben wie er. Er sprach ein stummes Dankgebet. Und er hatte noch einen weiteren Grund zur Dankbarkeit – einen Grund, der ihn mit fast jungenhafter Freude erfüllte. Er hatte einen gebrauchten zweirädrigen Kutschwagen gesehen, der zum Verkauf stand: einen eleganten Wagen, schwarze Räder mit gelben Speichen, schwarzen Deichseln und Holzwerk und gelbem Korbgestell. Eigentlich wohl kein Wagen für einen Handwerker, oder? Aber Nathan war nicht ganz knapp bei Kasse, und trotz seiner puritanischen Erziehung liebte er schöne Dinge. Dieser Wagen *war* schön und außerdem solide und gut gebaut. Und das tapfere kleine Pferd, das sonst den alten Wagen zog, würde zwischen den schlanken Deichseln auch nicht allzu fehl am Platz wirken. Nathan kaufte den Wagen, brachte ihn in seine Werkstatt, gab ihm einen frischen Anstrich und schwelgte in dem Gedanken an Zillas Begeisterung, wenn er ihn ihr zu Ostern vorführte. Natürlich tat sie zuerst so, als sei sie böse, aber in Wahrheit würde sie sich königlich freuen, ganz bestimmt. Und die Kinder . . .? Er konnte es kaum erwarten, ihre Gesichter zu sehen.

1. April – der Tag, an dem man Leute in den April schickt und zum Narren hält. Dazu war Tom trotz all seiner Ängste manchmal imstande. Er beschloß, Tante Täubchen in den April zu schicken.

Als er um Mittag aus der Schule kam, ging er nicht gleich nach Hause, sondern stieg leise die Treppe hinauf zu Tante Täubchens Wohnung. Er wußte noch nicht, auf welche Weise er sie in den April schicken wollte. Da er sie kannte, war er nicht sicher, ob es genügen würde, wenn er ihr sagte, ihre Stiefelbänder seien aufgegangen. Aber es würde ihm schon noch was einfallen, auch wenn er nur leise von hinten an sie heranschlich und sie erschreckte.

Er lächelte breit vor Vorfreude und drehte den Türknauf.

Kein Laut. Er öffnete die Tür. Sie quietschte nicht und gab keinen Ton von sich.

Was er erhofft hatte, war, daß Tante Täubchen mit dem Rücken zu ihm im Zimmer stand, worauf er plötzlich »Buh!« rufen wollte und die Tante sich, die Hand auf dem Herzen, umdrehen und halb lachend, halb weinend ausrufen sollte: »Tom – du Schlingel! Wie hast du mich erschreckt!«

Doch es war alles ganz anders. Das Zimmer war leer – sehr schade. Lautlos wie ein Indianer schlich er in die kleine Küche. Auch dort keine Tante.

Die Tür zum Schlafzimmer war zu. Er öffnete sie so lautlos, wie er bisher alles gemacht hatte, und blieb in der Türöffnung stehen.

Tante Täubchen schlief. Ein weich gerundeter Arm lag schräg über der Bettdecke. Sie sah sehr lieb und friedlich aus, fand Tom.

Nur eins überraschte ihn: Mit dem Kopf auf Tante Täubchens weicher Schulter lag ein Mann neben ihr. Und der Mann war Pfarrer Clulow, was Tom ebenfalls erstaunte.

Tom stahl sich zurück ins Wohnzimmer und in den Flur, schloß dann lautlos die Wohnungstür hinter sich, schlich die Treppe hinunter und war erleichtert, als er wieder in Sicherheit war und auf der Straße stand.

Er brachte erst einmal ein paar Straßen hinter sich und blieb dann vor einem Schaufenster stehen, um lange nachzudenken.

Er war noch außer Atem, sein Herz schlug schnell, und ihm war etwas übel – warum, das wußte er nicht. Für ihn gab es gar keinen Grund, warum Tante Täubchen und Mr. Clulow *nicht* miteinander ausruhen sollten. Es war nur etwas unerwartet gewesen und irgendwie ein Schock. Die einzige Erklärung, die er sich denken konnte, war, daß Mr. Clulow die Tante besuchen wollte, und da waren sie beide müde geworden und hatten sich hingelegt.

Er starrte in das Schaufenster, ohne etwas zu sehen, bis ihn plötzlich ein Knie ins Kreuz stieß und ihn fast gegen die Glasscheibe warf. Eine hämische Stimme sagte: »Auf dich hab ich gewartet seit dem Spießbraten damals.«

Erschrocken fuhr Tom herum. Vor ihm stand Loll Hardcastle, böse und grob, die eine Hand hatte er zu einer drohenden Faust geballt und hielt sie dicht an Toms linkes Auge.

Entsetzen packte Tom. Bisher hatte er auf der Straße dem Jungen ausweichen können, den er bei dem Spießbraten in aller Öffentlichkeit so blamiert hatte. Sie hatten sich natürlich in der Kirche gesehen, wo Tom sich sogar sicher genug fühlte, um ihm die Zungenspitze herauszustrecken. Aber er hatte sich immer bemüht, ihm nicht auf der Straße zu begegnen, hatte manchmal lange Umwege gemacht oder war im Haus geblieben, wenn er lieber draußen gespielt hätte.

Er duckte sich. Aber nicht schnell genug, denn eine harte Hand packte ihn am Kragen, und Loll blickte hinab in das kleine angsterfüllte Gesicht.

»Wo bist du gewesen?«

»Bei Tante Täubchen.«

»Wozu?«

»Wollte sie – in den April schicken.«

»Und was hast du gemacht?«

»Gar nichts.«

Eine Hand packte Toms Handgelenk und drehte ihm den Arm auf den Rücken. Es tat wahnsinnig weh.

»Was hast du gemacht?« wiederholte Loll drohend.

»Gar nichts!« schrie Tom.

»Warum gar nichts?«

»Bitte, Loll – du tust mir weh! Mr. Clulow war da.«

»Was – der alte Clulow? Was machten sie denn?« Eine neue Drehung folgte.

Tom schrie. »Sie haben sich hingelegt!« keuchte er.

Zu Toms unsagbarer Erleichterung ließ Loll ihn los.

»Wo?«

»Was – wo?«

»Wo haben sie sich hingelegt?«

»Auf Tante Täubchens Bett.«

Überraschung, Neugier und hämische Freude waren Loll vom Gesicht abzulesen. Doch für Tom war es wichtiger, daß er ihn losgelassen hatte. Tom schoß davon. Der Schmerz im Arm war immer noch zu spüren, aber wenigstens hörte er keine Schritte hinter sich. Erst als er fast zu Hause angelangt war, wagte er zurückzublicken. Niemand war zu sehen. Er verlangsamte sein Tempo, rieb sich den Arm und fuhr sich über die Augen, wobei er immer noch aufpaßte, ob Loll hinter ihm herkam.

Langsam ging er nach Hause. Er mochte nichts essen, und er mochte nicht reden.

»Du kommst aber spät«, sagte Ma. »Na laß nur – komm, iß.« Sie stellte einen großen Teller mit gehacktem Hammelfleisch vor ihn hin.

Hammelhack war Toms Lieblingsessen; nur heute stocherte er unglücklich mit der Gabel darin herum. Zilla warf ihm einen schnellen besorgten Blick zu. »Was hast du denn?«

Er legte die Gabel hin. »Ich hab Bauchweh.«

Für Tom gehörte Bauchweh zum Leben. Manchmal suchten Druck und Lebensangst einen Ausweg und fanden ihn im Bauchweh. Toms Bauchweh heute mochte mit etwas Schwierigem zusammenhängen, das ihn in der Schule erwartete. Oder mit irgendeinem kindlichen Kummer. So schickte sie ihn nicht ganz leichten Herzens fort und stellte das Fleisch beiseite für ihren Mann.

Tante Täubchen und Mr. Clulow standen innen vor der Wohnungstür. Sie legte ihm die Hände auf die Schultern und sagte leise: »Leb wohl, Liebster.«

»Leb wohl, Edith. Hab Dank für . . .« Und plötzlich umarmten sie einander, hielten sich fest und küßten sich wieder und wieder, bis sie ihn leicht von sich schob und lächelnd sagte: »Geh nun. Du mußt gehen«, an die Tür griff und aufschließen wollte.

Sie wollte aufschließen, doch der Schlüssel drehte sich nicht. Sie packte den Türknauf, drehte ihn und zog, und die Tür öffnete sich. Er sah, wie die Farbe aus ihrem Gesicht wich. Sie sagte: »Ich habe doch hinter dir abgeschlossen, als du kamst. Ich *muß* doch abgeschlossen haben – oder?« Verstört blickte sie ihn an.

»Ich weiß es nicht, Edith«, sagte er. »Aber es ist doch alles in Ordnung. Niemand war . . .« Seine Stimme klang beruhigend, doch auch er war blaß geworden. »Wo du davon sprichst – ich habe mich gewundert, daß du die – Schlafzimmertür offengelassen hast. Wir sind doch sonst immer so vorsichtig.«

Sie blickte ihn angstvoll an. »War sie offen?«

Er nickte.

»Ich weiß, daß ich sie zugemacht habe«, sagte sie. »Das weiß ich ganz sicher.«

Sie sahen sich an; jeder suchte Trost beim anderen. »Aber niemand . . .«, sagte er zögernd.

»Ob vielleicht eins der Kinder . . .«

Er schüttelte den Kopf. »Die hätten wir gehört.«

Sie schwiegen. Doch dann brach es plötzlich aus ihr heraus. »O Gott, Martin, wie ich dieses Versteckspiel hasse! Es ist unserer beider nicht würdig.« Sie stampfte zornig mit dem Fuß auf.

»Dann nehmen wir also Abschied?« sagte er müde.

»O nein, nein – das nicht.« Sie ergriff seine Rockaufschläge. »Alles lieber als das.«

»Ja«, sagte er langsam. »Lieber Schande und ewige Verdammnis.«

»Oh, Martin!« rief sie verzweifelt und schlang ihm die Arme um den Hals.

Er küßte sie und fragte dann flehend: »Und heiraten willst du mich noch immer nicht?«

»Nein. Ach, Liebster, du weißt doch warum. Ich soll meine Kirche verraten und aufgeben und die Frau eines methodistischen Pfarrers werden?«

»Besser vielleicht ein erlöster Methodist«, sagte er nachdenklich, »als ein zur Verdammnis verurteilter Anglikaner.«

»Ach, Martin«, sagte sie, »wir sind doch schon verdammt. Beide.«

»Hat deine Kirche keinen Raum für Reue?«

»Ich könnte niemals bereuen, was du für mich bist, Lieber, oder was ich dir aus Liebe und Mitgefühl gegeben habe.«

Er seufzte, dann fiel ihm etwas ein. »Edith, die Schlafzimmertür – kann es der Wind gewesen sein?«

»Es weht doch gar nicht«, sagte sie.

Als Tom zum Tee nach Hause kam, hatte sich seine Stimmung etwas gehoben. Das Bild von Mr. Clulows Kopf an einem solchen Platz war nun schon verdrängt von Rechenaufgaben und Orthographie.

Zilla erkannte die Veränderung sofort und war erleichtert. Doch als die Schlafenszeit kam, war sie nicht mehr so sicher. Tom schien immer noch irgend etwas auf dem Herzen zu haben. Deshalb nahm sie, als sie selber zu Bett gehen wollte, eine Kerze und ging damit in sein Zimmer. »Tom . . .?« flüsterte sie.

Ein unglückliches »Ja?« war die Antwort. Sie stellte die Kerze auf den Waschtisch, setzte sich zu Tom auf die Bettkante und betrachtete sein blasses ängstliches Gesicht. »Warum schläfst du denn nicht?«

Er wand sich im Bett und stöhnte. »Ich konnte nicht, Ma.«

»Und warum nicht?«

»Weiß auch nicht.«

Für Tom sah die Mutter in ihrem weißen Flanellnachthemd und dem dunklen Zopf, der ihr über die linke Schulter hing, wie ein Engel des Erbarmens aus. So einen Engel hätte er in diesem Augenblick weiß Gott gebrauchen können. Je mehr er über Tante Täubchen und Mr. Clulow nachsann, desto mehr fühlte er sich uneins mit der ganzen Welt. Stundenlang hatte er sich in seinem Bett herumgeworfen und halblaut vor sich hin gemurmelt; der Körper wollte sich nicht abfinden mit dem Unvermögen des Geistes, ein Problem zu lösen, das vielleicht gar kein Problem war.

Zilla nahm die Kerze, um ihren Sohn besser zu sehen, und stellte sie wieder hin. Sie fühlte ihm die Stirn und den Puls. Kein Fieber – aber irgend etwas war nicht in Ordnung. »Was ist los, Tom?«

»Gar nichts.« Es klang leicht aggressiv.

»Irgendwas in der Schule?«

Er schüttelte den Kopf.

Na schön, dachte sie. Dann warte ich eben.

Sie wartete. Tom zwang sich zum Stilliegen, aber einschlafen konnte er nicht. Etwas später kam ein verzagtes Schniefen, und im Kerzenlicht glänzten Tränen.

Zilla nahm ihren Sohn fest in die Arme. »So – so – was gibt's denn nun, mein Junge?«

Er weinte und schnaubte und schniefte noch eine Weile; dann fuhr er sich mit seinem Nachthemdärmel über die Nase.

78

»Ma . . .?«

»Ja, mein Junge?«

Noch ein paar verzagte Schnieftöne folgten, aber sie wartete geduldig. Jetzt würde sie die Geschichte schon rauskriegen, und damit war dann die Schlacht auch fast vorüber: irgendeine Dummheit oder Ungerechtigkeit in der Schule, dann warme Trostworte von ihr und dann: Gute Nacht, schniefschniefschnief, und darauf würde er bis zum Morgen ganz fest schlafen, das kleine Würmchen.

Er sagte: »Tante Täubchen und Mr. Clulow lagen zusammen – in ihrem Bett. Heute.«

Das Schweigen, das nun folgte, war so lang, daß Tom meinte, sie habe ihn nicht gehört. Also sagte er: »Tante Täubchen und Mr. Clulow . . .«

»Ja, ja«, gab sie ungewöhnlich scharf zurück.» Ich hab's gehört.« Und nach einer weiteren Pause fragte sie – nicht mit ihrer mütterlichen Stimme: »Hast du geträumt, Junge?«

»Nein, Ma. Ich war nach der Schule – da bin ich zu Tante Täubchen gegangen –, ich wollte sie in den April schicken, aber sie war im Bett mit Mr. Clulow, da hab ich sie nicht in den April geschickt. Ich dachte – Mr. Clulow hätte vielleicht gedacht, ich wäre frech . . .«, die Stimme verlor sich.

Zilla kannte die Grenzen einer Ehefrau. Mit solchen Dingen hatten sich Frauen nicht zu befassen. Ohne ein Wort ging sie zurück in ihr Schlafzimmer und setzte sich auf den Rand des großen Doppelbetts.

»Nathan, wach auf«, sagte sie.

Er war sofort hellwach. Nach so vielen Ehejahren hörte er zuweilen mehr aus dem Ton ihrer Stimme als aus ihren Worten. Jetzt ahnte er eine Krise. Er setzte sich auf und blinzelte ins Kerzenlicht. »Stimmt was nicht, Liebes?«

»Das kann man wohl sagen«, gab sie zur Antwort.

Er wartete. Sie war als junge Frau hübsch gewesen, und im weichen Licht der Kerze sah sie wieder so aus wie damals – oder hätte so ausgesehen ohne das tragische Gesicht, das sie aufgesetzt hatte. Was mochte es sein? Plötzlich fuhr ihm Angst in die Eingeweide. Hatte sie in sich den Keim einer tödlichen Krankheit entdeckt? »Was ist denn, Liebes?« fragte er sanft.

»Frag lieber Tom«, sagte sie.

»Was – Tom? Jetzt?«

»Ja, jetzt.«

Er hatte sie noch nie so entschlossen gesehen. Eilig stieg er aus dem Bett, nahm die Kerze und ging hinüber in Toms Zimmer. Er blickte hinab auf das angstvolle kleine Gesicht, das so weiß war wie das Kissen. »Was ist denn los, Junge?« fragte er ruhig.

Die hastige Reaktion seiner Mutter auf seine Mitteilung hatte Toms vage Furcht verstärkt. Jetzt war sein Vater erschienen, und Tom wurde von Panik gepackt. »Sie lagen bloß so da«, sagte er.

»Wer lag so da, Tom?«

»Tante Täubchen und – ich wollte sie ja bloß in den April schicken, Pa, wirklich nichts weiter. Und das hab ich lieber nicht getan, als ich Mr. Clulow sah.«

Ein fürchterlicher Verdacht begann in Nathans Vorstellung Gestalt anzunehmen. Aber er *mußte* sich irren, es war undenkbar. Und wenn er sich irrte, würde er sich diesen Verdacht nie, niemals verzeihen.

Er setzte sich auf Toms Bett und legte tröstend einen Arm um die schmalen Schultern. »So, Junge, nun erzähl mir mal, was dir Kummer macht.«

Tom schmiegte sich eng an das warme gute Flanellnachthemd. »Ich wußte bloß nicht, was das bedeuten sollte am hellen Tag, meine ich.«

»Was *was* bedeuten sollte, Tom?«

»Ja – so am hellen Tag, meine ich.«

Geduldig fragte Nathan: »*Was* am hellen Tag, Tom?«

»Daß sie sich da hingelegt hatten – Tante Täubchen und Mr. Clulow. Das kam mir so komisch vor.«

Jetzt mußte er es genau wissen, auch wenn sein Glück

damit für immer zu Ende war. »Wo hatten sie sich hingelegt?«

»In Tante Täubchens Bett.«

»Nein. O nein.« Das halbblaute Wort war ein Schrei, der ihm das Herz zerriß. Aber er mußte jetzt mehr wissen, obgleich er am liebsten fortgegangen wäre und geweint hätte – obgleich jedes Wort von seinem Sohn ihm wie ein Messer ins Fleisch fuhr. »Haben sie dich gesehen?«

»Nein – sie haben doch geschlafen. Ich war auch ganz leise – wie ein Indianer. Indianer – die können sich so heranschleichen und . . .« Er schluckte. »Ich wußte bloß nicht, was es zu bedeuten hatte. Ich meine, so am hellen Tag.«

»Hast du mit deiner Schwester darüber gesprochen?«

Er schüttelte den Kopf und blickte seinen Vater nachdenklich an. »Nein – ich wollte – ich mochte nicht darüber reden.«

»Nein. Du brauchst dir keine Gedanken zu machen, mein Junge. Nun schlaf du nur.« Er beugte sich herab und küßte das magere kleine Gesicht zärtlich. »Gute Nacht.«

»Gute Nacht.« Tom war seine Last los, er drehte sich um und war eingeschlafen, bevor sein Vater die Tür erreichte.

Nathan ging zurück zu seiner Frau. »Was hat er dir denn erzählt, Liebes?«

Sie wurde blutrot. »Oh, Nathan, das kann ich dir nicht sagen.«

»War es – von Edith und dem Pfarrer?«

Sie nickte in tödlicher Verlegenheit. »Nathan – *das* tun sie doch nicht?«

Er schwieg, und sie blickten einander an. Die Kerze flackerte plötzlich vor der weißgetünchten Wand, so daß das Zimmer einen Augenblick zu schwanken schien wie ein Schiff. Dann brannte sie ruhig weiter.

»Und Tom hat sie gesehen«, sagte er endlich. »Armes Kerlchen.« Und nach einer Pause: »Es wird mir schwerfallen, das zu vergeben.«

»Nein, es ist nicht recht«, stimmte ihm Zilla zu.

»Er ist ganz durcheinander«, sagte Nathan. »Aber ich glaube, er weiß nicht, warum.«

»Nathan«, sagte Zilla drängend, »*das* tun sie doch nicht?«

»Ich weiß es nicht. Ich glaube, man kann nie ganz sicher sagen, was ein Mensch tun oder nicht tun würde.«

Das war ein neuer Gedanke für Zilla, die sich nie sehr eingehend mit der menschlichen Natur beschäftigt hatte. »Aber *das*«, sagte sie. »Und der Pfarrer . . .«

»Ja. Aber so etwas denkt sich Tom nicht aus. Und dann – seit Mrs. Clulows Tod habe ich oft gedacht, ob die beiden nicht etwas zu freundschaftlich zueinander stehen – vielleicht mit dem Feuer spielen, meine ich.«

Zilla war verwirrt. Nathan fand sich also ruhig damit ab, daß seine Schwester *so etwas* getan haben könnte! Wäre es ein anderer als Nathan gewesen, so hätte sie das glatt für unmoralisch erklärt. Dann kam ihr ein schrecklicher Gedanke, und sie fuhr im Bett hoch. »Blanche darf nichts davon wissen!« rief sie.

»Sie weiß auch nichts. Er war viel zu durcheinander, er hat ihr bestimmt nichts erzählt.«

Wieder schwiegen beide und versuchten zu überlegen, wie sie es von Blanche fernhalten konnten. Der Gedanke, daß sie so etwas zu hören bekam, erschreckte sie beide. Das war unvorstellbar.

Es war auch unlösbar. Man konnte doch Tom unmöglich sagen, daß das, was Tante Täubchen getan hatte, vielleicht schlimmer sei als ein Mord. Andererseits: Wenn man ihn zu sehr beruhigte, würde er vielleicht mit jedem darüber reden, dem er gerade begegnete. Sie kamen also überein, diese Frage zunächst aufzuschieben. Nathan seufzte schwer und sagte:

»Armes Täubchen.«

»Ja.«

»Morgen nach der Arbeit werde ich hingehen und mit ihr reden.«

»Ja.«

»Inzwischen hol du jetzt mal deinen Schönheitsschlaf nach. Gute Nacht, altes Mädchen.«

Sie legte sich wieder neben ihn, und er nahm ihre Hand. Da lagen sie, den Blick auf die Zimmerdecke gerichtet, lang ausgestreckt, so wie sie einmal in ihrem letzten schmalen Bett liegen würden. »Mein armes Täubchen«, sagte er noch einmal.

»Ja.« Sie blies die Kerze aus. Er war noch wach und starrte immer noch an die Decke, während er den leisen Atemzügen an seiner Seite lauschte. Er lag noch wach, als die Morgendämmerung des Apriltages sich durch die Wolken über der Stadt drängte.

Nathan Cranswick hatte sich in der Volksschule die Elementarkenntnisse in Lesen, Schreiben und Rechnen angeeignet. Doch seine Schwester Edith hatte – zum Erstaunen und Ärger ihrer Eltern – ein Stipendium für die High School erhalten, was fast zu offenem Krieg führte. Denn Bert Cranswick hatte verkündet, er sei nicht bereit, sich einzuschränken, damit seine Tochter eine Schule besuchen konnte, die ihr nur Verachtung für ihre Eltern beibringen würde. Seine Frau hatte sich bei dieser lobenswerten Haltung hinter ihn gestellt. Doch die Vorsteherin in Ediths Schule hatte einen ebenso harten Kopf wie Bert und war dazu sehr viel intelligenter. So ging Edith also auf die High School, doch ihre Eltern oder ihren Bruder zu verachten, das lernte sie nie. Sie hatte im Gegenteil tiefen Respekt vor Nathan und kam sich ihm gegenüber oft sehr klein vor, denn ihn hatte es Jahre gekostet, sich selbst etwas mehr Wissen anzueignen, während ihr alles Wissen auf für sie sehr bequeme Weise beigebracht worden war.

Deshalb war sie ehrlich erfreut, als ihr Bruder bei ihr erschien. »Wie schön, daß du kommst, Nathan. Setz dich doch. Ich weiß, es hat keinen Zweck, dir einen Sherry anzubieten, aber wie wär's mit einer schönen Tasse Tee?« Sie gab ihm einen zärtlichen Kuß. Die Geschwister liebten einander aufrichtig.

»Ja, Täubchen, bitte.« Er sank müde in einen Sessel.

Es fiel Edith auf, daß er etwas unsicher erschien. Und während sie den Tee machte, kam das Schuldgefühl wieder auf und brachte ihre Gedanken auf ein Thema, das sie bis dahin lieber von sich geschoben hatte: die seltsame Sache mit den offenen Türen von gestern.

Aber es war ja nichts – sie war einfach unvorsichtig gewesen. So was konnte leicht vorkommen, daß man vergaß, eine Tür abzuschließen. Und das Schuldgefühl wegen der anderen, weitaus ernsteren Sache war etwas, mit dem sie gelernt hatte zu leben und sich sogar auseinanderzusetzen. Sie liebte Martin, liebte ihn zärtlich und über alles. Er liebte sie. Und sie war sicher: Ohne ihre Kraft, ohne die Liebe ihres kühlen, fraulichen Verstandes, ohne die Liebe ihres hingebenden Körpers wäre er von Kummer und Gram überwältigt worden.

Jetzt brachte sie das Tablett mit Tee. Keine silberne Teekanne, denn Edith hatte nie viel Geld gehabt und sich auch nicht danach gesehnt, doch alles war so sauber und adrett, wie es sich zu viktorianischer Zeit schickte, mit Teedeckchen und Teewärmer und Zubehör. Anders als bei Nathan zu Hause, wo Zilla oft fünf gerade sein ließ, aber was konnte man bei drei Kindern anderes erwarten?

Nathan war nicht in der Stimmung für häusliche Einzelheiten. Er war nicht zornig – er war von Natur aus kein Mann des Zorns. Und er war auch insofern kein Durchschnittsmann, als er, konfrontiert mit einer schwierigen Situation, Vorwürfe meistens für Zeitverschwendung hielt; er versuchte lieber, die Sache in Ordnung zu bringen und dabei die Beteiligten so wenig wie möglich zu kränken. Seine puritanische Seele war von dem, was die geliebte Schwester getan hatte, tief betrübt und entsetzt, und das mußte er zum Ausdruck bringen, doch auf möglichst kühle und distanzierte Weise.

Sie machte es ihm nicht leicht, als sie sich jetzt ebenfalls setzte, sorgfältig ihre Röcke ordnete, ihm strahlend zulächelte und fragte:

»Und wie geht's der Familie?«

»Geht allen gut. Edith . . .?«

Sie hatte den Tee eingeschenkt und blickte jetzt schnell auf. Wenn Nathan sie Edith nannte und nicht Täubchen, dann war irgendwas nicht in Ordnung. Doch sie lächelte immer noch. »Ja?«

Er nahm ihr seine Tasse aus der Hand und stellte sie vorsichtig auf den eingelegten Beisetztisch. Dann sagte er: »Tom ist gestern mittag hier in deine Wohnung gekommen. Er wollte einen Aprilscherz mit dir machen. Wie die Dinge lagen, tat er es nicht.«

Edith lächelte nicht mehr. Bruder und Schwester sahen sich lange an. Endlich sagte sie: »Wir haben uns gewundert, weil . . .«, und sie schüttelte hilflos den Kopf. »Es tut mir sehr leid, daß es Tom war, Nathan.«

»Ja, das ist es ja. Tun wir einmal unrecht, so kann jeder dadurch mit verletzt werden. Aber mir tut es auch leid, daß es Tom war. Sehr leid.«

»Ich wünschte fast, du würdest mich verdammen, Bruder.« Sie lächelte ihn warm an. »Aber ich weiß, das tust du nicht.«

»Nein.« Er schüttelte den Kopf. »Ich habe zuviel Selbstgerechtigkeit kennengelernt in meinem Leben. Aber . . .«, er sprach aufrichtig und mit großem Ernst, ». . . ich würde alles, was ich habe, dafür geben, wenn ich diese – diese Sache zwischen dir und dem Pfarrer ungeschehen machen könnte.«

»Ja, ich weiß. Aber – als Agnes nicht mehr war, da brauchte er mich, Nathan.«

»*So* nicht«, sagte er schnell. Zum erstenmal war Abscheu in seiner Stimme.

Sie senkte den Kopf. »Ja, *so*, Nathan. Ich weiß, so wie wir erzogen sind – da ist es schwer, das zu glauben. Aber es *ist* ein Teil der Liebe.«

»Niemals außerhalb der ehelichen Bindung.« Er sah sie flehend an. »Edith, wo es nun ans Licht gekommen ist – wirst du diese – Sünde aufgeben?«

»Nein.« Sie trank einen Schluck Tee und sah ihn über den Tassenrand tiefernst an. »Martin ist ein guter, ein freundlicher Mann. Aber er ist nicht stark, Nathan. Und ich«, sagte sie mit einem seltsamen kleinen Lächeln, »ich bin eine starke Frau. Ich werde ihn nicht verlassen.«

»Das verlange ich nicht von dir. Nur, daß du – in Keuschheit lebst.«

Sie schüttelte langsam und fest den Kopf. Und dann mußte sie doch lachen. »Nathan, Nathan – was machen wir nur für ein Aufhebens darum! Spielt es denn *wirklich* eine Rolle außer für Martin und mich?«

»Doch, doch, das tut es, Edith. Es geht uns alle an. Tom ist schon mit hineingezogen. Wenn es allgemein bekannt würde, was nun jederzeit möglich ist, dann könnte es dein Leben und auch das des Pfarrers zerstören – und vielleicht unser aller Leben.«

Sie sah ihn bestürzt an. »Deins – wieso?«

»Ich bin dein Bruder. Aber nicht deshalb bitte ich dich so dringend. Es geht um deine unsterbliche Seele und um die Martins.«

»Damit müssen wir beide rechnen. Aber deine?« Sie saß da und starrte aus dem Fensterviereck auf die Abendsonne, die gerade zwischen zwei Schornsteinen zu sehen war. »Es wäre wohl besser, wenn wir fortgingen«, sagte sie dann. »Weit fort.«

Er erwiderte ernst: »»Nähme ich Flügel der Morgenröte und bliebe am äußersten Meer, so würde mich doch deine Hand . . .«

»Ja, ich weiß. Gott entkommen wir nicht. Aber um deinetwillen . . .?«

Er schüttelte den Kopf. »Wenn der Sturm losbricht, möchte ich an deiner Seite sein.«

Sie beugte sich vor und nahm seine Hand. »Gott segne dich, Nathan.«

»Und der Sturm kann losbrechen. Gerade Toms Unschuld könnte ihn heraufbeschwören.«

»Und meine Schuld«, sagte sie verzagt. »Und doch

fühle ich mich nicht schuldig, Nathan. Kannst du das verstehen?«

Mit einem Ausdruck der Ungeduld schüttelte er den Kopf.

»Was habt ihr zu Tom gesagt?« fragte sie.

»Gar nichts. Was konnten wir denn sagen? ›Erzähl niemandem was von Tante Täubchen und Mr. Clulow?‹ Nein, Edith.«

»Nein, natürlich nicht«, sagte sie sofort. »Du glaubst doch nicht, daß ich darauf aus bin?«

»Nein, dazu kenne ich dich zu gut.« Sie standen auf, und plötzlich breitete er die Arme aus, und sie warf sich hinein.

»Ach, Täubchen – mein armes Täubchen«, sagte er wieder und wieder. Dann polterte er die Treppe hinunter auf die Straße, und sie sah ihm nach und ging dann eilig zurück in ihre kleine Wohnung. Zwischen den Häusermauern war jetzt die Sonne im Untergehen; schon sammelten sich die Schatten im Zimmer. Auch über unserem Leben? fragte sie sich. Vor ihr lag, das wußte sie, eine lange und schlaflose Nacht.

Nathan ging ins Pfarrhaus.

Mr. Clulow sah erfreut aus – so erfreut, wie es einem so zurückhaltenden Mann gegeben war. Cranswick war eins der wenigen Mitglieder seiner Herde, mit dem eine Unterhaltung keine anstrengende Verlegenheit bedeutete. »Kommen Sie herein, Mr. Cranswick.« Er führte ihn in sein Arbeitszimmer.

Das Pfarrhaus war streng und kalt – und uneingeschränkt männlich. Auf dem Schreibtisch im Arbeitszimmer brannte eine Petroleumlampe; in dem hohen Zimmer hingen Schatten. Mr. Clulow setzte sich in seinen abgenutzten Sessel und bedeutete seinem Gast, sich ebenfalls zu setzen. Nathan nahm Platz. Die Armlehnen seines Sessels kamen ihm unsauber und klebrig vor, und der Sitz war speckig.

Mr. Clulow sagte: »Ich muß mich entschuldigen – das Zimmer ist wenig präsentabel. Während der langen Krankheit meiner Frau und auch seit ihrem Tod hat mir einfach der Mut gefehlt. Ich fürchte, ich bin auch kein praktischer Mensch. Und nun – geht es um den Gottesdienst am Sonntag?«

»Nein, Mr. Clulow. Es geht um meine Schwester.«

»Um Ihre Schwester?« Der Geistliche sah Nathan verständnislos an.

»Ja. Um Edith.«

Schweigen. »Aaaah!« sagte Mr. Clulow.

»Mr. Clulow«, sagte Nathan langsam, »nach den Maßstäben der Welt müßte ich den Wunsch haben, Sie zu töten.«

Mr. Clulows Mund war ganz trocken. Er fuhr sich mit der Zunge über die Lippen. »Und – haben Sie den Wunsch?«

Nathan schüttelte den Kopf.

Mr. Clulow schien sich zu fassen. »Wieviel wissen Sie?« fragte er erschöpft.

»Genug.« Nach einer Pause fuhr Nathan fort: »Mein Sohn Tom war gestern mittag in Ediths Wohnung. Sie beide schliefen.«

Martin Clulows Gesicht sah gelb aus im gelben Schein der Lampe. »Tom . . .? Aber, Mr. Cranswick, der ist doch noch so klein. Meinen Sie nicht . . .?«

»Mr. Clulow«, sagte Nathan bittend, »Sie sind mein Pfarrer. Ich *muß* die Achtung vor Ihnen behalten. Bitte machen Sie es mir nicht noch schwerer.«

»Was soll ich tun, Mr. Cranswick? Gibt es irgend etwas, das ich für Sie tun könnte . . .? Sie wissen, ich bin nicht ganz ohne Einfluß.«

Nathan neigte nicht zum Jähzorn, doch jetzt packte ihn der Zorn – eine siedende Welle der Wut stieg ihm zu Kopf und lähmte die Zunge. Er sprang auf die Füße, fast besinnungslos und unfähig, ein Wort zu äußern.

Mr. Clulow wich in seinem Sessel zurück. »*Bitte* verzeihen Sie mir, Mr. Cranswick – das hätte ich nicht sagen sollen. Aber – Sie können mich zerbrechen – vernichten. Und mir bleibt so wenig, nun da Agnes . . .« Die Stimme war tränenerstickt.

Nathan fand die Sprache wieder. »Ich habe nicht die Absicht, Sie zu zerbrechen, Mr. Clulow – das hätten Sie wissen können, denke ich. Aber es muß Ihnen klar sein, daß Ihr Ruf durch das unschuldige Gerede eines kleinen Jungen vernichtet werden kann.«

Eine Spur von Groll war in Mr. Clulows Stimme zu hören, als er jetzt fragte: »Und Sie haben keinerlei Kontrolle darüber, wenn Ihr kleiner Sohn irgend etwas daherredet?«

»Nein, gar keine. Wollen Sie etwa andeuten, ich sollte ein unschuldiges Kind zur Unwahrheit verleiten, um Sie zu retten?«

»Nein. Nein, natürlich nicht. Aber – das Ganze ist wirklich eine schreckliche Sache, Mr. Cranswick.«

Nathan schwieg. Ihm war elend zumute, wenn er sich sagte: Der zerbrochene Mensch da vor ihm war der Mann, der aus dem Handwerker Nathan Cranswick den Laienprediger der Methodistenkirche gemacht hatte. Der Mann, dem er alles verdankte. Der Mann, den er als geistigen Führer und Mentor anerkannt hatte.

Er sagte: »Es war mir – schon seit einiger Zeit – aufgefallen. Aber ich konnte es einfach nicht glauben – ein Mann in Ihrer Stellung und meine Schwester.«

Der Pfarrer blieb zusammengesunken in seinem Sessel sitzen. Es sah aus, als sei er kleiner geworden. Er weinte jetzt ganz offen. »Ihre Schwester war für mich wie ein Engel in der Dunkelheit. Ich – könnte nicht ohne sie leben«, sagte er verzweifelt.

Nathan erhob sich und sagte sehr förmlich: »Mr. Clulow, ich brauche Ihnen wohl nicht zu sagen, daß meine Frau und ich die Sache mit größter Diskretion behandeln werden. Die einzige Gefahr ist Tom, aber das ist eine sehr ernste Gefahr. Der Sturm könnte über uns alle kommen.«

Müde und traurig fügte er hinzu: »Über uns *alle*. Nicht nur über Sie, Mr. Clulow.«

Mühsam erhob sich der Pfarrer aus seinem Sessel und ging zur Tür. Im Vorbeigehen schien es, als wollte er Nathan am Ärmel berühren; er murmelte undeutlich: »Ja. Ja. Schreckliche Sache – ganz schrecklich. Aber Agnes' Tod – so was verändert einen Menschen.«

Er öffnete die Tür, und Nathan trat in den hohen Flur. Sie kamen an die Haustür, die Nathan selber öffnete. Die hingestreckte Hand sah er nicht. »Guten Abend, Mr. Clulow«, sagte er.

»Guten Abend«, erwiderte der Pfarrer. Er sah seinem Besucher nach, der jetzt die Stufen hinabschritt. Dann schloß er die Tür und blickte verwirrt und verständnislos auf seine rechte Hand.

Nathan ging niedergeschlagen und erschöpft nach Hause. Ihm war, als habe er mit angesehen, wie ein Mann, den er einmal geliebt und bewundert hatte, zu Boden geschlagen wurde und um Gnade schrie. Das schmerzte bitter, und sein Gesicht war vor Müdigkeit noch faltiger und zerknitterter als sonst. Er hatte einen schrecklichen Tag hinter sich. Er hatte erfahren – was hatte er erfahren? Daß Angst einen Mann fällen konnte wie der Blitz einen Baum, daß Mitleid (denn so verstand er die Sache) eine tugendhafte Frau zur Unkeuschheit verleiten konnte; daß seine geordnete, achtbare kleine Welt jederzeit zusammenbrechen konnte.

Wäre er imstande gewesen, seine Schwester zu verfluchen und den Mann, der bis heute sein Idol gewesen war, zu hassen und zu verachten: es wäre alles leichter für ihn gewesen. Er hätte dann in moralischer Entrüstung schwelgen können. Doch das war nicht seine Natur. Er liebte auch da noch, wo die meisten Männer Abscheu und Verurteilung für ihre Pflicht gehalten hätten. In ihm war immer noch Mitleid, wo andere nichts als bittere Verachtung gefühlt hätten. Seine Art war es stets, wieder aufzubauen, niemals zu zerstören.

Er ging nach oben ins Schlafzimmer und hoffte inständig, daß Zilla schon schlief.

Natürlich schlief sie nicht, und er erzählte ihr alles. Sie sagte nichts, bis er – selber beschämt für seinen Mentor – ihr von Mr. Clulows angedeutetem Vorschlag berichtete: man könne Toms Geschichte als Kinderunsinn abtun; und auch da schnaubte sie nur ärgerlich.

Doch sie nahm sich offensichtlich Zeit, die Lage zu überdenken. Gerade als Nathan im Einschlafen war, sagte sie: »Sieh mal an, Mr. Clulow! Meint, wir sollten Tom den Mund verbieten.«

»Du kannst es ihm im Grunde nicht verübeln«, sagte Nathan. »Wenn es rauskommt, wird er sein Amt abgeben müssen.«

»Das sollte er sowieso«, sagte Zilla hitzig. Und als Nathan fast eingeschlafen war, begann sie noch einmal: »Ja, das sollte er.«

Nathan kämpfte mit dem Schlaf. »Mhm . . .?«

Als er endlich eingeschlafen war, sah er im Traum sich selbst und Zilla, wie sie in dem neuen schwarzgelben Kutschwagen über Land fuhren, fröhlich und sorglos, bis sie an eine Wegbiegung kamen. Da standen Edith und Mr. Clulow mit flehend ausgestreckten Händen. Und ob er jetzt die Peitsche schwang und weiterfuhr oder ob er anhielt und ihnen in den Wagen half, das sollte er nie erfahren, denn an dieser Stelle wachte er auf und blieb schlaflos, bis der Morgen kam.

8

Sonntagmorgen mit Sonnenschein, Vogelsang und der ganzen frohen Erregung des Vorfrühlings. Der Himmel über Ingerby war erfüllt vom freudigen lauthallenden Klingen und Läuten der Glocken. Die graudüstere Stadt machte sich daran, dem Herrn zu huldigen.

Auch auf dem Kasernenhof der Wellington-Kaserne machte man sich zum Gottesdienst bereit: hier jedoch nicht mit Glockengeläut, sondern mit Rufen, Schreien, Fluchen, Befehlen und mit dem Stampfen und eiligen Scharren schwerer Stiefel.

»Katholiken und Juden raustreten... aufschließen... Mützen ab... Rührt euch.« Jetzt war jeder an seinem Platz. Nur dem Herrgott hatte niemand befohlen, wo er zu stehen hatte.

Der Kaplan gab die Hymne bekannt. »Von Grönlands eisigen Bergen...« Die Kapelle stimmte die bekannte Melodie an. Bischof Heber hätte sich allerdings gewundert über die Worte, die da vielen der Soldaten über die Lippen kamen, obgleich sie sich für eine der weniger obszönen Varianten des berühmten Liedes entschlossen hatten. Andere Hymnen folgten, derb bis zotig variiert. Dann hörten sich alle ergeben die Predigt an, die sich mit verschiedenen soldatischen Tugenden befaßte, etwa mit dem Mut und der Bereitschaft, stets mannhaft das Böse zu bekämpfen. Hier wurde insbesondere ein Mann namens Krüger genannt, der vielleicht noch nicht heute, aber sehr bald der Antichrist sein würde. Schließlich kam dann die Hymne Nummer 540: »Nun kämpft den guten Kampf mit aller Kraft...«

Auch die gemeinen Soldaten verstanden es, aus der blumenreichen Predigt den Kern herauszuschälen. Also wieder mal Krieg, verdammt noch mal. Und in Südafrika. Sie stöhnten. Der einzige Trost war der Gedanke an die schwarzen Mädchen.

»O Lamm Gottes, daß du hinwegnimmst die Sünden dieser Welt, erbarme dich unser . . .«

Leicht wie die Gebete der Unschuldigen stiegen die hellen Knabenstimmen zum Himmel auf. Tante Täubchen kniete vor dem Altar und schlug das Kreuz, als der Zelebrant herankam, dann hob sie die Hände, um die Hostie zu empfangen. Mit gesenkten Augen sah sie die blanken Stiefel, die unter dem weißgoldenen Meßgewand hervorlugten. Jetzt nahm sie die Hostie, führte sie zum Mund und schluckte. »Du, der du die Sünden der Welt auf dich nimmst, erhöre unsere Gebete . . .«

Aber würde das Lamm Gottes auch *ihre* Sünde auf sich nehmen? Würde Gott *ihr* Gebet erhören? Nein – nicht ohne Reue. Und bereuen konnte sie niemals. Was sie getan hatte, das hatte sie getan, für Martin und für sich. Es ging niemanden sonst etwas an. Und wenn der barmherzige Gott sie dafür verdammte, dann war Er nicht der barmherzige Gott, für den sie Ihn hielt.

Sie trank von dem Wein; er war billig und süß. Sie hatte nicht das Recht, hier zu sein, dachte sie plötzlich in ungewohnter Angst. Ein reueloser Sünder trank nur zur eigenen Verdammnis. Es ging ja nicht mehr nur um sie und Martin; es ging auch um Nathan und Zilla und Tom. Was hatte Nathan gesagt? »Es könnte unser aller Leben zerstören.« Sie mußte fortgehen, weit fort von ihnen allen. Auch von Martin? Ja. Auch von Martin.

Ihr wurde plötzlich schwach. Sie erhob sich, beugte das Knie vor dem Altar und verließ die Kirche. Sie mußte nachdenken, lange und gründlich.

Tom Cranswick saß während des Morgengottesdienstes angespannt auf seinem Platz, die Augen unablässig auf Mr. Clulow gerichtet.

Der Gedanke, daß weithin bekannte Leute genau wie gewöhnliche Sterbliche zu Bett gehen, sich die Zähne putzen und die Schuhe zuschnüren, ist sogar für manchen Erwachsenen schwer zu fassen. Aber Tom konnte das sogar bestätigen und war mächtig stolz darauf. Ganz bestimmt hatte niemand sonst aus der Gemeinde Mr. Clulow jemals im Bett gesehen. Wäre Tom ein Angebertyp gewesen, so hätte er der Versuchung, es weiterzuerzählen, wohl nicht widerstanden. So aber behielt er sein Wissen für sich.

Mr. Clulow stand auf dem Podest hinter dem Lesepult im schwarzen Rock mit schmalem Kragen und goldener Uhrkette. Ernsthaft und freundlich arbeitete er sich durch seine Predigt.

In der Zwischenzeit hatte er sich gefaßt. Er wirkte gelassen und war es auch. Ja, er war besorgt gewesen, denn er hatte in einem Moment der Schwäche dem Laienprediger einen Blick auf seine – Clulows – tönernen Füße gestattet. Aber Cranswick war jetzt nicht hier, er war irgendwo anders und predigte. Und obgleich Mr. Clulow selber entsetzt war, als er entdeckt hatte, daß er auf tönernen Füßen stand, konnte er das jetzt von sich schieben und eine sehr gute Predigt halten.

Es dauerte ein paar Minuten, bis er feststellte, daß zwei Augen ihn unablässig anblickten. Das geschah sonst selten, und wenn es geschah, so nahm er es als großes Kompliment. Heute nicht. Denn die zwei Augen gehörten Tom Cranswick.

Tun konnte er gar nichts. Er versuchte, sich mit seinen Worten nach oben an die Empore zu wenden. Doch jedesmal, wenn er den Blick ins Kirchenschiff richtete, fand er die großen dunklen Augen fest auf sich gerichtet; sie gehörten dem einen Menschen, der imstande war, seinen Ruf und seine Karriere zu vernichten. Ein Kind! Ein schmales, zartes und sicher gutherziges Kind. Doch seine

Gutherzigkeit spielte hier überhaupt keine Rolle – an sie konnte er sich nicht wenden, denn der Junge wüßte gar nicht, wovon er redete. Und irgendwie beeinflussen würde es Tom auch nicht, denn um den Pfarrer zu vernichten, bedurfte es keiner Bösartigkeit. Der Wind, dachte Martin Clulow hilflos, der Wind bläst, wo er gerade will. Und das gilt auch für Tom Cranswick.

Dann stand er vor der Kirche und schüttelte viele Hände. »Wiedersehen, Mrs. Cranswick.« (Hatte sie ihn seltsam angesehen? Wieviel hatte ihr Mann ihr wohl erzählt?) »Wiedersehen, Tom. Sei brav.«

»Ja, Mr. Clulow.« Turmhoch stand der Geistliche über ihm. Tom blickte auf. So groß war Mr. Clulow; er roch nach Serge und Mottenkugeln und Pears Seife und Haarpomade – lauter Düfte, die in Toms geringer Erfahrung auf Wohlhabenheit und Privilegien hinwiesen. Kaum zu glauben, daß er diesen großen Gottesmann lang ausgestreckt hatte liegen sehen.

Mr. Clulow starrte zurück. Er hatte Tom immer gern gehabt, der Junge tat ihm leid, sicher hatte er keinen langen Weg vor sich in diesem Tal der Tränen. Heute fürchtete er ihn.

So wurde dem Herrgott an diesem Sonntagmorgen im Vorfrühling auf ganz verschiedene Arten gehuldigt. Viele der Andächtigen hatten dabei sicher in erster Linie ihre eigenen Sorgen im Kopf, doch daran hatte sich der Herrgott zweifellos im Laufe der Jahrhunderte gewöhnt.

Nathan Cranswick, der auch heute wieder in Moreland den Gottesdienst abhielt, hatte mehr Sorgen im Kopf als die meisten anderen. Nicht nur wegen seiner Schwester, sondern auch weil Mr. Heron ihn nach dem Lunch in sein Arbeitszimmer gebeten, ihm Kaffee eingeschenkt und dann gesagt hatte: »Ich möchte etwas mit Ihnen besprechen, Mr. Cranswick.«

Nathan blickte sich im Zimmer um und staunte. Nie im Leben hatte er so viele Bücher gesehen. Er hatte gar nicht gewußt, daß so viele Bücher überhaupt geschrieben worden waren. Wie wunderbar war es doch, Mr. Heron zu sein, der sie offenbar alle gelesen hatte, denn warum sollte er sie sonst hier stehen haben?

Noch etwas beunruhigte ihn. Kaffee? Leute in seinem sozialen Milieu tranken keinen Kaffee. Tee, ja. Kakao, ja. Aber keinen Kaffee. Kaffee, das war vornehm, *upper class*, und deshalb beinahe schon unmoralisch.

»Schwarz oder weiß?« fragte Mr. Heron. Aber da er ein gütiger und auch aufmerksamer Mann war, verbesserte er sich sofort und fragte: »Möchten Sie Milch?«

»Ja, bitte«, sagte Nathan.

Er trank einen Schluck. Es schmeckte streng und bitter. Er begriff nicht, warum Menschen so etwas tranken, wenn sie auch Kakao haben konnten. Aber er lehnte es deshalb nicht ab. Wenn man sich daran gewöhnt hatte, schmeckte es wohl. Sonst wären die Leute ja nicht so verrückt, es zu trinken. Er würde durchhalten.

Doch nun hatte Mr. Heron gesagt: »Ich möchte etwas mit Ihnen besprechen, Mr. Cranswick«, und das hatte sich sehr ernst angehört. Einen Augenblick erschrak Nathan. Ihm fiel das ein, was ihn jetzt immer am meisten beschäftigte: die schreckliche Tatsache, daß der bewunderte Mr. Clulow und seine geliebte Schwester vorsätzlich und bewußt das Gebot Gottes brachen.

Aber nein – davon konnte doch Mr. Heron unmöglich etwas wissen. Keiner wußte etwas, bis auf Tom. Er blickte sein Gegenüber aufmerksam an. »Ja, Mr. Heron?«

»Wie gefällt Ihnen das Cottage?«

»Oh – sehr, Mr. Heron. Es ist immer wie Ferien, wenn wir an den Wochenenden herkommen.« Er strahlte vor Freude und Dankbarkeit.

»Schön. Glauben Sie, Ihre Frau wäre bereit, ganz hier zu wohnen?«

»O ja, sicher. Aber es geht nicht, Mr. Heron«, sagte er traurig und fast vorwurfsvoll, weil man ihm eine Vision des Paradieses gezeigt hatte, das er und die Seinen niemals betreten konnten. »Ich kann nicht in Ingerby arbeiten und hier wohnen. Das schaffe ich nicht.«

»Noch Kaffee?« fragte Mr. Heron und ergriff die silberne Kaffeekanne.

»Ja bitte.« Nathan war entschlossen, durchzuhalten. Doch diesmal schmeckte es noch bitterer als vorher.

»Sie kennen doch Frank Harvey?« fragte Robert Heron. »Er sitzt immer ganz hinten in der Kapelle – schläft meistens schon ein, wenn Sie Ihren Text genannt haben.«

Nathan grinste. »Ja, kenne ich.«

»Er ist seit Jahren der Gutszimmermann bei uns. Sehr ordentlicher Mann, er wird mir fehlen. Aber er will aufhören.«

Nathan wartete. Er merkte, daß er leicht zitterte.

»Ich habe nur die Arbeit gesehen, die Sie am Cottage geleistet haben. Aber ich kenne *Sie*, und das genügt mir. Sie können seine Stellung haben, wenn Sie wollen. Über die Bedingungen werden wir uns schon einig.« Und er nannte einen Lohn, bei dem Nathan der Atem stockte.

Plötzlich standen Nathans Augen voller Tränen. Es war zu viel, zu unerwartet. Natürlich mußte er überlegen. Er hatte sich in Ingerby ein sehr gutes Geschäft aufgebaut. Er war sein eigener Chef. Und wie würde so ein Wechsel das Leben der Kinder beeinflussen.

Aber im Grunde hatte er die Entscheidung schon getroffen. Er wußte bereits, was er wollte. Abgesehen von allem anderen war er dann auch etwas weiter weg von dieser schrecklichen Sache mit Edith und Mr. Clulow. Lief er also davon? fragte er sich streng. Nein. Er würde dafür sorgen, daß Edith immer wußte, wo sie ihn finden konnte.

Nathan Cranswick und Robert Heron blickten einander fest an. Nathans Faltengesicht war tränenfeucht, doch das strahlend-melancholische Lächeln verriet Wärme und Sehnsucht. »Es hört sich an wie der Garten Eden, Mr. Heron«, sagte er schlicht.

Robert Heron lachte fröhlich. »Aber trotzdem müssen

Sie darüber nachdenken. Ich dürfte eigentlich niemanden dazu verleiten, der sich schon ein gutes Geschäft aufgebaut hat. Sie müssen auch mit Ihrer Frau sprechen und an die Kinder denken.« Er erhob sich. »Aber das alles brauche ich Ihnen ja gar nicht zu sagen. Sie werden schon tun, was recht ist.«

Deshalb hatte der Laienprediger an vieles andere zu denken, während er den Gottesdienst hielt. Sobald er vorüber war, entschuldigte er sich und ging zum Cottage hinauf. Er trat in den grün überwucherten Garten und ging dort auf und ab, tief in Gedanken.

Er dachte an den kleinen Nathan Cranswick, für den seine Schwester Edith viel mütterlicher gewesen war als die wortkarge Emily, seine Mutter. Edith erzählte ihm herrliche Geschichten von Rittern und Burgfräulein und Drachen; strahlend und schön sah sie aus in ihrer Schuluniform mit dem Hut, so fehl am Platz in den grauen Straßen wie ein Einhorn in einer Schafherde. Edith verstand ihn immer, liebte und umhegte ihn damals wie später, als sie jederzeit half und ermutigte und so stolz war auf seinen kleinen wachsenden Betrieb.

Im Garten war es ganz still. Eine Amsel ließ sich auf dem Schornstein nieder, blähte die Brust und hob den gelben Schnabel kühn in die Luft. Er blickte auf und lächelte. »Du meinst wohl, das ist hier dein Gebiet. Stimmt aber nicht – es ist meins. Meins.« Er trat an die Hauswand und spähte ins Wohnzimmer. Es war alles da und wartete auf ihn: Stühle, ein Tisch, ein paar Bücher, ein paar Bilder, Gardinen an den Fenstern. Ein Heim! Wenn sich Zilla nicht widersetzte. Aber darum machte er sich keine Gedanken. Frauen taten gewöhnlich, was ihre Männer für gut hielten. Warum auch nicht? Sie hatten keinen Männerverstand, sie wußten nichts von Geschäften und konnten sie nicht beurteilen. Und dann war ja Zilla auch nicht irgendeine Frau. Sie war Zilla, dachte er zärtlich: eine gute, loyale Frau, die ihr Glück darin fand, ihm sein Essen zu kochen, seine Kleider zu waschen und seine Kinder auszutragen – und alles andere ihm zu überlassen. Er konnte es auf einmal kaum erwarten, zu ihr zu gehen, ihr einen schallenden Kuß zu geben und sie dann der Freude zu überlassen, die für sie im Leben gewiß die größte war: mit ihm am Tisch zu sitzen und zu sehen, wie ihm das Essen schmeckte, das sie für ihn bereitet hatte.

Es kam nicht oft vor, daß Blanche zwischen zwei Freuden zu wählen hatte. Wenn sie daher vor so einer Entscheidung stand, fiel es ihr schwer, eine Wahl zu treffen.

Sie wollte so gern zur Abendmesse in die St.-Lukas-Kirche gehen. Aber Ostern war nicht mehr fern. Es war immerhin möglich, daß Guy Clulow schon Ferien hatte und in die Zionskirche kam.

Es war fast zwei Jahre her, daß sie ihn beim Gottesdienst gesehen hatte. Länger als ein Jahr hielt sie sein Bild nun in ihrem jungen Herzen, flüsterte seinen Namen dem eilenden Fluß und den funkelnden Sternen zu. Guy! Guy Clulow. Stolz, arrogant, unerreichbar, so erschien er ihr, und doch liebte sie ihn, für immer und ewig. Sie besaß kein Foto von ihm, keine Haarlocke, gar nichts. Und doch hielt sie sein Bild in ihrer Brust, wie ein Baum mit seinen Zweigen einen Nebelschleier festhält.

Und nun war er nicht da, den sie so liebte. Verzagt und unglücklich saß sie während des Gottesdienstes auf ihrem Platz. Blanche hatte nichts Rebellisches, und von Widerstand wußte sie nichts. Man fand sich mit dem Gottesdienst ab, wie er war, und man fand sich auch mit dem Leben ab, wie es war; daran war nichts zu ändern, das Leben war ein ruhiger Strom, auf dem man dahintrieb wie ein Blatt. Auf die Idee, daß man etwa Ruder gebrauchen und selber steuern konnte, war in ihrem Umkreis außer ihrem Vater noch niemals jemand gekommen.

Doch heute abend war sie mißmutig, und sobald der Gottesdienst zu Ende war, verließ sie eilig die Kirche. Sie hatte keine Lust, sich das übliche höfliche Gerede noch anzuhören. Deshalb blickte sie leicht verärgert auf, als ein junger Mann zu ihr trat, den Hut lüftete und sagte: »Guten Abend, Blanche. Glaubst du, daß mein Vater bald fertig ist?«

»Guy.« Die Freude in ihren Augen war nicht zu verkennen. »Warum bist du nicht in der Schule?«

»Wir haben früher aufgehört. Ostern ist ja spät in diesem Jahr.«

»Ich hab dich nicht gesehen in der Kirche.«

»Ich hatte noch zu büffeln. Aber jetzt mußte ich erst mal frische Luft schnappen. Ich dachte, ich könnte herkommen und meinen Vater abholen. Aber« – er setzte sein altes ironisches Lächeln auf – »wie Hamlet sagt: ›Hier ist ein stärkerer Magnet.‹«

Sie errötete. Was meinte er denn bloß? War das wieder seine gönnerhafte Art? Sie kam zu keinem Schluß, aber er versetzte sie in den siebenten Himmel, als er mit übertriebener Höflichkeit fragte: »Würden Sie erlauben, daß ich Sie in den Park begleite, Miß Cranswick?«

Das war der Himmel! Aber so einfach war die Sache nicht, denn Blanche wußte, in Guys Kreisen gingen junge Mädchen nicht ohne Anstandsbegleitung mit jungen Männern aus. Und sie war zwar hingerissen von Guy, durfte sich aber nichts vergeben. »Furchtbar gern«, sagte sie, »aber ich muß natürlich erst Ma – meine Mutter fragen.«

»Ja, natürlich.« Sie machten sich auf den Weg in die Stafford Street, und Guy wartete draußen, während Blanche schnell ins Haus lief und um Erlaubnis fragte. »Aber natürlich, Schatz«, sagte Zilla herzlich. Was sollte Blanche an einem Sonntagabend im Park in Begleitung eines Pfarrerssohns schon geschehen, dachte sie und mußte allerdings bei sich zugeben, man könne freilich nie wissen. Strahlend lief Blanche wieder hinaus.

Es waren die glücklichsten Minuten in Blanches jungem Leben, als sie jetzt durch das hohe eiserne Tor traten und die weiten Parkflächen in der Abendsonne liegen sahen. »Da ist eine Musikkapelle«, sagte sie glücklich.

Ja, da war eine Kapelle, wenn auch keine sehr gute, aber zu dieser Jahreszeit konnte man nicht die Coldstream Guards erwarten. Eine örtliche Kapelle bemühte sich, den silberschimmernden Instrumenten Melodien von Sullivan, Suppé und Balfe zu entlocken. Doch wenn junge Liebende an einem Frühlingsabend fernen Klängen lauschen, so ist die Luft erfüllt von unsagbarer und unvergeßlicher Süße.

Junge Liebende? Sie waren ja eigentlich nur alte Freunde mit der Erinnerung an gemeinsame Spiele und Neckereien. Bis zwei Dinge geschahen: Guy kam ins Internat und damit in ein ganz anderes Milieu. Und sie waren auf einmal keine Kinder mehr.

Noch vor einem oder zwei Jahren hätten sie auf den Wiesen Ball gespielt, wenn auch natürlich nicht am Sabbat. Jetzt schritten sie feierlich nebeneinander her, und Blanche schwatzte fröhlich drauflos, denn sie vergaß in ihrer Freude den sozialen Abstand der letzten Jahre. »Erzähl mir von der Schule«, sagte sie.

»Todlangweilig«, sagte er. »Öde. Das beste ist das O.T.C.«

»Das O.T.C.?«

»Officers' Training Corps. Da ist es prima. Ich denke, wir werden's auch brauchen können, so wie sich dieser Krüger aufführt.«

Blanche hatte keine Ahnung, wovon er sprach. »Wer ist Krüger?«

»Ein Bure. Und er hat die Frechheit, sich gegen das britische Empire zu stellen«, sagte Guy empört.

Im Gehen berührte seine Hand jetzt manchmal die ihre. Sie geriet etwas außer Atem und zwang sich, den Abstand zwischen ihm und sich ein wenig zu vergrößern, was sie gar nicht wollte. Um sich von diesem aufregenden physischen Kontakt abzulenken, sagte sie: »Ich verstehe gar nicht, was der mit deinem O.C.T. oder sonstwas zu tun hat.«

»O.T.C. Na ja, wenn wir diesen Mann mores lehren

müssen, dann brauchen wir eine Armee und ausgebildete Offiziere.« Es hörte sich sehr wichtig und erwachsen an, und Blanche war tief beeindruckt. Aber auch berunruhigt.

»Du meinst doch nicht – gegen ihn kämpfen?«

»Wenn das der einzige Weg ist, ihn zur Vernunft zu bringen, dann ja.«

»Meinst du – Krieg?« Das war zuviel für sie. Natürlich hatte England schon viele Kriege geführt und sie selbstverständlich auch alle gewonnen. Aber Kriege waren doch Geschichte, man hatte seit vielen Jahren keinen Krieg gehabt, und außerdem kämpften da Soldaten und nicht Leute wie Guy. Sie fragte noch einmal: »Meinst du Krieg, und daß du dann Offizier wärst?«

»Warum nicht? Ich habe dann jedenfalls etwas Ausbildung gehabt, damit könnte ich wahrscheinlich Offizier werden. Wäre doch fabelhaft.«

Sie hatte sich immer vor dem Tage gefürchtet, an dem er auf die Universität ging, nicht nur weil er dann wieder fort war, sondern weil das auch den sozialen Abstand zwischen ihnen vergrößern würde. Das alles war auf einmal gar nichts, verglichen mit dieser neuen Vorstellung. Ein Krieg war nicht eingeteilt in Semester und Ferien; er dauerte oft sehr lange, und die Männer mußten weit fort in den Kampf ziehen. Und plötzlich fiel ihr noch Schlimmeres ein: Sie konnten sogar umkommen im Krieg. Mit klopfendem Herzen fragte sie ruhig: »Und wo wäre das, dieser Krieg?«

»In Südafrika. Wär eine großartige Gelegenheit, die südliche Hemisphäre kennenzulernen.«

Südafrika. Das rote Ende ganz unten an dem Kontinent, wo Wilde hausten! Unwillkürlich schritt sie jetzt näher neben ihm, als suche sie Trost und Schutz vor einer drohenden Zukunft. Ihre Hände fanden sich und hielten sich fest. Atemlos gingen sie weiter und taten, als hätten sie nichts bemerkt. Bis sie in einer entfernten Ecke des Parks an einer Baumgruppe, die die untergehende Sonne noch wärmte, unter den fernen Klängen der ›Zigeunerin‹ stehenblieben und einander staunend in die Augen sahen. Und dann küßten sie sich, ungeschickt und sehnsüchtig und fast verzweifelt. »O Blanche«, sagte Guy, noch immer mit seinem spöttischen Lächeln, »du warst doch früher so ein komisches kleines Ding, und nun – ich glaube, ich habe mich tatsächlich in dich verliebt.«

»Ich liebe dich auch, Guy«, flüsterte sie. In diesem süßesten Augenblick war für sie eine neue wundervolle Welt geboren.

9

»Du meinst – nicht mehr hier wohnen, in der Stafford Street?« Das ging über Zillas Begriffsvermögen. Sie hatten doch *immer* hier gewohnt.

Nathan nickte, und Zilla überlegte. »Du meinst – auf dem Lande wohnen? Richtig dort leben?«

Wieder nickte er. Zilla überlegte weiter. Sie war noch nie auf den Gedanken gekommen, daß Menschen wirklich auf dem Lande lebten. Irgendwie wußte sie, daß Tiere – Kühe, Schafe, Schweine – auf dem Lande lebten; aber Menschen lebten in der Stadt. »Geht das denn?« fragte sie besorgt.

»Was meinst du, geht das denn?«

»Na ja, Lebensmittel und Einkaufen und so. Und dann – das Wetter. Und keine Nachbarn.«

Nein, nicht mal Nachbarn. Das war wohl der Punkt, der Zilla am meisten beunruhigte. Keine Wand zum Nachbarn, an die man klopfen konnte, wenn eins der Kinder sich in den Finger geschnitten hatte. Niemand, bei dem man schnell mal eine Tasse Mehl oder ein bißchen Essig ausborgen konnte. Genausogut könnte man ja auf freiem Feld leben.

»Wir können ohne Nachbarn auskommen«, sagte Nathan. »Ich kriege ja auch ein schönes Stück Geld für mein Geschäft. Ich weiß, es ist ein großer Schritt, mein Mädchen. Aber ich glaube, es wird uns nicht leid tun.«

»Na ja, ich weiß nicht recht«, sagte Zilla unsicher. Dann erhellte sich ihr Gesicht. »Aber wenn du findest, es geht, dann finde ich das auch, Lieber.« Sie hatte die Imponderabilien erwogen und festgestellt, daß sie weit über ihr Begriffsvermögen gingen. Also gab sie auf; das war ihre alte Methode, wenn sie versuchte, in der Küche Ordnung zu schaffen. Nathan umarmte sie. Dann ging er hinaus und setzte eine Verkaufsanzeige für sein Geschäft auf.

Nathan ging zu seinen Eltern, um ihnen zu berichten.

Wie immer, wenn er die alten Leute besuchte, war ihm beklommen zumute. Und da er unbewußt hoffte, die Gegenwart eines Kindes werde die Stimmung erleichtern, fragte er Tom: »Hast du Lust, mit zu Grandma und Grandpa zu kommen, Tom?«

»Och – eigentlich nicht«, sagte Tom.

»Ach, geh doch lieber mit, Junge, ja?« sagte Zilla. Sie ahnte nicht, daß diese sieben Worte sieben Menschenleben unwiderruflich verändern sollten. Zilla wußte nur, wie oft Bert und Emily darüber klagten, daß sie ihre Enkelkinder nie zu sehen kriegten.

»Na ja, gut«, sagte Tom folgsam, wenn auch ohne Begeisterung. Und so hockte er nun auf einem Küchenstuhl, ein Stück Kuchen in der Hand und eine Zeitung wegen der Krumen auf den Knien, während die Unterhaltung der Erwachsenen über ihn hinwegging und während Sonnenschein und Kinderlachen durch das geschlossene Fenster hereindrang.

Nathan hatte das Gespräch eröffnet und gesagt: »Ich wollte euch sagen, wir ziehen um.«

»Ihr zieht um?« Zwei Paar Augen bohrten sich in seinen Blick. »Wozu in aller Welt denn *das*?«

»In Moreland Hall haben sie mir eine Anstellung als Gutszimmermann angeboten. Und oben am Hügel das Cottage – ein sehr hübsches Cottage, da werden wir wohnen. Es ist – es ist ein sehr gutes Angebot, Dad«, schloß er etwas lahm.

Grabesstille folgte. Dann brach Bert das Schweigen. »Du bist nicht ganz richtig im Kopf, mein Sohn.« Schroffe und endgültige Verachtung klang aus den Worten.

Emilys Reaktion war nicht ganz so hart. Eine Träne

quetschte sich unter dem Brillenglas hervor. »Die Kinder sehen wir sowieso nie. Von denen können wir gleich für immer Abschied nehmen, wenn ihr meilenweit fortzieht.«

»Es sind ja nur ein paar Meilen, Ma. Und ich habe einen Kutschwagen gekauft, da kann ich euch manchmal holen, dann bleibt ihr den Tag bei uns. Wird euch beiden guttun.«

»*Was* hast du gekauft?« fragte der alte Mann.

»Ach nein, in meinem Alter kutschier ich nicht mehr über Land«, jammerte Emily. »Nein, mein Sohn. Wenn du deine alten Eltern verlassen willst, dann – aber du hättest auch warten können, bis wir beide unter der Erde sind. Wird ja nicht mehr lange dauern.«

»Und was ist mit deinem Geschäft?« wollte Bert wissen. »Ich dachte, es geht so gut?«

»Ja, das tut es. Ich werde auch sicher einen guten Preis dafür kriegen.«

»Wer unstet bleibt, bringt es zu nichts. Hast du wohl schon mal gehört, was?«

Nathan erwiderte ungewöhnlich hart: »Ja, habe ich. Und auf mich paßt das wohl kaum.«

»Wie du meinst. Aber wenn das mit der neuen Stellung in sechs Monaten aus ist – zu mir brauchst du nicht um Hilfe zu kommen.«

Es gab nicht viele Menschen, die Nathan in Zorn versetzen konnten, aber sein Vater gehörte dazu. »Habe ich dich jemals um einen Penny gebeten, Vater?«

»Noch nicht. Kann ja noch kommen.«

»Ich will dir was sagen: Anfangs, da gab es viele Tage, wo ich einen oder zwei Shilling gut hätte gebrauchen können. Aber ich hab mir nie Geld geliehen, von niemandem.«

»Nathan, so spricht man nicht mit seinem Vater«, sagte Emily mit funkelnden Brillengläsern. Die Tränen waren versiegt, jetzt kam ihr ein anderer Gedanke. »Zwei Kinder habe ich geboren – in Schmerzen geboren. Und was habe ich heute davon? Die eine ist hochnäsig und will mit ihren alten Eltern nichts mehr zu tun haben. Und jetzt geht der zweite auch hin und verläßt die Eltern im hohen Alter.«

Sich selber verteidigte Nathan selten. Aber Ungerechtigkeiten gegenüber anderen nahm er nicht hin. »Täubchen – Edith hat überhaupt nichts Hochnäsiges an sich«, sagte er laut.

Tom hatte seinen Kuchen aufgegessen und wußte nicht wohin mit dem Zeitungspapier voller Krumen. Die Aussicht auf einen zweiten Kuchen war gering – ihm blieb also nichts als Langeweile für den Rest der Zeit. Doch jetzt merkte er plötzlich, wie sich der kleine Raum mit Zorn füllte.

Zorn machte Tom immer Angst; es war, als ziele er sofort auf seinen Magen, wie ein Speer oder so was. Und der Zorn hier drinnen war schlimmer als sonst, denn einer der Zornigen war sein Vater. Wenn Pa böse war, dann wurde die ganze Welt ringsum erschreckend unsicher. Tom fing an zu weinen.

»Aber Jungchen«, sagte Grandma. Sie gab ihm, erstaunt über den eigenen Großmut, noch ein Stück Kuchen, etwas anderes fiel ihr nicht ein. »Vorsicht mit den Krumen«, sagte sie und wandte sich an Nathan. »Was hat er denn?«

Mit entschuldigendem Lächeln sagte Nathan: »Wahrscheinlich lag es an mir, weil ich böse wurde.«

»Aber doch nicht mit ihm«, sagte Bert. »Du bist wohl 'ne Heulsuse, was?« hielt er Tom vor.

»Nein, das ist er nicht«, sagte Nathan kurz.

»Na, er hat doch wohl noch 'ne Zunge im Mund?« Bert bückte sich und schob seine Nase nahe an Toms Gesicht. »Hat die Katze dir die Zunge abgebissen? Na, sag schon. Nun red doch mal – sag gefälligst was!« schnauzte er ihn an.

Toms Gedanken flatterten durcheinander wie aufgescheuchte Hühner. Sag doch was! Damit bringt man jedes Kind zum Schweigen. In seiner Angst griff er automatisch zu dem Thema, das wunderbarerweise sogar bewirkt hatte, daß Loll Hardcastle ihn losließ. »Tante Täubchen und Mr. Clulow haben zusammen im Bett gelegen«, sagte er.

Das Schweigen, das auf seine Worte folgte, ängstigte Tom genauso wie der Zorn vorher. Es war, als bohrten sich Eiszapfen in sein Zwerchfell. Das rote Gesicht des alten Mannes überzog sich mit fahler Blässe. »Was hast du gesagt, Junge?«

Tom, entsetzt von dieser Reaktion, war unfähig zu sprechen, er starrte nur angstvoll seinen Großvater an. Der Alte packte ihn am Kragen und schüttelte ihn heftig. »*Was* hast du gesagt?«

Müde sagte Nathan: »Laß ihn in Ruhe, Dad. Ich werd's dir später erklären.«

»Du wirst es mir jetzt auf der Stelle erklären, bei Gott.«

»Nein, das werde ich nicht. Und gebrauche nicht unnütz den Namen Gottes. Ich gehe jetzt mit Tom nach Hause und komme nachher wieder, und dann sag ich dir alles.«

Zum erstenmal hatte Bert erlebt, daß sein Sohn sich behauptete. Es nahm ihm den Wind aus den Segeln. Er sagte: »Ich will nur hoffen, der Junge kriegt eine Tracht Prügel, wenn er wirklich das gesagt hat, was ich verstanden habe.«

»Ich würde ihn ordentlich versohlen«, sagte Emily. »In seinem Alter – so was Schmutziges zu sagen!«

»Tom, geh mal nach vorn ins andere Zimmer«, sagte Nathan.

Tom schniefte. Noch immer heftig zitternd, machte er die Tür auf und schlurfte hinüber in den dunklen feuchtkalten Raum. Zorn war in der Luft ringsum, jeder war zornig mit jedem. Aber vor allem waren sie anscheinend zornig auf ihn, und er wußte absolut nicht warum. Er hatte das wiederholt, was er für eine Zauberformel gehalten hatte. Aber es war ihm schlecht bekommen.

Nathan sagte: »Ja, Dad, es ist wahr. Edith und der Pfarrer haben sich gegen Gottes Gebot versündigt.«

Sein Vater starrte ihn giftig an. »Und du hast davon gewußt. Du hättest auch jetzt noch kein Wort gesagt, wenn der Junge nicht damit herausgeplatzt wäre.«

»Ich habe es *nicht* gebilligt. Es hat mich sehr unglücklich gemacht, und ich habe mit beiden gesprochen.« Er seufzte. »Aber es war umsonst.«

»Ich sagte ja, du hast es gewußt. Du bist ebenso schlimm wie die beiden.«

»Ich habe sie nicht verdammt, wenn du das meinst. Wer bin ich, daß ich verdammen dürfte?«

»Du bist doch wohl Ediths Bruder, nicht wahr? Allmächtiger, wenn du ein Mann wärst, hättest du Clulow niedergeschlagen.«

»Und was hätte das geholfen?«

Der alte Mann sah ihn hilflos an.

»Also ich verstehe das nicht«, sagte jetzt Emily entrüstet. »Wir haben ihn christlich erzogen, und nun macht er so was. Setzt sich ein für jemand – für jemand, der so was tut.«

»Ich setze mich nicht für sie ein, Ma«, sagte Nathan geduldig. »Aber als Mrs. Clulow starb, war er verzweifelt, und es muß für ihn eine große Versuchung gewesen sein, bei ihrer nächsten Freundin Kraft und Trost zu suchen.«

Emily fiel plötzlich noch etwas anderes ein. »Na ja, es mußte ja so kommen. Natürlich dachten wir nicht, daß sie so weit gehen würde, wo wir doch . . . Aber irgendwas Fatales hatte sie ja, das haben wir immer gesagt, nicht, Bert?«

»Die High School, die ist schuld«, behauptete Bert. »Ich hab immer gesagt, das war ein Fehler. Bringt sie auf falsche Gedanken. Paßt nicht zu uns.«

»Verdreht ihr den Kopf«, stimmte Emily zu.

»Unsinn, Mutter!« rief Nathan, als Emily kaum ausgesprochen hatte. »Edith ist ein reifer Mensch, sie weiß genau, was sie tut. Sie riskiert auch Verdammnis, um einem Mann zu helfen, den sie liebt.«

Emily war erstaunt und entsetzt. »Wenn du es so nimmst . . .« Sie nahm ihre Brille ab, fuhr sich über die Augen und sah Nathan an. In ihrem Blick lagen Vorwurf und zornige Enttäuschung. »Ich kann nur sagen, das haben wir nicht verdient, Vater und ich. Eine Tochter, die – so was tut, und einen Sohn, der sie dabei unterstützt!«

»Ich habe euch gesagt, was geschehen ist. Für mich ist es ein großer Schmerz, und ich hatte gehofft, es euch nicht so plötzlich beibringen zu müssen, wenn ihr es schon erfahren müßt. Aber das Hinundhergerede hilft nun auch nicht mehr. Ich gehe jetzt nach Hause. Tom!« rief er ins Nebenzimmer.

Die Tür wurde geöffnet, und Tom kam heraus. Mit gesenktem Blick und gebeugten Schultern schlurfte er herbei wie ein kleiner alter Mann. »Komm, mein Junge«, sagte Nathan. »Wir gehen nach Hause. Bedank dich bei Grandma für den Kuchen.«

»Danke für den Kuchen, Grandma«, murmelte Tom. Er blickte nicht auf.

»Eine ordentliche Tracht Prügel braucht er«, sagte Grandpa mit galliger Stimme.

Nathan sagte sehr laut: »Die wird er nicht kriegen.« Dann fügte er leiser hinzu: »Weißt du denn gar nicht, was Unschuld ist, Vater?« Er legte zärtlich die Hand auf Toms Schulter. »Siehst du keine Abstufungen zwischen Pechschwarz und Weiß?« Er trat mit seinem Sohn aus der Haustür, den Arm noch um die Schulter des Jungen gelegt. Die Tür fiel ins Schloß, und langsam schritten Vater und Sohn die Straße hinauf.

Eine Weile verging, dann blickte Tom besorgt zu seinem Vater auf und fragte: »Was hab ich Falsches gemacht, Pa?«

»Nichts Falsches, Tom. Weißt du, Grandma und Grandpa werden alt, und manchmal verstehen sie einfach nicht alles.«

»War es wegen Tante Täubchen und Mr. Clulow?«

»Sie dachten, du meintest etwas, das du nicht gemeint hast.«

»Was denn, Pa?«

»Etwas, das du erst verstehen kannst, wenn du ein Mann bist.« Dann fragte er leichthin: »Hast du das von Tante Täubchen und Mr. Clulow sonst noch irgend jemandem erzählt?«

»Bloß Loll Hardcastle.«

Der Vater sagte nichts. Tom blickte ihn schüchtern an.

»Hätte ich das nicht tun sollen?«

»Ist schon in Ordnung, Junge«, sagte Nathan in munterem Ton. Loll Hardcastle, dachte er. Da hätte er's auch dem Ausrufer erzählen können. Armes Täubchen. Armer Mr. Clulow. Jetzt werden die Wölfe bald zu heulen anfangen, oder ich will Moses heißen.

10

Palmsonntag: der Winter war vorüber, dunkle Hecken standen in schwellendem Grün, Wattewölkchen fuhren eilig über den weiten blauen Himmel, Hunde jagten im frischen Wind. In St. Lukas war der Segen gesprochen und die Palmenzweige waren verteilt worden, mit denen die nun nicht mehr engelhaften Chorknaben nach dem Gottesdienst auf dem Friedhof miteinander fochten.

Auf der Landstraße nach Moreland fuhr ein schwarzgelber Kutschwagen, gezogen von einem kleinen braven Pferd. Im Wagen saßen Nathan und Zilla, glücklich wie schuleschwänzende Kinder, die im Bach baden wollen.

Sie schwänzten tatsächlich, nämlich den Morgengottesdienst und die Arbeit im Hause. Sie hatten Blanche die Sorge für Kinder und Haus übertragen und waren nun unterwegs, um im Cottage alles für Ostern vorzubereiten. Es war Frühling, der Sommer lag vor ihnen, und sie besaßen diesen prächtigen kleinen Wagen für den langen Weg. An Nathans Himmel gab es nur eine Wolke: die schlimme Sache mit Edith. Doch Zilla hatte das mit leichter Hand beiseite geschoben. Sie war so unbekümmert zufrieden wie ein Hund, der in der Sonne döst.

Palmsonntag – und über Nacht war der Frühling da. Nur in der methodistischen Zionskirche ging alles seinen gewohnten Gang, denn Sonne und Frühling drangen nicht in die Kirche. Auch nicht das Palmsonntagsglück in Wiesen und Wald, das nicht einmal erwähnt wurde. Der gute Mr. Clulow predigte aus dem Paulus-Evangelium.

Er las seinen Text und blickte sich um. Die Gemeinde war, wie sonst auch, fast vollzählig erschienen. Ediths junge Nichte und ihre kleinen Brüder, Tom und Jack. Es sah wirklich so aus, dachte er erleichtert, als habe der Junge den Mund gehalten. Ah ja, und da oben auf der Empore saßen Bert und Emily Cranswick. Eigentlich merkwürdig – die waren seit Jahren nicht dagewesen. Aber er freute sich. Mehr Freude im Himme, dachte er flüchtig, auch wenn Bert ihm immer ein Dorn im Fleisch gewesen war.

Liebe Zeit – seine Gedanken schweiften ab. Er wiederholte den Text, während er nach dem einführenden Satz suchte. Und plötzlich merkte er, daß Bert Cranswick sich erhoben hatte und nun dort stand, schwankend wie ein Rohr auf den langen unsicheren Beinen. Ob er krank war, der Arme? Nun, dann mußte sich ein anderer um ihn kümmern. Aufgabe des Predigers war es, die Menschen in der Andacht zu führen. Vermutlich war Bert irgendwie schlecht geworden, und er wollte hinaus, um frische Luft zu schöpfen.

Doch jetzt wurde Mr. Clulow etwas unruhig, denn er sah, daß Bert Cranswick mit zitterndem Finger auf ihn, den Prediger, zeigte und sich offenbar anschickte, zu reden. Das war nun doch ernster. Eine plötzliche Umnachtung vielleicht? So was konnte sich auf die Gemeinde sehr störend auswirken, besonders in einem Augenblick, da sie gerade bereit war, dem Wort Gottes zu lauschen, wie es der Prediger Martin Clulow auslegte. So was konnte die Aufmerksamkeit völlig ablenken.

Jetzt sprach Bert Cranswick. »Martin Clulow, ich klage Sie hiermit der Entehrung und Verführung meiner Tochter Edith Lilian Cranswick an.«

Die krächzend kehlige Stimme war ganz laut zu hören, nur war sie kaum zu verstehen. Viel deutlicher verstand man Emilys verzweifeltes Jammern: »Nicht jetzt, Bert. Setz dich doch hin«, während sie vergeblich an seinen Rockschößen zerrte.

Die Akustik in der Kirche war so beschaffen, daß die Gemeindemitglieder ihren Prediger, nicht aber einander verstehen sollten. Deshalb begriffen nur wenige Leute, was da gesagt worden war.

Mr. Clulow jedoch hatte zwei Worte aufgefangen, und sie bewirkten, daß sein Gesicht alle Farbe verlor und er sich an seinem Lesepult festhalten mußte. Es waren die Worte »Verführung« und »Edith«. Er schluckte. Dann sagte er beschwörend: »Wenn Sie mir etwas zu sagen haben, wollen Sie bitte nach dem Gottesdienst zu mir kommen?«

Bert Cranswick blieb unbeweglich stehen. »Martin Clulow, ich klage Sie hiermit der Entehrung und Verführung meiner Tochter Edith Lilian Cranswick an.«

Die Gemeinde fing an zu begreifen. Ein Raunen erhob sich, ein Gemurmel, wie wenn der Morgenwind durch den schlafenden Wald streicht.

»Bert, sei doch still, die Leute sehen ja her.« Das stimmte, denn jetzt war jedes Auge in der Empore auf Bert gerichtet. Und die Menschen im Hauptschiff der Kirche, die weder sahen, was da vor sich ging, noch hörten, was gesagt wurde, brannten vor Neugier. Die kleineren Kinder nahmen einfach an, es sei die Stimme Gottes, die da zu ihrem Prediger sprach.

Mr. Clulow sagte: »*Bitte*, nachher, Mr. Cranswick. Ich bitte Sie, setzen Sie sich. Paulus' Brief an die Korinther, Kapitel eins, Vers dreizehn. Obgleich ich . . .«

»Buhle!« rief Bert Cranswick laut und deutlich. Dann schob er sich aus der Bank heraus und verließ die Kirche. Hinter ihm lief seine Frau, unentwegt jammernd: »O Bert, das hättest du nicht tun sollen. O Bert, nein, ich weiß nicht – das wird Edith gewiß nicht recht sein, ganz sicher nicht.«

Hinter den beiden kam eine andere Gestalt aus der Kirche, eine jugendliche Gestalt, verwirrt und mit einer geradezu mörderischen Wut in den Zügen.

Hinter den dreien fiel die Tür ins Schloß. Drinnen schien niemand zu sprechen, und doch war die Kirche erfüllt von wirren Geräuschen wie ein Taubenschlag oder wie eine Scheune, in der unter dem Dach die jungen Schwalben lärmen.

Mr. Clulow stand da und wartete, blaß und zitternd. In den Augen seiner Gemeinde sah er genauso aus wie sonst, wenn die Meßdiener mit der Kollekte begannen: gelassen, andächtig, sinnend, wie sie ihn an so vielen Sonntagen erlebt hatten. Und er dachte an die vielen friedlichen Sonntage, die nun niemals wiederkommen konnten.

Allmählich legte sich die Unruhe. Martin Clulow senkte den Kopf und fuhr sich mit der Zunge über die trockenen Lippen. Dann hob er den Blick und sprach: »Paulus' Brief an die Korinther, Kapitel eins, Vers dreizehn: Obgleich ich spreche...« Seine Stimme klang schwer und traurig. Doch er hielt die Predigt, die er vorbereitet hatte, und es war eine gute Predigt.

Aber niemand hörte ihm zu.

Bert Cranswick ging mit großen Schritten die sonnige Straße hinunter. Ratlos, als suche sie Trost und Hilfe, trabte seine Frau neben ihm und blickte immer wieder zu ihm auf.

»Hallo! Sie da!« Beide blickten sich kurz um, blieben jedoch nicht stehen.

Aber mit Guy Clulows jungen langen Beinen konnten sie es nicht aufnehmen. Er hatte sie eingeholt, legte eine Hand auf Berts Schulter und drehte den alten Mann brüsk zu sich herum. Eine ganze Weile starrte er in das harte rote Gesicht, erstaunt und ohne zu begreifen. Dann packte er Bert bei den Rockaufschlägen. »Wie können Sie es wagen, meinen Vater so zu verleumden? Haben Sie den Verstand verloren?« Er fuhr herum zu Emily, die zitternd daneben stand. »Ist er verrückt geworden? Hat er den Verstand verloren?« Die Worte waren halb erstickt vor Wut.

Emily glich einem geknickten Schilfrohr. Ihr Leben war bisher angefüllt gewesen mit stumpfsinniger Langeweile; auf ein solches Drama war sie nicht gefaßt. »Schämen Sie sich«, sagte sie kraftlos. »Einen alten Mann so zu überfallen.« Aber ihre Brillengläser funkelten nicht wie sonst. Emily hatte große Angst, daß ihr streitbarer Mann diesmal zu weit gegangen war.

Doch jetzt war Bert wieder obenauf. Er packte Guys Handgelenke, riß sie von seinen Aufschlägen und schob sein grobes Gesicht ganz nahe an Guy heran. »Geh du nur hin und frag deinen Vater, mein Sohn«, sagte er kriegerisch. »Frag ihn mal nach Edith Cranswick. Dann kannst du kommen und dich bei mir entschuldigen. Dein Vater wird dir sagen, wo wir wohnen.«

Guy starrte in das rote grobgeschnittene Gesicht und hätte gern hineingeschlagen. Er hatte schon die geballte Faust erhoben und sah im Geiste schon das Blut vor sich.

»Wehe, wenn Sie meinen Mann schlagen!« schrie Emily. »Wir zeigen Sie an!«

Guy Clulow sah erst Emily und dann ihren Mann an. Es lohnte nicht, dachte er verachtungsvoll: ein törichter alter Mann, eine hysterische alte Frau. Er würde mit seinem Vater darüber reden, der vermutlich sagte, es sei wohl eine plötzliche Umnachtung gewesen, und es dabei dann beließ. Vielleicht würde er sogar darüber lachen und Mitleid haben mit einem alten Dummkopf. Die Gemeinde kannte schließlich seinen Vater zu gut, um auf solchen Unsinn zu hören.

Hätte er gewartet und zugeschaut, wie die Gemeinde nach der Predigt über christliche Nächstenliebe die Kirche verließ, wäre er vielleicht nicht ganz so sicher gewesen. Mr. Clulow stellte sich tapfer an die Tür, wie immer, und schüttelte jedem die Hand. Oder versuchte es doch. Doch seltsamerweise gab es einige, die die ausgestreckte Hand nicht sahen; einige, die sie ängstlich berührten, als fürchteten sie, ihr Prediger könnte von Lepra befallen sein; nur wenige, die ihm ins Gesicht sahen, und ganz wenige, die seine Hand in beide Hände nahmen, ihm voll Trauer und Mitgefühl in die Augen blickten und sich so dramatisch abwandten wie ein Schauspieler vom offenen Grab. Sobald sie dann auf der sonntäglich leeren Straße waren, gingen sie eilig nach Haus, seltsam beschämt, als hätten sie einen Menschen nackt gesehen.

Die Zeit zum Reden, zum Austausch von Eindrücken und zum genießerischen Auspressen dieser köstlichen Klatschfrucht: die Zeit würde kommen, und zwar bald. Aber noch war sie nicht da.

Blanche, Tom und Jack hatten unten in der Kirche gesessen und sehr wenig von dem begriffen, was da oben vor sich gegangen war. Blanche wußte nur eins, und das war schlimm: Nach einer Störung oben auf der Empore hatte Guy Clulow eilig die Kirche verlassen und war nicht zurückgekommen. Da war er nun zu den Osterferien heimgekommen, und sie konnte ihn nicht einmal sprechen, würde das geliebte Gesicht nicht einmal sehen können. Außer wenn er zurückkam und vor der Kirche auf sie wartete.

Aber er war nicht da. Mißgelaunt nahm Blanche daher Jack an die Hand und machte sich auf den Heimweg.

Guy war inzwischen im Pfarrhaus angelangt und legte sich zurecht, was er zu seinem Vater sagen wollte. – »Also, du brauchst dir keine Gedanken zu machen, Vater. Der alte Mann hat offenbar den Verstand verloren. Für dich muß es ein furchtbarer Schock gewesen sein. Aber die Leute kennen dich hier ja viel zu gut, die geben gar nichts auf sein Geschwätz. Ist doch wirklich lachhaft, meinst du nicht?« – Hier kam dann ein kurzes Auflachen, so echt wie möglich. »Du und Blanche Cranswicks Tante, ausgerechnet! Du – ein Geistlicher.« Dann mit wachsender Empörung: »Ist doch wirklich unglaublich. Was meinst du – vielleicht sollten wir ihn doch verklagen, Vater.«

Ja, so ungefähr wollte er reden. Er blickte auf die Uhr. Der Gottesdienst mußte jetzt zu Ende sein. Er wollte hingehen und seinen Vater abholen, vielleicht war der froh, nicht allein zu sein. Oder er kam noch rechtzeitig, um Blanche zu sehen.

Er ging zur Kirche. Der Platz davor war leer und verlassen. Es war doch nicht möglich, daß die Predigt so lange dauerte? Er steckte den Kopf durch die Tür. Alles leer. Wo waren denn die Leute alle? Gewöhnlich standen sie doch noch lange nach der Predigt draußen und schwatzten, besonders an einem sonnigen Morgen, und heute hatten sie ja noch was Besonderes zum Reden? Aber vor allem, wo war sein Vater? Er ging doch immer den gleichen Weg zurück, da hätten sie sich treffen müssen. Guy war leicht beunruhigt, als er jetzt ins Pfarrhaus zurückkehrte. Ins leere Pfarrhaus.

Die alte gußeiserne Bank hatte einst einen weißen Anstrich gehabt. Doch Alter und Rost hatten ihr so zugesetzt, daß die Farbe abblätterte und jedem an Händen und Kleidern haftete, der den Mut hatte, sich darauf zu setzen.

Für Nathan konnte keine Bank im Schloßpark von Versailles es mit dieser alten Bank im Garten seiner Arche Noah aufnehmen. Sie stand nach Süden, im Rücken ein Brombeergewirr, und saugte die Sonne in sich auf. Nathan kannte bisher nur die trübe Sonne in Ingerby, er hatte etwas so Wohltuendes niemals erlebt. Er hob das Gesicht zur Sonne, schloß die Augen und ließ die segensreiche Wärme durch Augenlider und Wangen und Lippen in sich eindringen.

Zilla hatte einen breitrandigen Strohhut auf. Erschreckt rief sie plötzlich: »Nathan – du wirst einen Sonnenstich kriegen, wenn du da sitzt ohne Hut!«

Nathan hatte auch schon daran gedacht. Jeder Arzt würde ihm erzählen, wenn er sich ohne Hut draußen aufhielte, riskierte er – je nach Jahreszeit – Lungenentzündung, Menengitis, Mittelohrentzündung und Sonnenstich. Aber er dachte: Die Ärzte können mir gestohlen bleiben. Er war zu glücklich, zu sehr rundum zufrieden. Und er wollte Moses heißen, wenn diese herrliche Wärme ihm schaden sollte! Auf diesem idyllischen Fleckchen Erde setzte er keinen Hut auf. »Es ist ja erst April«, sagte er beruhigend.

»Ja, aber trotzdem –« sagte Zilla und verfiel dann in Schweigen. Sie war immer für den Weg des geringsten Widerstandes, darin nahm es so leicht keiner mit ihr auf.

»Irgendwann werde ich diese Bank mal neu anstreichen«, sagte Nathan.

»Ja«, sagte Zilla und dachte: Und das wird er auch tun. Das war eben das Wunderbare an Nathan: Er sagte nicht nur, er werde es tun, sondern er tat es auch wirklich. Fast unbegreiflich, aber richtig schön.

Ihre Mahlzeit bestand aus einem Laib Brot, einem halben Pfund Butter, einem großen Stück Käse und der unerläßlichen großen Kanne mit starkem Tee. Vor ihnen lag der Garten, der zu den silbernen Flußwindungen abfiel, das sonnendurchflutete Tal und in blauer Ferne die Berge. Als Tafelmusik sangen Amseln und Drosseln, Bienen summten, und darüber lag – für die beiden Städter sehr willkommen – Schweigen und Mittagsstille, die sie unendlich warm und wohltuend umfingen.

»Man kann sich gar nicht vorstellen, wie es ist, hier zu leben«, sagte Nathan mit unsicherer Stimme. In seinen Augen standen Tränen. »Es ist, als wären wir zwei im Garten Eden.«

»Aber Nathan, wie kannst du das sagen«, protestierte Zilla. Sie wurde rot bei der Vorstellung, daß ihr Mann etwa in Gedanken eine Verbindung zwischen ihr und der nackten Eva hergestellt hatte.

Nathan sah, was in ihr vorging; er lächelte und nahm ihre Hand. »Nein, nein, mein Mädchen, ich meinte nicht dich und mich mit nichts an.«

»Das will ich hoffen«, sagte Zilla und tat gekränkt, aber dann lächelte sie ebenfalls.

»Ich meine nur – so muß es gewesen sein – bevor die Schlange damals . . . ja, das meinte ich. Sonne und Blumen und Grünes.« Er griente. »Daß du mir ja nicht mit irgendwelchen Schlangen redest, mein Mädchen.«

Aber solche Scherze waren zu hoch für Zilla. Sie verstand sie nicht; sie wurde unsicher und wechselte das Thema. »Hoffentlich geht mit Blanche und den Kleinen alles in Ordnung.«

»Aber ja, natürlich. Mach dir keine Gedanken.«

»Wie spät ist es, Nathan?«

Er zog seine schwere Uhr aus der Westentasche. »Fünfundzwanzig Minuten nach zwölf.«

»Dann sind sie jetzt schon aus der Kirche. Hoffentlich hat Jack durchgehalten – er kann doch immer nicht stillsitzen.«

»Wird schon alles in Ordnung sein.« Nathan wollte jetzt nicht an die Kirche oder an seine Schwester und die Kinder und überhaupt an die Stadt denken. Er wollte nicht zugeben, daß es noch eine Welt gab außerhalb dieses Gartens. Für ein paar glückliche Stunden wollte er ein neuer Adam sein, in seinem Garten unter den Pflanzen und den Blumen des Feldes, und vielleicht konnte er auch noch mit seinem Gott sprechen in der Kühle des Abends. Dies hier war *sein*. Der Herr hatte es ihm geschenkt. Und die paar kurzen Stunden hier wollte er dazu benutzen, sein zukünftiges Leben zu überdenken, die reifen Jahre und die des Alters, im Schutz dieser hohen Hecken, im Glück und Frieden mit der lieben Gefährtin, die der Herr für ihn geschaffen hatte.

Guy Clulow wartete, doch sein Vater kam nicht.

Wie immer am Sonntag hatte die alte Haushälterin, Mrs. Wilson, eine kalte Mahlzeit zubereitet und war dann für den Rest des Tages zu ihrer Schwester gegangen – eine etwas monotone und immer gleichbleibende Abmachung, aber der ruhende Pol in Mrs. Wilsons Wochenablauf.

Guy wartete. Natürlich gab es am Sonntag keinerlei Zeitungen im Pfarrhaus, und Guy war in dem Glauben erzogen worden, daß Romanlesen am Sabbat geradewegs zur Hölle führte. Er war auch nicht in der Stimmung zum Lesen. Sein Zorn hatte sich noch nicht gelegt; er sorgte sich, weil sein Vater nicht kam, und was ihn tief bekümmerte, war ein Gedanke, der ihm erst später gekommen war. Die Frau, deren Name schändlicherweise zusammen mit dem seines Vaters genannt worden war, war die Tante seiner ersten Liebe, Blanche.

Guy war in der klösterlichen Atmosphäre eines englischen Internats erzogen worden und hatte vor einem Jahr seine Mutter verloren; für ihn besaß alles Weibliche eine zauberhafte und überwältigend starke Anziehung. Er hätte sich das niemals selber eingestanden, das ging gegen seine Natur. Als Mann war er selbstverständlich jeder Frau überlegen und mußte sogar Blanche mit leicht spöttischer Herablassung behandeln. (Als Internatsschüler und Sohn eines Geistlichen war es seine Pflicht und sein Vorrecht, auch den Rest der Menschheit so zu behandeln.) Doch im innersten Herzen war Blanche für ihn so weit entfernt von jedem menschlichen Wesen wie ein Engel oder eine Märchenfee. Alles an ihr war einmalig: ihre Stimme und ihr Haar, ihre Augen und Hände und ihr Lächeln. Ihre Kleider, ihr Taschentuch, selbst ihre Knöpfstiefelchen hatten etwas Geheimnisvolles an sich und hatten nicht mehr gemein mit anderen Kleidern als Kirchengewänder mit Alltagskleidung. Was darunter verborgen war ... doch hier verbot sich Guy jeden weiteren Gedanken. Er war ein Engländer und Gentleman und wußte, was sich gehörte.

Der Gedanke daran, daß seine Liebste die üblen Worte ihres Großvaters gehört hatte, beunruhigte ihn nicht weiter. Blanche hatte sicher nicht verstanden, was der alte Mann gemeint hatte. Worte wie Entehrung und Verführung konnten für Mädchen wie sie keinerlei Bedeutung haben. Im Grunde war er stolz darauf, daß er selber mit so weltlichen Dingen genügend vertraut war, um sie zu verstehen.

Die große Westminsteruhr in der Diele setzte zum stündlichen Schlag an und tönte »Eins«. Gleichzeitig hörte Guy, wie die Haustür geöffnet und gegen die lose Kachel geschoben wurde, die seit Jahren verhinderte, daß die Tür ganz geöffnet werden konnte. Er lief in die Diele und sah, wie sich sein Vater durch den Türspalt schob.

Es lag ihm nicht, jetzt auszurufen: Was war los, Vater? Wo bist du gewesen? Er sagte ganz ruhig: »Tag, Vater.«

»Tag, Guy«, sagte der Geistliche. Es klang fast atemlos.

»Komm rein und setz dich, Vater«, sagte Guy. »Soll ich dir eine Tasse Tee machen? Das Wasser kocht gerade.«

»Nein. Nein, vielen Dank.« Martin Clulow ging mit unsicheren Schritten ins Wohnzimmer. Als er dann einen Sessel erreicht hatte, setzte er sich nicht hin, sondern stützte sich mit beiden Händen auf die Lehne und starrte seinen Sohn schweigend an.

»Ich – ich wußte gar nicht, wo du warst, Vater«, sagte Guy.

»Nein, natürlich nicht, mein Junge. Tut mir leid.« Er lächelte schief. »Du hast wohl gedacht, ich läge im Fluß.«

»Nein, natürlich nicht«, gab Guy fest zur Antwort. Tatsächlich hatte er daran überhaupt nicht gedacht. Wenn einer unschuldig war, dann ging er nicht ins Wasser, auch wenn man ihn noch so bösartig verleumdet hatte.

Sein Vater ging um den Sessel herum und ließ sich dann auf den Sitz fallen wie ein Mann, der einen stundenlangen Fußmarsch hinter sich hat. Seit er ins Zimmer gekommen war, hatte er die Augen nicht vom Gesicht seines Sohnes gewandt. Der durchdringende Blick, so dachte Guy, war der eines Gestörten. Jetzt sagte Martin Clulow:

»Ich war bei Edith.«

»Edith?« Eine Edith fiel Guy nicht ein.

»Miß Cranswick. Es war notwendig, daß sie alles erfuhr, das ist klar.«

»Ja, natürlich«, sagte Guy zweifelnd. Aber war es nach dem ganzen Vorfall nicht unklug von seinem Vater, selber hinzugehen? Wer weiß, ob er sich da nicht allzusehr auf seine Schuldlosigkeit verließ ...

Guy zog einen Stuhl heran und setzte sich seinem Vater gegenüber. »Und was hat sie gesagt?«

»Sie war ganz kühl, wie es zu erwarten war. Aber sie

spricht davon, fortzugehen, weit fort.« Er sah plötzlich niedergeschmettert aus.

»Fortzugehen? Aber das ist doch lächerlich«, sagte Guy empört. »Du kennst doch die Leute – die würden alle denken, daß sie es wirklich getan hat.«

Lange Pause. Unablässig nahm die Uhr mit jedem Tikken ein Stück Leben weg, und langsam sank die Sonne am westlichen Himmel. »Sie *hat* es getan«, sagte Martin Clulow.

»Sie hat –?« Guy konnte es nicht glauben. »Aber – mit wem denn?«

»Mit mir«, sagte sein Vater. Und plötzlich brach er in ein schreckliches irres Lachen aus.

Es war zum Glück sofort vorüber, doch Guy zitterte am ganzen Körper und hatte seine Stimme kaum noch in der Gewalt, als er sagte: »Ich hole jetzt Dr. Williams.«

»Dr. Williams kann mir nicht helfen. Ich bin schon wieder in Ordnung, mein Junge. Sieh nur, ich bin bei vollem Verstand. Tut mir leid.«

Guy war aufgesprungen; jetzt setzte er sich wieder und sagte: »Vater, willst du mir etwa erzählen, daß das, was der alte Mann in der Kirche sagte, die Wahrheit ist?«

»Im Kern, ja. Die Worte Entehrung und Verführung – da würde Edith wohl nicht zustimmen. Und ich kann zu meiner Verteidigung nur sagen, daß ich ohne ihren Beistand und Trost vielleicht den Verstand verloren hätte. Aber – nun ja. Im Kern, ja.«

»Aber nicht, als Mutter noch lebte? *Bitte*, Vater, das nicht.«

»Nein, das nicht. Darauf gebe ich dir mein Wort.«

Schweigen. Endlich sagte Martin müde: »Tut mir leid, daß ich mich so gehenließ. Ich wollte mich einwandfrei aufführen, um es wieder gutzumachen, daß ich mich so schlecht benahm, als mir das alles zum erstenmal vorgehalten wurde.«

»Zum erstenmal? Dann wissen es also – noch andere?«

»Ein Mann jedenfalls.«

»Wer?«

»Nathan Cranswick.«

»Doch – doch nicht etwa Blanche Cranswicks Vater?«

»Ja.«

»Und du – du bleibst wirklich dabei, daß du und Miß Cranswick –« ihm fehlten die Worte für eine solche Tat; die Bibel kam ihm zur Hilfe –, »daß ihr beieinander gelegen habt?«

Sein Vater war mit ausgestreckten Armen im Sessel zusammengesunken, die Hände hielten die gepolsterten Armlehnen gepackt. »Ja«, sagte er tonlos.

Guy starrte ihn lange an. »Ich glaube es nicht«, sagte er dann entschieden. »Ich – das ist nicht möglich.«

Sein Vater blickte ihn flehend und wortlos an. Guy war nicht mehr imstande, einen klaren Gedanken zu fassen. »Aber – sie ist doch Blanches Tante«, sagte er hilflos.

»Ja.« Mit stumpfem Interesse sah Martin Clulow seinen Sohn an. »Liebt ihr euch, du und Blanche?«

Guy nickte, und tiefe Röte stieg ihm ins Gesicht. Sein Vater ließ das Kinn tiefer auf die Brust sinken und bewegte hilflos den Kopf hin und her. »Das tut mir leid, Guy«, murmelte er.

Guy hielt es nicht länger in diesem engen düsteren Raum. »Vater, entschuldigst du mich – ich möchte hinaus, etwas frische Luft . . .«

»Ja, natürlich, mein Junge.«

Guy blickte ihn besorgt an. »Bist du wirklich in Ordnung?«

»Ja«, flüsterte er. Mit einem letzten beklommenen Blick verließ Guy eilig das Zimmer und schloß die Haustür hinter sich. Draußen begann er zu laufen, als seien böse Geister hinter ihm her. Natürlich blieb er nicht ungesehen. Der Sohn des Pfarrers, da rannte er herum, am Sabbat! Gardinen wurden beiseite gezogen und sorgsam wieder geordnet. Man starrte und starrte, und dann begann man zu reden. Langsam faßte sich die Gemeinde und fing an, zwei und zwei zusammenzuzählen.

Seit Guys erstem Kuß hatte Blanche in einer warmen hellen Welt aus Glück und Hoffnung gelebt. Und nun war in einem kurzen Augenblick daraus eine Welt aus Angst und Sorge geworden. Irgend etwas war heute morgen in der Kirche mit Guy passiert. Ob es etwas zu tun hatte mit dem vielen Gerede vom Krieg? War vielleicht der Krieg schon erklärt und Guy, ein Offizier, war mitten in der Predigt seines Vaters zu den Fahnen gerufen worden? Da sie von diesen Dingen nichts verstand, hielt sie alles für möglich. Dann saß er vielleicht schon in einem Zug nach Southampton, und sie konnte ihm nicht mehr Lebewohl sagen. Vielleicht sah sie ihn erst wieder, wenn der Krieg zu Ende war. Vielleicht sah sie ihn niemals wieder!

Ihr einziger Trost war die Tatsache, daß sie sich für den Nachmittag im Park verabredet hatten. Wenn er also noch hier war, dann hatte er eine ganz einfache Erklärung, die alle ihre Ängste zerstreute.

Die kleinen Brüder mußten sich beeilen beim Essen; dann zog sie Tom schnell seinen Mantel an, setzte ihm seine Mütze auf den Kopf, hob Jack in seinen Wagen, zog Hut und Handschuhe an und machte sich auf den Weg in den Park.

Es war allgemein bekannt: Wenn man jemanden aus der Gegend um die Stafford Street sehen wollte, dann traf man ihn voraussichtlich an einem schönen Sonntagnachmittag im Park. Dem Wunsch, die grauen Straßen hinter sich zu lassen, die Lungen mit frischer Luft zu füllen und dabei so zu tun, als sei man *jemand*, wurde dadurch Rechnung getragen, daß man seine besten Sachen anzog und gemessen unter den müden Bäumen die Asphaltwege entlangschlenderte.

»Lieber Gott, mach, daß er da ist«, betete Blanche, denn eine andere Möglichkeit, ihn zu finden, gab es nicht. Etwa ins Pfarrhaus gehen, das war unvorstellbar. Sie würde also überall im Park nach ihm suchen. Fand sie ihn, so war sie im siebten Himmel. Fand sie ihn nicht, so mußte sie sich abfinden mit dem schrecklichen Gedanken, daß er schon unterwegs war nach Südafrika oder wo sonst der Krieg stattfinden sollte.

Zweimal schob sie den schlafenden Jack den Hauptweg hinauf und herunter. Dann versuchte sie es mit den kleineren gewundenen Wegen. Guy war nirgends zu sehen. Schließlich ging sie nach hinten zu den Büschen, wo die Gärtner die Abfälle verbrannten und das Herbstlaub zusammenharkten. Und dort fand sie ihn, auf einer zerbrochenen Bank, der ein staubiger Lorbeer das Sonnenlicht verwehrte. Da saß er und starrte auf den Asphalt nieder.

»Guy!« rief sie, und noch einmal: »Guy!« mit glücklich erleichterter Stimme.

Er blickte nicht auf. Sie setzte sich neben ihn und versuchte, ihm ins Gesicht zu sehen. »Lieber Guy.« Die ungewohnten Worte klangen ungeschickt, aber liebevoll.

»Laß mich allein«, sagte er tonlos und ohne Freude und fügte etwas hinzu, das wie »unrein« klang.

Sie war erstarrt – und ganz verloren. »Guy, was ist denn nur?«

Sein Gesicht war grau und hager geworden. Um den Mund spielte ein schmales bitteres Lächeln, die Karikatur seines sonst so fröhlich-spöttischen Lächelns. »Weißt du das denn nicht?« fragte er mit heiserer Stimme. »Weißt du es wirklich nicht?«

»Nein. Wirklich nicht, Guy.«

Mit einem Satz sprang er auf und lief davon. »Dann frag nur deine kostbare Tante!« rief er über die Schulter zurück. Jack Jubilee, jäh aus dem Schlaf gerissen, fing an zu heulen und warf empört seine wollenen Fäustlinge aus dem Kinderwagen. Auch Tom begann jetzt zu wimmern und bockig mit den Füßen zu schlurren. Als Blanche mit den beiden Kindern das Parktor erreichte, war von Guy nichts mehr zu sehen.

Die braven Mitglieder der methodistischen Zionsgemeinde kannten in ihrem Leben wenig anderes als Grau: graue Kleidung, graue Straßen, graue Wolken mit wenig

Sonnenschein. Die Armut hatte sie auf Lebenszeit in ein Verlies gesperrt.

Aber nicht nur die Armut. Ihr Puritanismus hatte ihr Leben noch weiter verengt. Das Höllenfeuer und der heilige Paulus sorgten gemeinsam dafür, daß sie in diesem Gefängnis blieben. Und waren sie darin auch nicht glücklich, so fühlten sie sich in ihm doch zu Hause. Sie liebten ihren Kerker wie ein freigelassener Vogel den Käfig liebt, in den er zurückkehrt. Über ihrem Leben standen die Zehn Gebote; Lachen und Heiterkeit gemahnten an sündige Freuden und waren suspekt. Grau und eng war ihr Horizont. Und schon die Andeutung, daß ihr Pfarrer, ihr geistlicher Führer, einen Schritt getan hatte, von dem keiner von ihnen jemals zu träumen wagte, erfüllte sie mit staunendem Entsetzen und mit hartem und selbstgerechtem Zorn.

Ein paar der besonders Frommen suchten Bert Cranswick auf, der ohne Zögern das Schlimmste bestätigte.

Aus der Sonntagsschule kannten sie alle das Bild der unkeuschen Frau; um sie herum stand ein Kreis von weißgekleideten Israeliten mit Steinen in der Hand, zum Werfen bereit. Natürlich waren die Bürger von Ingerby keine Israeliten, sie würden auch nicht mit Steinen auf eine am Boden liegende Frau werfen.

Aber verdient hätte sie es, darin waren sich fast alle einig.

Als Martin Clulow ihr die böse Nachricht gebracht hatte und wieder gegangen war, hätte sich Edith Cranswick am liebsten vor der ganzen Welt in ihrer Wohnung verkrochen.

Aber sie mußte zum Abendgottesdienst gehen, und sie wollte auch gehen. Sie besaß Mut und Charakter, und sie ging.

Inständig und verzweifelt betete sie, nicht für sich, sondern für Martin. Sie bat Gott, ihm beizustehen und ihn zu stärken.

Die Sonne stand jetzt hinter dem großen Westfenster der Kirche und schmückte den Marmorboden mit bunten Farblichtern, ließ das Altartuch und die Paramente erschimmern und umfing mit ihrem Schein die Ritter und ihre Damen auf ihren Sarkophagen – Abgeschiedene, die hier seit vielen Jahrhunderten in Frieden ruhten und vielleicht doch in ihrem Leben die Süße der verbotenen Frucht und die Bitternis der Verleumdung gekannt hatten.

Edith glaubte nicht an einen Gott der Rache und Vergeltung.

Es dämmerte, als sie aus der Kirche kam. Der Laternenanzünder war mit seiner langen Stange unterwegs. Jede Lampe warf einen gelben Lichtkreis. Heute am Sonntag hielten sich viele Familien in den Vorderzimmern auf. Das Licht der Laternen und das aus den Fenstern ließen die Straßen fast fröhlich aussehen.

Edith ging nach Hause. Die hohen Absätze klapperten auf dem Pflaster.

Als sie in ihre Straße einbog, erschrak sie, denn da standen Menschengruppen im Halbdunkel: graue Männergestalten, Frauen mit Schürzen, und alle starrten zu ihrer Wohnung hinauf. Als sie das Klappern der Absätze hörten, wandten sich einige – fast alles Männer – um.

Edith wurde von Angst gepackt. Auch sie dachte an das Bild in der Sonntagsschule. Doch dann sagte sie sich: Das hier sind doch humane zivilisierte Männer aus dem größten Empire, das die Welt je gekannt hat. Keine Barbaren. Nur bei den Frauen war sie nicht ganz so sicher. Frauen blieben primitiv, die hatten sich unter der Oberfläche nicht viel geändert.

Sie hatte Angst, aber zugeben wollte sie es nicht, auch nicht sich selber. Sie trat an die nächststehende Gruppe heran und fragte mit fester Stimme: »Worauf warten Sie?«

Sie verhielten sich schweigend, aber es kam Unruhe auf. Sie wußten nicht, worauf sie warteten. Eine kalte instinktive Neugier hatte jeden von ihnen hierhergeführt an den Schauplatz der Sünde. Jeder war überrascht, hier noch andere zu finden, beruhigt jedoch auch, in seiner obszönen Neugier nicht allein zu sein.

Und dann, wie in einer seltsamen Osmose der Gefühle, wandelte sich die Neugier in eine kollektive Wut auf diese eine Frau.

»He – Sie – sind Sie das Liebchen von unserem Herrn Pfarrer?« fragte ein Halbwüchsiger hämisch grinsend und stieß Edith in die Seite.

Edith trat einen Schritt zurück und schwieg.

Jetzt trat eine andere Gestalt vor: ein untersetzter bärtiger Mann. Sie sah einen Zylinder glänzen, der nicht abgenommen wurde.

»Sind Sie Miß Cranswick?« Es klang nicht wie eine Frage, sondern wie eine Verdammung.

»Ja.«

»Ist es wahr, was wir von Ihnen und dem Pfarrer gehört haben?«

»Was *haben* Sie denn gehört?« fragte Edith tapfer.

Der Mann schwieg einen Augenblick. Eine so direkte Frage bei einem solchen Thema war unerhört. Er suchte nach Worten und fragte schließlich ungeschickt: »Haben Sie ihm – gewisse Zugeständnisse gemacht?«

Du schleimiger Heuchler, dachte Edith. Zwar war ihr das Gespräch nicht angenehm, aber sie merkte deutlich, sie war diesen Leuten überlegen. »Er trinkt manchmal eine Tasse Tee bei mir«, sagte sie freundlich. »Wenn Sie das meinen –?«

»Sie wissen sehr wohl, daß ich das nicht meine«, sagte er zornrot.

»Was meinen Sie denn?« fragte sie liebenswürdig.

Es war schon schlimm: für einen viktorianischen Vertreter der methodistischen Kirche gab es tatsächlich keine Worte, mit denen er einer Frau – selbst einer gefallenen Frau – eine solche Frage stellen konnte. Er änderte also den Kurs. »Wie ist Ihre Beziehung zu Mr. Clulow?«

»Seine verstorbene Frau war meine beste Freundin. Seit

ihrem Tod haben wir beieinander Trost gesucht und gefunden. Und wenn Sie keine weiteren Fragen haben, so möchte ich jetzt gehen. Guten Abend.« Sie senkte höflich den Kopf und ging auf ihre Haustür zu.

Es waren etwa dreißig Schritte, die sie zu gehen hatte. Niemand rührte sich, doch aller Augen lagen auf ihr. Man hörte nichts als das Klappern ihrer Absätze.

Erst als sie die Tür zu öffnen begann, brach das Schweigen. Sie hörte das halblaute Gemurmel, dann das Grollen, und als sie drinnen war und die Tür abgeschlossen hatte, das böse Rufen und Schreien. Das Schlagen und Hämmern an der Tür begann schon, während sie noch den Schlüssel umdrehte.

Sie war in Sicherheit. Doch als sie jetzt die Treppe hinaufstieg, merkte sie, daß ihre Knie nachgaben. Das letzte Stück mußte sie sich mit der Hand nach oben ziehen, während unten das Geschrei und Gepolter immer wütender wurde.

In ihrer Wohnung ließ sie sich in einen Sessel fallen. Licht zu machen, wagte sie nicht. Sie zitterte an allen Gliedern und horchte auf das Geheul der Wölfe.

Wenn sie nicht unten die Tür einschlugen, war sie hier sicher. Morgen war Montag; am Montagmorgen hatten alle zu viel anderes im Kopf, um sich noch mit ihr zu befassen. Doch es würden noch andere Abende kommen.

In der Bücherei hatte sie einmal in einem Buch ein spanisches Sprichwort gefunden: *Nimm, was du willst, sprach Gott. Nimm es – und zahle dafür.* Das hatte ihr großen Eindruck gemacht. Keine Strafe, keine Vergeltung, kein Höllenfeuer. Nur ein gerechter Preis. Das sagte ihr zu, und sie akzeptierte es. Sie hatte genommen, was sie wollte (selbst, wenn sie es zum Teil für einen anderen getan hatte), und nun mußte sie zahlen. Gut, so mochte es sein. Wenn das Zittern erst nachließ, dann war sie wieder sie selbst.

So weit war sie mit ihren Gedanken gekommen, als die Fensterscheibe wie durch einen Schuß zersprang. Ein schwerer Gegenstand krachte auf den Fußboden, Glas klirrte und zerbarst überall im Zimmer. Edith stieß einen Schrei aus – nur einen. Dann tastete sie sich ins Schlafzimmer, dessen Fenster nach hinten hinausging, und blieb mit laut klopfendem Herzen auf dem Bett sitzen.

Es kamen keine weiteren Wurfgeschosse, und nach einer Weile hörte auch das Geschrei auf. Vorsichtig ging sie im Dunkeln wieder ins Wohnzimmer, wo sie überall auf Glasscherben trat. Sie kam ans Fenster und spähte vorsichtig hinaus. Die Straße lag verlassen da. Die braven Bürger von Ingerby hatten kein Interesse mehr an ihr – jedenfalls für heute abend.

Ruhig zog sie die Gardinen zu und machte Licht.

Überall lagen Glasscherben: auf dem Tisch und den Sesseln und auf dem Teppich. Mitten auf dem Boden lag der Ziegelstein, der das Werk vollbracht hatte.

Edith zog Handschuhe an, holte Schaufel und Handbesen und begann aufzuräumen. Aber sie merkte bald, daß sie mit dem Glas noch eine ganze Weile würde leben müssen: Das zerbrochene Fenster hatte Nadeln, Messer und Dolche wie eine böse Saat überall im Zimmer verstreut. Aber das machte nichts – das war ein geringer Preis. Nimm, was du willst, sprach Gott. Nimm es – und zahle dafür. Ein geringer Preis für ihre und Martins standhafte Liebe.

Auch als sie feststellte, daß ihre schmalen Finger (auf die sie, offen gestanden, ein bißchen stolz war) trotz der Handschuhe blutige Schnittwunden davongetragen hatten, dachte sie immer noch: ein geringer Preis. Ja, ein geringer Preis, ein kleiner Preis. *Bis jetzt.*

11

In dieser Nacht schlug das Wetter um: Der April tat nicht mehr so, als sei er Mai, und wurde wieder zum März. Ostwind kam auf, und dann kam der Regen, kalt und feindselig.

Ein nasser Montagmorgen in England kann das Gemüt zum Gefrieren bringen. Für Nathan Cranswick war dieser Montagmorgen einer der unangenehmsten seines Lebens. Gestern noch hatte er in seinem Garten Eden gesessen, die Sonne im Gesicht, Vogelgezwitscher in den Ohren, Brot, Käse und Tee im Magen, von Gras und Blumen umgeben. Heute morgen stand er in seiner Werkstatt, umgeben von nassen Steinen und Brettern und flatternden Planen, und sein Gemüt war so trübe wie das Wetter.

Was war das aber auch für eine Heimkehr gewesen aus seinem Garten Eden! Blanche, besorgt und blaß, hatte ihm flehende Blicke zugeworfen; ganz deutlich hatte sie etwas auf dem Herzen. Da Zilla nach dem Tag voll frischer Luft und Sonne müde gewesen und frühzeitig schlafen gegangen war, hatte er sich mit Blanche an den Küchentisch gesetzt und gesagt:

»Also, mein Mädchen, was gibt's denn nun?«

Sie sah ihn an. »Pa – ist der Krieg erklärt?«

Erstaunt sagte er: »Krieg? Ich weiß nichts von einem Krieg. Meinst du diese Geschichte da unten in Südafrika?«

»Ja. Ich dachte, Guy wäre schon zu den Fahnen gerufen.«

Jetzt mußte er doch lachen. »Wie kommst du denn *darauf*?«

Sie wurde rot. War sie vielleicht doch dumm gewesen? »Ja – weil heute morgen in der Kirche so was Komisches passiert ist.«

Er horchte sofort auf. »Was meinst du damit – was Komisches?«

»Ja – oben hat jemand etwas gerufen, auf der Empore. Da ist Guy schnell aufgestanden und rausgegangen, gerade als Mr. Clulow mit der Predigt anfing.«

Gerufen hat jemand? Um Guy war Nathan nicht besorgt – nur um seinen Vater. Der Geistliche war in einer Lage, in der er jeder Art von Kränkung ausgesetzt war.

Blanche sagte: »Ich dachte, er müßte jetzt vielleicht in den Krieg?«

Nathan schüttelte abwesend den Kopf. »Wer hat denn gerufen? Und was haben sie gerufen?«

»Das weiß ich nicht, Pa. Erst war es eine Männerstimme und dann eine Frau.«

»Klang es böse?«

»Der Mann jedenfalls.«

So kam er nicht weiter. Aber er war sicher: Dieses unerhörte Rufen in der Kirche hatte etwas mit der schrecklichen Clulow-Edith-Sache zu tun. Doch zunächst mußte er erst mal Blanche beruhigen. »Also, Blanche, über einen Krieg mach dir mal gar keine Gedanken. Glaub mir, so was gehört der Vergangenheit an. Wir sind ja schon fast im zwanzigsten Jahrhundert, mein Mädchen.«

»Ja, Pa. Danke dir.« Sie lächelte unsicher. Er blickte sie mit seinem breiten faltigen Lächeln an, erhob sich und nahm sie bei den Schultern. »Hast du denn deinen Guy noch gefunden?«

»Ja, aber . . .«

»Aber was?«

»Er ist gleich weggelaufen. Er sagte . . .«

Nathan wartete. »Ja –?«

»Er sagte: ›Dann frag nur deine Tante.‹ So hat es sich jedenfalls angehört.«

So war das also, dachte er. Was zunächst niemanden

außer Edith und Mr. Clulow angehen sollte, das berührte nun auch die arme Blanche und ihren Guy. Und wer weiß wie viele andere noch, bevor die Sache ausgestanden ist.

»Was hat er denn gemeint damit, daß ich meine Tante fragen soll?« fragte Blanche.

Es war spät, und Nathan war müde. Er brauchte Zeit, um Worte zu finden, mit denen er seiner unschuldigen Tochter etwas erklären konnte, das ihr sowohl unverständlich wie unglaubwürdig vorkommen mußte. Doch es war wohl besser, es jetzt zu sagen, bevor ihr irgendwelcher Klatsch zu Ohren kam. »Du wirst es schwer glauben können, Blanche. Aber Tante Täubchen hat das Gebot der Keuschheit gebrochen.«

Sie hätte nicht verwirrter und entsetzter aussehen können, wenn er sie ins Gesicht geschlagen hätte. »Tante Täubchen?« stammelte sie. »Aber – aber das kann sie doch gar nicht!«

»Sie kann, und sie hat es getan«, sagte er mit plötzlichem Zorn.

Langsam erhob sie sich, mit flammendrotem Gesicht und jammervollem Blick. »Gute Nacht, Pa.« Sie wollte in ihrem Zimmer allein sein, niemand sollte das brennende Schamgefühl sehen, das sie erfüllte.

Er stand auf und nahm sie in die Arme. »Gute Nacht, mein Liebes. Ich – es tut mir so leid.«

Dann ließ er sie gehen. Worte konnten ihr heute abend nicht mehr helfen.

Und nun war er hier in der Werkstatt. Die Planken knarrten im Sturm und die Segeltuchplanen flogen. Und der Regen stürzte herab. Auf einem Schiff könnt's nicht schlimmer sein, dachte er grimmig, als der Wind einem Besucher die Tür aus der Hand riß und sie gegen die Mauer schleuderte.

Der Besucher war eine schlanke Frau, elegant selbst an einem solchen Morgen. Geschickt hielt sie ihren Schirm so, daß der Wind ihn nicht umstülpte. »Edith«, sagte er. »Komm nur herein.« Er führte sie in den kleinen Arbeitsraum, der gleichzeitig Büro war. »Was machst du denn hier?«

»Kannst du mir eine Fensterscheibe einsetzen?«

»Ja, natürlich. Ich kann es heute noch machen, aber möglicherweise erst abends.«

»Danke. Ich habe es mit Pappe verkleidet, aber ich wäre dir dankbar.«

Ihm kam ein Gedanke, und er erschrak. »Wie ist denn das passiert?«

»Oh – der Wind –« sagte sie leichthin.

Er war plötzlich ganz ernst. »Edith! Wie ist es passiert?«

· Sie sah ihn lange an. »Weißt du das wirklich nicht?«

»Doch – ich glaube fast, ich weiß es.«

Sie nickte. »Jemand hat einen Stein ins Fenster geworfen.«

»Mein Gott«, sagte er.

»Mach nicht so ein tragisches Gesicht, Brüderchen«, sagte sie heiter. »Ich gebe ja zu, ich hatte auch Angst, als es passierte. Aber bei Tage sieht dann alles schon nicht mehr so schlimm aus.«

»Du kannst dort nicht bleiben«, sagte er tonlos.

»Mein lieber Nathan, *mich* treiben sie so leicht nicht hinaus. Aber ich muß gehen, ich komme zu spät zur Arbeit.«

»Du kannst dort nicht bleiben«, wiederholte er. »Du mußt zu uns ziehen.«

»Ich werde dich und Zilla da nicht hineinziehen. Nein. Leb wohl.«

Sie küßte ihn auf die Wange und ging dann eilig durch Wind und Regen fort.

Den Briefumschlag sah Edith, sobald sie die Carnegie-Bibliothek betrat, noch bevor sie den nassen Mantel abgelegt hatte. Der Umschlag lag auf einem Tischchen in der schmalen Garderobe, er war in großer, kühner, fast drohender Handschrift an »Miß Cranswick« adressiert.

Sie hängte ihre nassen Sachen auf, stellte den Schirm in

den Ausguß und riß den Umschlag auf. Ein goldener Sovereign fiel heraus und rollte auf den Boden. Sie zog den Brief hervor.

»Miß Cranswick, ich kann Ihnen nicht gestatten, auch nur einen Tag länger Bücher an arglose Leser auszugeben. Es wäre eine grobe Pflichtverletzung gegenüber meinem Arbeitgeber und gegen die Leser. Ich lege daher Ihr Gehalt für eine Woche an Stelle einer Kündigung hier bei.

Unter keinen Umständen bin ich gewillt, mich in eine Unterhaltung mit Ihnen einzulassen. Bitte, verlassen Sie das Haus, sobald Sie dieses Entlassungsschreiben gelesen haben.

Edward Forster, Bibliothekar.«

Edith zerriß den Brief mit dem Umschlag und ließ die Fetzen auf dem Tisch liegen. Das Goldstück lag zu ihren Füßen, und sie ließ es dort liegen. Sie nahm den Schirm und verließ das Haus mit einem Gefühl plötzlicher Freiheit, das aber sofort verschwand, als sie in den Regen hinaustrat und ihr klar wurde, daß der einzige Ort, nach dem sie sich sehnte und der sie willkommen heißen würde, ihre Wohnung war.

So ging sie heim. Das zerbrochene Fenster lag an der Sturmseite, die Pappe war heruntergefallen, der Regen schlug ins Zimmer, es war kalt und naß und zugig. Sie bemühte sich, die Pappe wieder in die Fensteröffnung zu zwängen (wobei sie sich mit einer Glasscherbe noch einmal in die Hand schnitt), dann zog sie die Gardinen vor und ging in ihr Schlafzimmer. Es würde ja nicht ewig regnen.

Das Schreiben von Mr. Forster, den sie eigentlich immer bewundert hatte, wirkte auf sie wie der erste wohlgezielte Stein einer öffentlichen Steinigung.

Sie saß da und sah zu, wie das Blut langsam an ihren Fingern heruntertropfte. Sie versuchte nicht, es zu stillen. Beschämt kam ihr zum Bewußtsein, daß sie wünschte, es käme jemand und wischte das Blut ab (und auch ihre

Sünde? Nein, daran dachte sie nicht), verbände den Finger und legte tröstend die Lippen auf die kleine Wunde.

Doch es war niemand da. Martin –? Nein. Sie wußte, Martin war kein Mann, der Wunden verband. Er war zu beschäftigt mit den eigenen Wunden. Sie kritisierte ihn nicht etwa deshalb. Für Edith gehörten menschliche Fehler eben zum Menschen. Wir sind, was wir sind und nicht mehr. Das war Ediths Ansicht.

Jetzt kam ihr zum erstenmal ein anderer Gedanke. Bis sie eine neue Stellung fand, besaß sie an Gehalt nur das, was da auf den Boden der Bibliotheksgarderobe gerollt war. Und wie sollte sie in Ingerby eine neue Stellung finden? Mit ihren weichen Wangen und den strahlenden Augen wurde sie schon jetzt in dieser Stadt so verabscheut, als wäre ihr Gesicht von Lepra gezeichnet, und als trüge sie die Schelle der Unreinen vor sich her. Die Frauen würden ihre Röcke zusammenraffen und sich von ihr abwenden, die Männer sie mit dreisten und lüsternen Blicken mustern. Keiner würde es wagen, sie einzustellen.

Es klopfte an der Tür. Sicher Nathan, der das Fenster reparieren wollte. Sie war froh, daß jemand kam, mit dem sie reden konnte. Sie setzte ein freundliches Lächeln auf und öffnete.

Es war nicht Nathan. Es war ihr Hauswirt, Schlachter Hardcastle.

»Sie müssen raus«, sagte Schlachter Hardcastle.

»Raus? Wieso? Wohin?«

»Wohin Sie wollen, verdammt noch mal. Jedenfalls raus aus meiner Wohnung.«

»Also, ich verstehe Sie wirklich nicht, Mr. Hardcastle. Ich bin doch nicht mit der Miete im Rückstand.«

»Gibt noch was anderes als Miete.«

»Also dann – wollen Sie nicht hereinkommen und mir erklären, worum es sich handelt?« sagte Edith höflich.

»Erklären kann ich Ihnen das auch hier im Stehen.« Aber es fiel ihm offenbar nicht ganz leicht. »Meine Frau wollte erst selber raufkommen. Sie sagt: ›Mit so einer lass' ich dich nicht allein.«« Fast flehend fügte er hinzu: »Verstehen Sie jetzt, was ich meine?«

»Ich fürchte, nein, Mr. Hardcastle.« Sie überlegte. Dann kam ihr eine Ahnung, sie begann zu lächeln und lachte dann frei heraus. »Mr. Hardcastle, Sie wollen doch nicht sagen – Ihre Frau hat doch nicht etwa gemeint –« Sie mußte innehalten, um ihr Lachen zu dämpfen – »ich hätte was mit *Ihnen* im Sinn?« Sie preßte ihr Taschentuch auf den Mund. »Also, Mr. Hardcastle – nein wirklich!«

»Ich weiß nicht, was daran so komisch ist«, sagte er steif. »Ich hab wohl noch etwas mehr zu bieten als dieser Clulow.«

Tante Täubchen musterte ihn kühl: die roten Kinnbakken, das Borstenhaar, die kleinen Schweinsaugen. Dann sagte sie leichthin: »Sie können ihm nicht das Wasser reichen.«

Er stand da und blickte böse auf sie herunter: ein großer starker Mann, aber seine ganze linke Gesichtshälfte zuckte. »Sie müssen raus«, wiederholte er. »Sonst werfe ich Sie raus.«

»Ich glaube nicht, daß Sie das Recht dazu haben.«

»Dann nehme ich es mir. Wenn Sie morgen um diese Zeit nicht draußen sind, werfe ich Sie und Ihre paar Sachen die Treppe runter. Hier bleiben Sie nicht. Mein Geschäft ist ein anständiger Laden.«

»Und Sie können es natürlich nicht riskieren, daß eine lockere Frau hier oben wohnt und vielleicht Ihre Fleischwaren vergiftet.«

»Ich kann nicht riskieren, daß sie mir die Kunden vertreibt.«

»Ich verstehe. Gut, Mr. Hardcastle, in vierundzwanzig Stunden bin ich aus dem Hause. Sagen Sie nur Ihren Kunden, von mir droht ihren lilienweißen Seelen keine Gefahr mehr.«

»Ja, gut.« Er sah sie argwöhnisch an. »Wenn Sie wirklich dann raus sind.«

»Das werde ich, Mr. Hardcastle. Ich weiß, Sie halten

nicht viel von mir. Aber ich versichere Ihnen, eine Lügnerin bin ich nicht.«

Er stand immer noch da und starrte sie an. Da war er nun hier, allein mit einer Frau, und zwar mit einer leichtfertigen Frau. Das war doch eine Gelegenheit, die ein Mann nicht versäumen sollte, oder –? Langsam schob er sich in die Wohnung hinein. Das Gesicht verzog sich zu den ersten Anzeichen eines breiten Grinsens.

Edith hatte ihn beobachtet. »Noch ein Schritt, Mr. Hardcastle, dann mache ich ein solches Geschrei, daß Ihre Frau mit zwei Stufen auf einmal die Treppe raufkommt. Und das möchten Sie doch nicht, nicht wahr, Mr. Hardcastle?« schloß sie und strahlte ihn an.

Das freundliche Grinsen verwandelte sich in einen sehr unfreundlichen Gesichtsausdruck. Jetzt hörte man auf der Treppe laute Schritte, und eine hochgewachsene Gestalt kam in Sicht.

»Ah, mein Bruder«, sagte Edith Cranswick. »Er will mir eine Fensterscheibe einsetzen. Wiedersehen, Mr. Hardcastle.«

Der Schlachter schnaubte, ignorierte Nathans Gruß und stapfte die Treppe hinunter. »Was wollte der denn?« fragte Nathan.

»Die Wohnung. Er hat mich rausgeworfen. Ich kann's ihm gar nicht verdenken«, sagte sie mit philosophischer Ruhe.

Nathan sah sie erschrocken an. »Rausgeworfen hat er dich?«

»Ja. Das ist doch nicht das Schlimmste. Meine Stellung habe ich auch verloren. Komm, trink eine Tasse Tee mit mir.«

Er folgte ihr in die Wohnung. »Soll das heißen – das alles wegen deiner Freundschaft zu Mr. Clulow?«

Sie lächelte ihn zärtlich an. »Aber Bruder, nun laß du mal die schönen Umschreibungen. Es ist eine Liebschaft, eine Affäre, eine Liaison. Jedenfalls in den Augen von Ingerby.«

»Und hör du mal auf, mit dem Kessel herumzuwirtschaften«, sagte er ärgerlich. »Komm, setz dich hin. Hardcastle hat also tatsächlich gesagt, du sollst ausziehen?«

»Ja, hat er.«

»Und in der Bibliothek bist du entlassen worden?«

»Ja.«

Er schwieg einen Augenblick. »Armes Täubchen«, sagte er dann.

»Nimm, was du willst«, murmelte sie. »Nimm es und zahle dafür.«

»Was?«

»Ach nichts. Nicht die Art Theologie, die dir liegt, Bruder.« Sie setzte sich auf eine Sessellehne und schlug die Handballen gegeneinander. »Also – ich muß jetzt Pläne machen.«

»Ganz einfach. Du ziehst zu uns.«

Schweigen. Aber sie schüttelte den Kopf von einer Seite zur anderen. Der Mund bildete einen schmalen festen Strich. Nathan kannte diesen Strich, und sein Mut sank.

Endlich sagte sie: »Dies ist kein Schicksalsschlag, Nathan. Es ist etwas, das ich mir selber zuzuschreiben habe, und ich muß dafür bezahlen. Glaubst du wirklich, ich würde dich und Zilla und die Kinder da mit hineinziehen?«

»Sag mir mal, wieso du uns mit hineinziehen würdest.«

»Durch Unbequemlichkeiten, Haß, Verleumdungen, Gefahren.«

»Gefahr?«

»Ein Stein durchs Fenster ist vielleicht nur der Anfang. Das nächste könnte eine brennende Fackel sein. Du hast drei Kinder, Nathan.«

Er schauerte zusammen. Ja, es stimmte alles, was sie sagte.

Sie drückte ihm die Hand. »Du hast Pflichten gegenüber deiner Frau und den Kindern. Nicht gegenüber einer gestrauchelten Schwester.«

»Wie lange kannst du ohne Arbeit auskommen?«

»Ich habe etwas Erspartes. Für Miete und Essen würde es reichen. Vielleicht ein paar Monate.«

»Miete hättest du nicht«, sagte er.

»Nein, Nathan, ich komme nicht zu euch. Was du auch sagst.«

»Ich bitte dich auch gar nicht. Du hast ja recht mit der Gefahr. Außerdem habe ich eine bessere Idee.«

»Ich bin ein sehr selbständiger Mensch, Nathan.«

»Du bist nicht mehr in der Lage, allzu selbständig zu sein, Edith.« Seine Stimme klang ungewöhnlich scharf.

Sie blickte ihn schnell an. Er war erstaunt, als er Tränen in ihren Augen sah. »Habe ich das verdient?«

»Ja, ich glaube, das mußte mal gesagt werden.«

»Ja.«

»Es besteht wohl keine Aussicht, daß du Mr. Clulow heiratest?« fragte er.

Sie schüttelte fest den Kopf. »Nein. Ich könnte nie die Frau eines Methodistenpredigers werden.«

»Er wird vielleicht nicht mehr lange ein Methodistenprediger sein«, entgegnete Nathan ruhig.

Sie sah ihn erstaunt an. »Das auch?«

»Ja, das auch.«

Sie seufzte. Ein nachdenkliches Lächeln erschien auf ihrem Gesicht. »Wirr ist das Netz, das wir aus Lügen weben.«

»Wirr und böse«, sagte er.

Sekundenlang sagte sie nichts. Dann: »Es gibt sicher viele gute und rechtschaffene Männer, die als achtbare Bürger ins Grab fahren, nur weil sie nie in Versuchung gekommen sind.«

Er wartete.

»Martin *ist* in Versuchung gekommen«, sagte sie. »Und nun ist es, als habe es das Gute und Rechtschaffene an ihm nie gegeben.«

»Er *ist* ein guter Mann«, sagte Nathan entschieden. »Ich habe ihm alles zu verdanken. Nur – unter Druck, da –«

»Gibt er nach?«

Nathan nickte. »Nicht auf die Dauer, da bin ich sicher.«

»Ja, ich auch. Aber – nein, ich liebe Martin. Nur zum Heiraten tauge ich nicht. Weißt du, ich gehöre zu den alten Jungfern in der Kirche, wie sie jede Gemeinde hat. Du kennst sie: Knie beugen, Kreuz schlagen, den Talar ausbessern für den Priester, in den sie manchmal ein bißchen verliebt sind. Aber dem Zölibat genauso verschrieben wie er.«

»Du hast ja immer viel Unsinn geredet«, sagte Nathan zärtlich. »Aber nun mußt du mal still sein und hören, was ich zu sagen habe.«

12

Dina hatte an vielen Dingen – außer an Hausarbeit – Freude: am Fluß und an den Wiesen, an Sommertagen und an jungen Burschen. Was sie vielleicht am meisten genoß, war Klatsch – harmloser, nicht bösartiger Klatsch. Darin konnte sie schwelgen. Und nun war ihr ein besonders köstlicher Brocken in den Schoß gefallen.

Sie strahlte: die Augen tanzten, die Grübchen in den Wangen lachten, selbst das rotbraune Haar schimmerte vor Glück, als sie sagte: »Mrs. Hill, Sie kennen doch Mr. Cranswick – der jetzt das Cottage da oben übernommen hat, die Arche Noah? Toms Vater meine ich.«

»Natürlich kenne ich den, Dina.«

Dina gab ein saugendes Geräusch von sich; es klang, als habe sie einen Fruchtbonbon bis zur Neige ausgelutscht. »Der hat nämlich –« sie machte eine kleine Pause –, »der hat nämlich ein Liebchen.« Sie kicherte schrill und blickte dann leicht geniert vor sich hin.

Mrs. Hill hätte sich fast mit dem Brotmesser in den Finger geschnitten. »Aber Dina – wie kannst du so etwas sagen! Mr. Cranswick ist Laienprediger!«

»Und 'n Liebchen hat er trotzdem. Ich hab sie gesehen.«

»Wo hast du sie gesehen?«

»Gestern abend, oben am Cottage. Ich ging da spazieren mit – na ja, ich ging da spazieren, und da hab ich sie gesehen, vor der Haustür. Er sagte gerade: ›Ich kümmere mich um deine Möbel. Ich stelle sie bei mir im Hof unter, bis du sie brauchst. Lebwohl, Täubchen.‹ *Täubchen!*« Dina lachte trillernd. »Und dann hat er sie geküßt, so richtig geknutscht, und ist in seinem Wagen weggefahren.« Dina sah tief befriedigt aus.

»Du bist ein ganz schlimmes Mädchen, Dina«, sagte Mrs. Hill entrüstet. »Andere Leute zu belauschen! Außerdem glaube ich dir kein Wort. Und jetzt hilf mir lieber hier bei diesem Kuchen.«

Dina behielt geschickt etwas Schlagsahne am Daumen, die sie geräuschvoll ableckte. »Und seine Frau war das nicht. Die kenne ich nämlich. Diese war hübsch und fabelhaft angezogen. Sie sah schon aus wie 'n Liebchen«, schloß sie träumerisch. Eigentlich müßte es schön sein, jemandes Liebchen zu sein...

»Kein Wort weiter«, befahl Mrs. Hill streng und stolzierte mit dem Tablett, auf dem das Teegeschirr stand, hinaus.

Nathan hatte viel zu überlegen, als er Edith am Cottage abgeliefert hatte und nun nach Hause fuhr.

Zunächst hatte er ihre Möbel aus der Wohnung zu holen, bevor Hardcastle sie die Treppe hinunterwarf.

Dann mußte er einen Plan für die Zukunft machen.

Er hatte noch einen Monat vor sich, bevor er die Arbeit bei Mr. Heron aufnahm. In dieser Zeit mußte er sein Geschäft verkaufen, die Wohnung in der Stafford Street 37 räumen, das Zuviel an Möbeln loswerden und eine Bleibe für Edith finden, denn für sie alle war nicht Platz genug in der Arche Noah.

Die Arche Noah. Sein Garten Eden. Wie schön hatte alles ausgesehen, im warmen Licht der Abendsonne, als er sich umwandte und Edith noch einmal zuwinkte. Bittere Sehnsucht überkam ihn auf dem Rückweg in die graue Stadt Ingerby. Und ihm wurde plötzlich klar, daß, solange Täubchen dort wohnte, die kostbaren Wochenenden nicht mehr in Frage kamen. Er konnte höchstens noch gelegentlich auf einen Samstagnachmittag hoffen.

Er hatte schon den halben Weg zurückgelegt, als ihm etwas einfiel. Hätte er vielleicht Mr. Heron von seinem

Vorhaben informieren sollen? Aber nein, das war nicht notwendig. Mr. Heron hatte gewiß nichts dagegen, daß Nathans Schwester eine Weile im Cottage wohnte; er würde sicher sagen, das sei nicht seine Sache, sondern Nathans, der hatte das Häuschen renoviert, es gehörte nun zu seiner Stellung. Mr. Heron machte bei solchen Bagatellen bestimmt keine Schwierigkeiten.

Es ist recht selten und deshalb immer angenehm, wenn der Wegweiser zur Pflicht in die gleiche Richtung zeigt wie der Wegweiser zu Lust und Neigung.

Mrs. Hill war nicht besonders klatschfreudig. Aber jede Frau auf dem Lande erzählt es gern weiter, wenn auf einmal eine junge Fremde in ein einsames Haus im Dorf eingezogen ist. Und das beste war: Sie hielt es für ihre moralische Pflicht, ihren Arbeitgeber davon zu informieren.

Natürlich nahm sie Dinas törichte Geschichte nicht gleich für bare Münze. Doch als sie und ihr Mann gegen Abend mit der Arbeit fertig waren, hatten sie Lust auf einen kleinen Spaziergang – und der führte sie den Hohlweg hinauf, an der Arche Noah vorbei.

Und siehe da: Vor der Haustür stand eine junge Frau und blickte traurig in die Strahlen der untergehenden Sonne. Da sie im Licht stand, waren die weichen Wangen, das glatte Haar, der freundliche Mund und die dunkelschimmernden Augen so klar und deutlich erkennbar wie auf dem Bild eines großen Malers. Beim Geräusch der Schritte war sie im Nu verschwunden, wie ein erschreckter Vogel, der ins schützende Laub flüchtet.

Die beiden Hills sagten nichts; mit gesenkten Augen gingen sie am Haus vorbei. Erst als sie außer Hörweite waren, sagte Mrs. Hill:

»Also so was. Da fragt man sich doch, woher er den Mut nimmt.«

»Den Mut – wozu?« fragte Mr. Hill.

»Na, sie dort unterzubringen, natürlich.«

Mr. Hills erste Reaktion war – offen gesagt – Neid. Eine

reizende junge Frau, versteckt in einem einsamen Cottage, das war einfach zu schön, um wahr zu sein. Wenn Mr. Cranswick das nächste Mal wieder in Moreland predigte, würde Mr. Hill ihn mit anderen Augen ansehen. Mit Respekt. Bewunderung. Solche Geschichten las man sonst nur in den Sonntagsblättern. *Laienprediger versteckt Frau in Liebesnest,* so faßte er die Situation zusammen. Aber er tat das schweigend; seine Frau hätte es nicht gern gehört. Mrs. Hill glaubte an die Heiligkeit der Ehe, und vor allem an die Heiligkeit ihrer Ehe.

Der Gutsherr von Moreland Hall, Robert Heron, saß rittlings auf einem Stuhl vor seinem Kamin, unter den Bildern seiner Vorfahren, und hielt ein Glas mit altem Portwein in der Hand. »Meine liebe Dorothy«, sagte er, »die Geschichte ist völlig absurd.«

Mrs. Heron fingerte an ihrer langen Perlenkette. »Sag mir einen einzigen Grund.«

»Ein Dutzend kann ich dir nennen. Mr. Cranswick ist Laienprediger und ein anständiger Kerl. Er hat eine Frau und Familie. Solche Männer können sich eine Dulcinea gar nicht leisten, selbst . . .«

»Robert!« In die keuschen Wangen seiner Frau stieg tiefe Röte. Andeutungen und Bemerkungen ihrerseits waren eine Sache für sich. Aber eine – Person dieser Art so zu nennen, wie sie es vermutlich verdiente, und anzunehmen, daß eine so zartbesaitete Dame wie seine Ehefrau das Wort auch noch verstand: das bewies denn doch eine Grobheit im Denken und Verhalten, die sie nicht zum erstenmal an ihrem Ehemann bemängelte. »Ich hätte nicht gedacht, dieses Wort aus deinem Munde zu hören.«

»Welches Wort soll ich also benutzen?«

Sie machte einen taktischen Rückzieher, sammelte sich und griff von neuem an. »Du mußt sie selbstverständlich entfernen.«

»Das sehe ich nicht ein. Vielleicht ist es seine Schwester.«

»Schwester!« Sie sah ihn vernichtend an. »Du bist wirklich manchmal sehr naiv, Robert – schon gleich zu Anfang, als du ihm das Cottage gabst und er damit tun konnte, was er wollte. Ich wußte ja, es war ein Fehler. Solchen Leuten kann man eben nicht vertrauen. Du hast wahrscheinlich nicht mal was Schriftliches.«

»Nein, habe ich nicht. Auf seine Bitte.«

»Das kann ich mir vorstellen. Nun, das ist dein Problem.«

»Meine liebe Dorothy, es ist überhaupt kein Problem. Jedenfalls noch nicht. Das dumme Mädel sagt, sie habe dort eine Frau gesehen. Auf so eine Aussage hin hängt man keinen Mann.«

»Mrs. Hill hat sie auch gesehen, und ihr Mann ebenfalls.«

»Also gut. Am Sonntag predigt Mr. Cranswick hier, dann werde ich ihn darauf anreden und kann euch dann alle beruhigen.«

»Und sie hinausweisen, hoffe ich.«

»Ganz bestimmt nicht. Cranswick weiß, das Haus gehört zu seinem Job. Er hat das Recht, dort jemanden wohnen zu lassen.«

»Ohne dir ein Wort zu sagen?« fragte sie geschickt.

Ein Punkt für sie, aber ein kleiner. »Na schön, er hätte es mir sagen können und hat's nicht getan. Wir dürfen auch nicht zuviel *savoir faire* von ihm erwarten.«

Mrs. Heron schnaubte. Sie erwartete weder *savoir faire* noch sonst irgendwas von einem Handwerker.

Dorothy Heron ließ ihren Wagen kommen, der sie zu ihrer Freundin Lavinia Musgrove brachte.

»Doll!« Lavinia begrüßte sie mit warmer Heiterkeit. »Was führt denn dich hierher?«

»Nenne mich nicht Doll!« schnappte Dorothy.

»Entschuldige«, sagte Lavinia ungerührt. Sie trat an die Anrichte und füllte zwei Gläser mit Madeira.

Dorothy saß schon auf dem tiefen Sofa und nahm jetzt ihr Glas in Empfang. Dann fragte sie in dramatischem

Ton: »Lavinia, sind dir irgendwelche Gerüchte zu Ohren gekommen über Mr. Cranswick und eine – eine Frau – oben im Cottage?«

»Nathan Cranswick? Ich hätte gedacht, der ist so erhaben über jeden Verdacht wie Cäsars Weib. Du willst mir doch nicht weismachen, er hält sich da eine Geliebte?«

»Zumindest ist es eine Möglichkeit«, sagte Dorothy ernst. »Warum auch nicht? Schließlich ist er bloß ein Arbeiter.«

Lavinia mußte so lachen, daß sie etwas Wein vergoß. »Nathan Cranswick? Meine liebe Doll, was für ein Unsinn!« Plötzlich war das Lachen vergessen. Sie war wütend. »Und was für eine Boshaftigkeit! Nicht, weil ich ihn für absolut rechtschaffen halte, aber weil er so ein lieber Mensch ist. Und du kommst her und redest von zumindest einer Möglichkeit! Selbst wenn es bewiesen wäre, Dorothy, würde ich dir raten, damit nicht so schnell zu mir zu kommen.«

Dorothy erhob sich und stellte ihr unberührtes Glas Wein hin. »Vielleicht wirst du, wenn es erst bewiesen ist, so gut sein und dich entschuldigen.«

»Hör doch auf mit entschuldigen! Du bist ein Snob, Doll, und du klatschst gern. Jetzt setz dich hin, trink deinen Wein wie ein zivilisierter Mensch und laß uns über was Vernünftiges reden. Zum Beispiel, wie es deinem lieben Robert geht.«

Robert Heron sah dem nächsten Sonntag etwas unsicher entgegen. Er war nicht der einzige mutige Engländer, dem vor der Zunge seiner Frau zuweilen angst wurde. Schon jetzt tat es ihm leid, daß er Cranswick so uneingeschränkt verteidigt und sich nicht ein wenig Raum zum Manövrieren gelassen hatte. Schließlich kannte er den Mann nicht gar so gut – aber Dorothy kannte er um so besser. Und wenn Cranswick ihm da wirklich etwas eingebrockt hatte, dann würde er von Dorothy wochenlang morgens und abends nichts anderes zu hören kriegen.

Aber so war er nun einmal, sagte er sich: offen und loyal. Es kam ihm auch nicht in den Sinn, etwa zum Cottage hinaufzugehen und zu spionieren. Er wollte bis Sonntag warten.

Die Woche verging langsam, in einer Reihe goldener Tage. Spinnen webten ihre Netze in den Hecken, Schnekken zogen silberne Spuren, Schwalben schrieben Botschaften an den tiefblauen Himmel, während Stimmen flüsterten und Menschen ihre eigenen Netze spannen. Am folgenden Sonntag nachmittag war die Kirchengemeinde doppelt so groß wie sonst, und die Erregung vor dem Gottesdienst war spürbar. Nathan Cranswick sagte sich in aller Bescheidenheit, er werde offenbar schon zu einer Attraktion.

Die allgemeine Enttäuschung war groß, als keine Frau in roter Seide und duftendem Parfum aus der Richtung des Cottage erschien.

Sobald der Gottesdienst zu Ende war, lenkte Mr. Heron seine und des Predigers Schritte zum Fluß hinunter, und die Gemeinde verlor den faszinierenden Sünder aus den Augen.

Robert Heron lag daran, daß sein Freund selber das Thema der geheimnisvollen Besucherin anschnitt; deshalb blieb er zunächst bei allgemeinen Fragen. »Was halten Sie denn von dieser Kriegsangst, Mr. Cranswick?«

»Ich glaube nicht, daß daraus etwas entsteht, Mr. Heron. Krieg – das gehört doch der Vergangenheit an.«

»Meinen Sie?« fragte Robert erstaunt. Natürlich wollte kein Mensch den Krieg. Aber eine Welt ohne Kriege gab es doch nicht. In einer Welt ohne Kriege mußten die Männer verweichlichen. Außerdem: »Sie meinen, wir sollten diesen Krüger tun lassen, was er will?«

Nathan hatte keine Ahnung, was Krüger wollte. »Ich verstehe nicht viel von diesen Dingen, Mr. Heron«, sagte er. »Aber wir sind doch eine große Nation. Und der – der ist nur arm und klein, nicht wahr? Ich kann nicht einsehen, warum wir gegen ihn kämpfen sollen.«

Robert sagte kühl: »Vielleicht interessiert es Sie, daß ich das Kriegsministerium dauernd dränge, *mich* gehen zu lassen, damit ich gegen ihn kämpfen kann. Die sagen zwar, ich sei zu alt, aber ich werde sie schon noch kleinkriegen.«

»Wenn Sie mir erlauben, das zu sagen«, sagte Nathan ruhig, »es wäre eine schreckliche Verschwendung. Sie werden hier gebraucht.«

Robert schwieg. England. Die britische Armee. Die Royal Navy. Mut. Ehre – dies alles, das ein Teil seines Glaubens und seiner Tradition war, wurde, so schien es ihm, von einem Freund herabgesetzt – von einem Freund, den er hoch achtete. Er sagte: »Aber wir müssen doch für das kämpfen, was recht ist?« Es klang leicht irritiert. Hier sprach ein Engländer, der Werte in Frage gestellt sieht, die nicht in Frage zu stellen sind. Absolute Werte.

Nathan hörte den Ton; er wußte, er hatte den Freund irgendwie verletzt. »Nein, Mr. Heron. Hören Sie nicht auf mich. Ich verstehe nichts von Politik. Nur – wissen Sie, wir wohnen in der Nähe der Kasernen, und an ihren freien Tagen kommen die Jungens bei uns vorbei, einige finden sogar den Weg in unsere Kirche. Es sind so nette Jungens, Mr. Heron. Sie sollten keine Menschen töten. Es ist einfach unnatürlich.«

»Es ist sehr natürlich, Mann«, sagte Heron kurz. »Wenn es fürs Vaterland geschieht. Natürlich und bewundernswert.«

Schweigend gingen sie weiter. Nathan sagte: »Jemand hat einmal gesagt, ich weiß nicht, wer es war: ›Wer einen Menschen tötet, der tötet die ganze Welt.‹ Und ist es nicht so, Mr. Heron, wenn man es richtig bedenkt«, schloß er leicht befangen.

Robert Heron schnaufte. Wieder schwiegen sie beide. Zum erstenmal waren sie aneinandergeraten, denn Nathan hatte aus Ungeschicklichkeit Überzeugungen mit Füßen getreten, die einem englischen Gentleman angeboren waren. Schließlich sagte Robert, immer noch leicht gereizt: »Ich werde natürlich nachdenken über das, was Sie da sagten, Mr. Cranswick. Aber ich möchte Sie auch bitten, sich diese Dinge doch etwas sorgfältiger zu überlegen, als Sie es offenbar getan haben. Eine Welt ohne Krieg? Mein Bester, das wäre ja wie eine Welt ohne Armut oder Verbrechen. Ein unerreichbares Ideal.« Er hieb auf eine Brennessel ein. »Und außerdem, wenn nun andere Briten auch so dächten, was sollte aus dem Empire werden? Da würden sich viele Menschen freuen, uns das wegzunehmen. Und wer das zuließe, der wäre für mich, ganz offen gesagt, ein Verräter.«

Sie gingen am Fluß entlang. Das Wasser gluckste, doch die Oberfläche war klar und ungetrübt wie Glas. Wiesen und Bäume und Hecken lagen in tiefem Frieden, einem Frieden, der, solange Nathan lebte, fast ungebrochen war. War er jetzt bedroht?

Mr. Heron hatte recht: Sie mußten beide darüber nachdenken. Um das Thema zu wechseln, sagte Nathan jetzt: »Ich wollte noch etwas sagen, Mr. Heron. Meine Schwester wohnt für eine Weile im Cottage. Ich dachte, Sie hätten sicher nichts dagegen.« Robert Heron, in Gedanken noch bei dem Wort ›Verräter‹, hatte die Erregung noch nicht ganz überwunden. Doch jetzt war alles Mißbehagen im Nu verschwunden; wäre er kein Engländer gewesen, so hätte er seinen Freund wohl umarmt vor Freude. Er blieb stehen, wühlte mit dem Stock im Boden, blickte Nathan fest an, nickte ein paarmal und sagte: »Mein Lieber, selbstverständlich habe ich nichts dagegen. Es ist ja Ihr Haus. Eh – Ihre Schwester, sagten Sie?« Er wollte ganz sichergehen, um vorbereitet zu sein für das Gespräch mit Dorothy.

»Ja. Meine unverheiratete Schwester. Edith Cranswick.«

»Gut.« Wieder grub er den Stock in den Boden, in Gedanken schon bei dem Gespräch mit Dorothy, auf das er sich schon jetzt freute. »Sie wollen ihr gewiß ein bißchen Erholung verschaffen, was?«

»Ja, so kann man sagen. Sie hat gerade eine schwere Zeit hinter sich, deshalb dachte ich –«

»Ausgezeichnet. Da seien Sie nur ganz beruhigt. Sie hat da doch alles, was sie braucht?« Robert Heron war ein gutherziger Mensch.

»Ja, Mr. Heron, danke schön.«

Sie hatten jetzt den Weg erreicht, der nach Ingerby zurückführte. Heron streckte die Hand aus. »Sie gehen heute zu Fuß zurück? Das ist recht. Also dann – guten Weg.« Er schüttelte Nathan warm die Hand. »Und denken Sie noch einmal nach über diese Kriegsgeschichte. Krieg gehört nun mal zum Leben, wissen Sie. Da kann man nichts machen. Leuten wie diesem Krüger muß man die Stirn bieten.«

»Das will ich tun, Mr. Heron. Ich kann nicht versprechen, daß ich meinen Standpunkt ändere. Aber ich werde darüber nachdenken.«

»Richtig. Dann also guten Weg.« Er legte kurz die Hand auf Nathans Arm und ging dann mit frischen Schritten heimwärts. Als er an seinem Einfahrtsweg stand, vergaß er für einen Moment, daß er ein angesehener Gutsherr war, und machte vor Vorfreude einen kleinen Hopser; dann ging er gelassen weiter. Er konnte es kaum erwarten, Dorothys Gesicht zu sehen, wenn er ihre hübsche Seifenblase zum Platzen brachte.

Er wartete damit, bis Dorothy den Tee eingeschenkt und ihm seine Tasse gereicht hatte. Dann sagte er in munterem Ton:

»Ich bin also doch nicht ganz so naiv, wie du dachtest, Dorothy. Es ist seine Schwester.«

Der Tee aus der Silberkanne floß ruhig weiter. Mrs. Heron füllte ihre Tasse, rührte um, nahm sich ein Stückchen Kuchen und fragte dann:

»Wer hat dir das gesagt?«

»Er.«

»Aha. Nun, das war zu erwarten, nicht wahr?«

Das war zuviel. Mit leicht zitternder Hand stellte er seine Tasse ab, sprang auf die Füße und begann, mit großen Schritten im Zimmer hin und her zu gehen. »Dorothy! Erst behauptest du, er führe einen zweifelhaften Lebenswandel – ein hochanständiger Mann wie er. Und jetzt soll er auch noch lügen. Ich finde das ganz unerhört, und ich muß dich bitten, dich zu entschuldigen.«

»Entschuldigen?« Jetzt war auch Mrs. Heron auf den Füßen. »Ich muß mich entschuldigen? Und bei wem?«

»Nicht bei Mr. Cranswick. Er soll gar nichts erfahren von diesem Schimpf. Aber bei mir, seinem Freund. Und du wirst dafür sorgen, daß deine sämtlichen Klatschtanten die Wahrheit erfahren. Ich wünsche eine Bestätigung von dir, daß das geschehen ist.«

Blaß vor Zorn starrte sie ihn an. »Hast du ›Klatschtanten‹ gesagt?«

»Jawohl. Wenn es etwas gibt, das ich nicht dulde, das mir physische Übelkeit verursacht, dann ist es Klatsch. Also bringe die Sache in Ordnung.« Damit wandte er sich um. Er sah imponierend aus und hörte sich auch so an.

Auch sie konnte imponierend wirken, aber sie wußte, wie weit sie bei ihrem Mann gehen konnte. Hier war sie bereits zu weit gegangen. Ehemänner hatten die Macht, die Welt war stets auf ihrer Seite; Ehefrauen – von Natur aus schwächer – konnten nur nörgeln und zetern. Aber wenn ein Ehemann aufstand und einen Befehl gab, dann blieb ihr nichts übrig als zu gehorchen, wenn auch widerwillig, sofern sie das wagte.

Sie sagte: »Seine Schwester. Das werde ich ihnen sagen.«

»Danke.« Er starrte aus dem Fenster.

»Ich werde ihnen nicht sagen, wie du mich gedemütigt hast.«

Er seufzte. Die Schlacht hatte er gewonnen, aber der Abnutzungskrieg fing schon wieder an. Er wandte sich zu ihr um.

»Du wirst sie für einen Nachmittag hierher zum Tee bitten. Ich glaube, das ist die einzige Art, um das Dorf zu überzeugen.«

»Sie hierher einladen?« Sie schnappte nach Luft. »Die Schwester eines Handwerkers, der bei uns zur Pacht wohnt?«

»Du wirst ihr einen kleinen Brief schreiben. Ich sorge dafür, daß er zugestellt wird.«

Sie standen sich gegenüber, der Teetisch zwischen ihnen. In Dorothys Augen stand blanker Haß. »Niemals!«

Gelassen sagte er: »Ich denke doch, Dorothy.« Sein Blick war ruhig und bestimmt.

»So tief willst du mich demütigen?« fragte sie fast erstaunt.

»Wenn du es demütigen nennst, daß du gebeten wirst, mit einer anderen Frau eine Tasse Tee zu trinken, dann tut's mir leid.«

»Aber du bestehst darauf?«

»Ich bestehe darauf.«

Sie starrte ihn an. Da stand sie, eine gutaussehende Engländerin gehobenen Standes, die sich weißglühend vor Wut mit ihrer Niederlage abzufinden hatte, während Robert resigniert einem nicht erklärten Krieg entgegensah.

Erst nach einer ganzen Weile schien sie plötzlich physisch zusammenzufallen. »Also gut, Robert«, sagte sie, trat an ihren Schreibsekretär und setzte sich. Der Deckel des Tintenfasses wurde geräuschvoll aufgeklappt, die Feder hineingestoßen, und dann fuhr sie kratzend über das Papier. »Wie heißt die Frau?«

»Miß Cranswick.«

Die Feder kratzte weiter. Zuletzt adressierte sie einen Umschlag, steckte den Brief hinein und schloß ihn, ging dann zu ihrem Mann und übergab ihm den Brief ohne ein Wort.

»Danke«, sagte er ruhig. »Ich werde ihn hinbringen lassen.« Höflich neigte er den Kopf und verließ das Zimmer.

Diesmal wartete Dorothy nicht auf ihren Wagen. Sie war so zornig, daß sie zu Fuß zur Hall Farm ging. Noch als sie Lavinia Musgrove begrüßte, kochte sie.

»Er behauptet, es sei seine Schwester«, verkündete sie hochrot.

»Beruhige dich, beruhige dich«, sagte Lavinia und ließ die Hände besänftigend sinken. »Ich hätte gedacht, für jeden vernünftigen Menschen sei das die wahrscheinliche Antwort. Madeira?«

»Ja, bitte. Robert hat den Verstand verloren.«

Lavinia reichte ihr ein Glas und trank ebenfalls einen Schluck. »Nun erzähl mir mal, wieso Robert den Verstand verloren haben soll. Wenn man ihn kennt, klingt das sehr unwahrscheinlich.«

»Er hat mich gezwungen, sie zum Tee einzuladen. Um den Klatsch zu beenden, sagt er.«

Lavinia lachte laut auf. »Oh – der gute Robert! Das ist typisch für ihn.«

Dorothy goß ihren Wein mit einem Schluck herunter. »Vinny?« sagte sie mit kleiner Stimme.

»Ja, meine Liebe?«

»Kommst du bitte auch? Allein werd ich damit nicht fertig. Ich wüßte auch gar nicht, worüber man mit der Schwester eines Arbeiters reden könnte.«

»Mein Gott – über die letzten Romane, über Ginpreise und die Qualität des Biers. Du bist und bleibst ein Snob, Dorothy. Ja, ich komme, sogar liebend gern. Aber ich warne dich – für mich wird das nämlich ein Mordsspaß werden.«

Dorothy sah deutlich gekränkt aus, aber sie sagte nur noch mit dünner Stimme: »Danke, Vinny, das ist sehr lieb von dir.« Dann hatte sie offenbar sowohl ihre Gastgeberin wie ihren Madeira vergessen, denn sie ging gedankenverloren und ohne ein weiteres Wort aus dem Zimmer.

13

ZU VERMIETEN stand draußen an der Wohnung, Stafford
Street 37.

GESCHÄFT ZU VERKAUFEN stand an der Werkstatt im Hof.

Irgendein Erfolg hatte sich noch nicht eingestellt. Was
die Wohnung betraf, so machte Nathan das nichts aus. Er
hatte gekündigt und konnte (vielmehr er mußte) innerhalb
von zwölf Tagen ausziehen. Anders war es mit dem Geschäft. Er konnte nicht umziehen und eine neue Arbeit
aufnehmen, solange sein Betrieb unverkauft war. Bevor
sie umzogen, mußte er außerdem eine andere Bleibe für
Edith finden. Das waren keine unüberwindlichen Schwierigkeiten, aber überwunden mußten sie werden.

Nathan war ein Mensch, der, wenn es Probleme gab, ruhig eins nach dem anderen erledigte, aber als jetzt ein Tag
nach dem anderen verging, wurde er doch unruhig. Das
Cottage und die neue Stellung waren ihm sehr wichtig geworden; er mußte in der Lage sein, schnell und mühelos
überzuwechseln. Die kleine Auseinandersetzung mit Mr.
Heron neulich hatte ihm gezeigt, daß mit seinem neuen
Arbeitgeber vielleicht nicht immer ganz leicht auszukom-
men war. Er wollte deshalb nicht gleich zu Anfang den
Eindruck machen, als seien seine Angelegenheiten in Un-
ordnung.

Und nun kam eine neue Sorge dazu. Sein zukünftiger
Arbeitgeber wollte ins Feld ziehen und gegen die Buren
kämpfen.

Doch darüber machte sich Nathan nicht allzu viele Gedanken. Daß Mr. Heron plötzlich von seinem schönen
Gut hier auf ein Schlachtfeld am anderen Ende der Welt

versetzt werden könnte, wo ein richtiger Krieg stattfand: das lag außerhalb von Nathans Vorstellungsvermögen. Der eigene Übergang von der steiniggrauen Stadt aufs Land war für ihn schon das Äußerste an Veränderung in einem Menschenleben.

Die Tage vergingen. Immer wenn sich die Tür zum Hof öffnete, blickte Nathan auf in der Hoffnung auf einen Käufer. Aber es war immer das gleiche: ein Ziegel war vom Dach gefallen, ein Zaun zerbrochen, eine Scheibe war einzusetzen.

Nur ein Besucher fiel aus dem Rahmen, und auch er war nicht, was Nathan erhofft hatte. Guy Clulow, ein bißchen scheu und unsicher in dieser sachlich-praktischen Umgebung.

»Mr. Cranswick, ob Sie mir wohl helfen würden?« sagte er bittend.

»Gern, wenn ich kann«, sagte Nathan munter. Er spürte die Erregtheit des jungen Mannes.

»Ja – es ist komisch, aber bei uns ist die Haustür verschlossen, und der Schlüssel steckt von innen«, berichtete Guy. »Mein Vater muß drinnen sein, aber er hört mich nicht, und ich kann nicht hinein. Ob Sie wohl . . .«

Ein böser Schreck fuhr Nathan in die Glieder. Er zwang sich trotzdem zum Lachen und sagte: »Ich komme gleich mit. Einbrechen ist meine Spezialität.« Er nahm ein großes Bund mit Schlüsseln aller möglichen Größen, rasselte damit, lächelte Guy zu und machte sich mit langen Schritten auf den Weg mit ihm.

Das Pfarrhaus, mit seinen dunklen Mauern auch sonst kein freundlicher Anblick, sah beinahe drohend aus. Nathan ließ im Näherkommen den Blick über die Fenster schweifen. Vorn stand keins offen. Schweigend übernahm er den Schlüssel von Guy und versuchte aufzuschließen. Es stimmte: Der Schlüssel ließ sich nicht ins Schloß stekken, weil von innen ein Schlüssel steckte.

Sie klopften, hämmerten an die Tür und riefen laut. Das Haus blieb totenstill. Sie versuchten in die Fenster zu blikken, doch die dunklen Zimmer gaben nichts preis. Sie gingen um das Haus herum nach hinten, drängten sich durch staubige Lorbeerbüsche und müde Rhododendren.

Auch die Hintertür war verschlossen. Doch im zweiten Stock der dunklen Festung stand ein Oberlicht halb offen. Nathan besah es prüfend. »Da komme ich durch«, sagte er. »An der Regenrinne hoch und dann rein.«

»Das kann ich machen, Sir«, sagte Guy bereitwillig. Er war selbst fast erschrocken, weil er einen Handwerker »Sir« genannt hatte.

»Nein, nein, ich bin schneller oben.« Und Nathans etwas linkische Gestalt begann an der Regenrinne emporzuklettern.

Es war nicht leicht, sich durch das enge Fenster zu zwängen. Aber es ging, und Nathan landete auf dem Fußboden eines kleinen Schlafzimmers. Er öffnete die Tür und rief laut ins Treppenhaus: »Mr. Clulow!«

Grabesstille. Nathans graue Nackenhaare sträubten sich, und zwischen den Schulterblättern rann es ihm eisig hinunter. »Mr. Clulow!« rief er noch einmal.

Schweigen. Nathan zwang sich, die obere Treppe hinunterzugehen und dann eine Schlafzimmertür zu öffnen.

Schwere dunkle Möbel. Ein düsterer Raum in einem düsteren Haus. Aber noch nicht das düstere Etwas, nach dem er suchte.

Noch eine Tür. Jetzt stand er in einem Badezimmer – gilbende Kacheln und trüb-angelaufene Messinghähne, ein hoher frostiger Raum, der an trostlose Morgenfrühe erinnerte; ein großer Waschtisch, eine breite Badewanne mit bräunlichen Wasserspuren unter jedem Wasserhahn.

Und in der Badewanne lag der Pfarrer Martin Clulow, bis zum Hals in von Blut gerötetem Wasser, mit weißem, ausgelaugtem Gesicht. Die Augen starrten blicklos, die Handgelenke trugen große Schnittwunden, der Körper war nackt und ausgeblutet wie der eines abgestochenen Tieres. Der Pfarrer Martin Clulow hatte sich aufgemacht zu seinem Schöpfer, um vor ihm die schwere Sünde auszubreiten, die sein Leben verdunkelt und es doch erträglich gemacht hatte.

Doch nun hatte er Jehova eine noch größere Sünde zu beichten.

Nathan war ein praktischer Mann, der das Leben so nahm, wie es kam. Er freute sich nicht gerade über Krisen, aber er wußte, sie gehörten zum Leben, und er packte sie ohne Aufhebens und mit festem Griff an.

Dies hier jedoch war etwas anderes und lag außerhalb seiner Erfahrung. Dem Tod war er bisher nur in seinen milderen Formen begegnet; das schreckliche Angesicht des Todes kannte er noch nicht.

Es wäre erträglicher gewesen, hätte sein alter Freund und Mentor würdig oder auch nur bemitleidenswert ausgesehen. Aber er sah fast obszön und lächerlich aus.

Nathan stand da und starrte und kämpfte mit Übelkeit. Was konnte er tun? Es drängte ihn so sehr, seinem Freund ein wenig Würde zu verleihen, bevor er ihn – wie es notwendig war – der gleichgültigen Welt überließ. Wenigstens das blutige Wasser ablaufen lassen, eine Decke über die weißen Lenden legen, die Augen zudrücken, die so leer in die Ewigkeit starrten. Aber er wußte, das durfte nicht sein, er durfte nichts anrühren. Er trat an die Tür und blickte noch einmal zurück in dem Verlangen, irgendein Gefühl – Mitleid, Liebe, Zärtlichkeit – für den grotesken Leichnam aufzubringen. Was er fühlte, war nur Grausen.

»Armer –« begann er mit zitternden Lippen. Er schloß leise die Tür hinter sich und ging eilig die Treppe hinunter. Guy mußte schon halb verrückt sein, weil er nicht kam. Er öffnete die Haustür, trat nach draußen und schloß die Tür fest hinter sich zu. Guy stand wartend da. »Ja –?« sagte er mit trockenen Lippen. Nur die eine Silbe, doch in den Augen stand die nackte Angst.

Nathan hatte viel überlegt, während er die Treppe hinunterkam. Jetzt sagte er: »Dein Vater ist tot, Junge.« Er faßte ihn am Arm. »Komm. Du weißt doch, wo ich wohne? Jetzt gehst du hin und läßt dir von Blanche eine Tasse Tee machen. Sag ihr, was geschehen ist. Sie wird sich um dich kümmern.« Mit traurig-warmem Lächeln sah er den Jungen an.

»Tot? Das – aber das ist – er kann doch nicht tot sein, Mr. Cranswick.«

»Doch, Guy. Das geht manchmal sehr schnell.«

»Ich muß ihn sehen.« Heftig schüttelte Guy den Arm ab. »Wie ist es passiert?«

»Nicht jetzt.« Er hatte Guys Arm wieder gefaßt und versuchte, den Jungen zur Pforte zu drängen.

»Doch, jetzt!« rief Guy laut und riß sich los. Er warf sich gegen die Haustür und packte den Griff.

»Die ist abgeschlossen, und den Schlüssel habe ich in der Tasche«, sagte Nathan ruhig. »Bitte, mach es mir alles nicht noch schwerer.« Und nach kurzer Pause: »Ich muß Hilfe holen.« Er sah die aufflackernde Hoffnung in den Augen des Jungen und sagte schnell: »Nein, nicht für ihn. Für mich. Nun geh du rüber zu Blanche.«

Guy starrte ihn an. In seinen Augen stand Schrecken, Zorn, Angst und sogar Haß. Dann kam er langsam die Stufen herunter und stellte sich neben Nathan. »Wirklich tot?«

»Ja, wirklich tot«, antwortete Nathan still.

Guy weinte nicht. Aus seiner Kehle kam ein seltsam ersticktes Schluchzen, in dem fast ein Lachen durchklang. Dann ging er ohne ein Wort eilig davon.

Der Schock, den Blanche erlitten hatte, als der Vater ihr das von der geliebten Tante Täubchen erzählte, hielt immer noch an. Sie hatten nicht noch einmal davon gesprochen, aber ihre geordnete kleine Welt lag in Scherben. Wenn Tante Täubchen etwas so Undenkbares tun konnte, wie stand es dann mit anderen Menschen – Pa, Ma, Guy? Nein, das war nicht möglich. Nur wußte sie jetzt: Die Welt war nicht so harmlos und unschuldig, wie sie es sich vorgestellt hatte. Sünde und Unrecht gehörten viel mehr zum

Leben, als sie gedacht hatte, wenn sie sogar in ihre Familie einzudringen vermochten. Der einzige Mensch, nach dem sie sich jetzt sehnte, von dem sie Trost erhoffte, war Guy. Er wußte offenbar, was an dem schrecklichen Sonntagmorgen in der Kirche geschehen war. Aber wenn es mit Tante Täubchen zu tun hatte, warum hatte es ihn so erregt? Ja, Guy mußte Bescheid wissen. Aber natürlich konnten sie über solche Dinge niemals miteinander reden, das wäre ungehörig. Eigentlich war es sogar seltsam, daß ihr Vater zu seiner Tochter davon gesprochen hatte. Aber wenn ihr Vater das tat, dann mußte es richtig sein.

Es klopfte an der Haustür, und Blanche öffnete.

Draußen stand Guy.

Ihr Herz tat einen Freudensprung, aber sie spürte sofort, daß dies kein glücklicher Besucher war. Schweigend sahen sie einander an, dann lächelte er flehend und mühsam und sagte:

»Mein Vater ist . . .« Mehr kam nicht.

Blanche war in mancher Beziehung noch ein Kind, doch in diesem Augenblick war sie ganz Frau. Wortlos streckte sie die Arme aus und zog ihn, ohne etwas zu verstehen, warm und zärtlich an sich. »Komm rein, Lieber«, flüsterte sie.

In der sorgsam geschonten Stube führte sie ihn zum Sofa, setzte sich neben ihn, nahm seine Hände in die ihren und sah ihm ins Gesicht. »Was ist, Guy?«

Er schluckte. »Ich weiß es nicht. Dein Vater sagt, er – er ist tot. Aber er ließ mich nicht rein zu ihm.«

Sie schwieg und versuchte nur mit aller Kraft, ihm durch den Druck ihrer Hände Trost zu geben.

Er sagte stockend: »Ich glaube – ich fürchte – dein Vater hat die Polizei geholt.«

Sie wartete. Helfen konnte sie ihm nur, indem sie ihn reden ließ.

»Das würde bedeuten «, sagte er und hielt wieder inne.

Sie legte den Arm um ihn und zog seinen Kopf an ihre Schulter. »Das würde bedeuten –?« half sie nach.

»Selbstmord.« Er flog an allen Gliedern.

»Das sehe ich nicht ein«, sagte Blanche fest. »Guy! Dein Vater ist doch der letzte, der – und außerdem, was für einen Grund sollte er haben?« In Blanches Augen war Pfarrer Clulow stark wie ein Fels.

Jetzt fiel ihr etwas ein, das sie bisher keinen Augenblick vergessen hatte: Guys Verhalten im Park. Was hatte er doch gesagt? ›Laß mich allein. Unrein.‹

Guy hatte ihre Frage nicht beantwortet. Was hatte das alles zu bedeuten? Hatte Guy eine schreckliche Sünde begangen, und hatte sein Vater aus Scham darüber Selbstmord verübt? Das war undenkbar. Aber für Blanche war die Sünde ein dunkles und fremdes Gebiet; es war durchaus möglich, daß sie wie ihre Mutter und Großmutter aufwuchs, heiratete und starb, ohne je zu erfahren, was Sünde war. So fragte sie jetzt behutsam: »Es war doch – nicht etwas, was du getan hast, nicht wahr?«

Er sah sie erstaunt an und schüttelte den Kopf. »Nein. Es war mein Vater – mit dieser Frau. Sie . . .« Er brach ab. Aber Blanche verstand nun. Undenkbar, aber wahr: Mr. Clulow hatte eine Affäre mit einer Frau gehabt. So etwas gab es also. Blanche sah die Frau deutlich vor sich: geschminkt, parfümiert, mit blutroten Fingernägeln und hohen Absätzen. Sie konnte sich zwar absolut nicht vorstellen, daß Mr. Clulow mit so einer Person irgendwas zu tun hatte, aber sie wußte, daß alle Männer schwach waren. Und wenn Mr. Clulow in die Netze einer solchen Person geraten war, dann war es gut möglich, daß er nur noch den einen Ausweg sah. Der Arme. Er hätte – besser als andere Menschen – wissen müssen, daß Tod der Preis der Sünde ist.

Wozu noch reden. Sie hielt den Liebsten in ihren Armen, schwach und erschöpft. Sie begann ihn hin- und herzuwiegen und summte leise ein Kinderlied, strich mit den Lippen über sein Haar und wußte, es würde für sie nie ein höheres Glück geben, als dieses ihr Kind, ihren Liebsten, im Arm zu halten.

Doch ihre Gedanken jagten. Was war geschehen, und wo war ihr Vater? Er war doch nicht wirklich zur Polizei gegangen? Nein – Mr. Clulow war bestimmt nicht tot, das war gar nicht möglich. Guy war irgendeinem schrecklichen Irrtum erlegen.

Dann plötzlich zerbrach die Stille. Ihr Vater kam ins Haus, rief laut nach der Mutter, starrte sie und Guy an, stürzte in die Küche und rief dann:

»Blanche! Wo ist die Mutter?«

»Sie ist mit den Jungen im Park.«

»Oh – ja.« Er kam wieder ins Zimmer und sah sie beide an. Sie hatten sich erhoben. Blanche hatte ihren Vater noch nie so gesehen, völlig außer sich vor innerer Erregung und bemüht, sich äußerlich zu beherrschen. Die Schultern sackten plötzlich ab, er schloß die Augen, und als er sie wieder öffnete, war das Feuer daraus verschwunden, und die Unruhe in dem faltigen Gesicht hatte sich gelegt. Er ließ sich in einen Sessel fallen und winkte ihnen, sich ebenfalls zu setzen. »Entschuldigt«, murmelte er und brachte ein kleines verlegenes Lächeln zustande. »War ein bißchen zuviel.«

Er saß schweigend da, wie ein Mann, der kurz vor dem Einschlafen ist. Sie sahen ihn angstvoll an.

Endlich sagte er: »Du mußt hierbleiben, Guy.« Er warf ihm ein in Zeitungspapier verpacktes Bündel zu. »Ich hab dir ein paar Sachen zum Anziehen aus eurem Haus mitgebracht. Du darfst noch nicht hingehen.«

Trotzig sagte Guy: »Ich werde hingehen, wann es mir paßt. Es ist mein Zuhause.«

»Jetzt hör mir mal zu, Guy. Du weißt noch gar nichts. Blanche, geh du in die Küche.«

»Ich möchte, daß sie hierbleibt. Die Wahrheit über – unsere Angehörigen erfährt sie besser von Ihnen als von mir.«

Dann brach er plötzlich los: »Sagen Sie mir doch um Gottes willen, was mit meinem Vater ist.«

»Er ist tot, Guy. Die Polizei sagt, es wird eine gerichtliche Untersuchung geben. Du weißt doch, was das heißt?«

»Wie hat er es gemacht?« fragte Guy tonlos.

Nathan schwieg einen Augenblick und sagte dann: »Er hat sich die Pulsadern geöffnet.«

Guy starrte ihn an. Dann sprang er auf die Füße und rannte in die Küche. Blanche wollte ihm folgen, aber Nathan hielt sie fest. »Laß ihn jetzt allein, Blanche. Du weißt doch, was vorgefallen ist, nicht wahr?«

»Mr. Clulow hat sich umgebracht. Aber warum, Pa? Warum?«

Er erzählte es ihr und hielt sie dabei ganz fest. Als er alles gesagt hatte, riß sie sich los, um ihn besser ansehen zu können. »Du meinst – der Pfarrer und Tante Täubchen?« fragte sie ungläubig.

Er nickte. Sie war leichenblaß, und er fürchtete, sie könne ohnmächtig werden.

»Kommt er nun in die Hölle?« fragte sie. »Ich meine, weil er doch ein Pfarrer war?«

»Ich hoffe es nicht. Sie waren beide sehr einsam, Blanche.«

Erstaunt sah sie ihn an. »Macht denn das was aus?« Sie war bisher nicht auf den Gedanken gekommen, daß es für Sünden mildernde Umstände geben könnte.

»Wenn ich der Herrgott wäre, würde es was ausmachen«, sagte Nathan. Doch das war er nicht. Aber ich bin bloß ein armer Vater, dessen Tochter vor seinen Augen feststellen muß, daß die Welt, in der er sie hat aufwachsen lassen, aus Lug und Trug besteht.

14

Vinny Musgrove war schon vor langer Zeit zu dem Schluß gekommen, daß das Leben eine Komödie sei, obgleich sie mit zwanzig Jahren Witwe wurde und nicht nur für einen kleinen Sohn, sondern auch für einen großen Gutshof zu sorgen hatte.

Sie war eine verständnisvolle und mitfühlende Frau. Als sie jetzt ins Herrenhaus hinüberging, um mit Dorothy und ihrer verpönten Besucherin Tee zu trinken, freute sie sich insgeheim auf Dorothys Auftreten, war aber gleichzeitig entschlossen, Miß Cranswick so weit wie möglich jede Demütigung von seiten ihrer Gastgeberin zu ersparen.

Auch Edith Cranswick folgte der Einladung mit gemischten Gefühlen. Sie war der netten Mrs. Heron ehrlich dankbar dafür, daß sie eine Einsame so freundlich zum Tee eingeladen hatte. Unglaublich gütig von ihr, wirklich. Aber nervös war sie doch. Selbst auf der High School hatte man sie auf den Verkehr mit dem Landadel nicht vorbereitet. Und in ihrer jetzigen Übergangswohnung hatte sie auch weder die Kleidung noch das Zubehör für einen solchen Besuch. Überdies kam das englische Wetter, boshaft wie immer, mit naßkaltem Dauerregen. Sie erreichte das Haus naß und zerzaust. Das junge Ding, das ihr die Tür öffnete, starrte sie so konsterniert an, als stünde eine berühmte Schauspielerin oder jemand aus der königlichen Familie auf der Schwelle. Etwas irritiert sagte Edith:

»Könnte ich mich wohl irgendwo ein bißchen frisch machen?«

»'türlich«, sagte Dina freundlich. Sie wußte, »solche Damen« mußten immer elegant auftreten; das gehörte zum Gewerbe. Sie öffnete eine Tür und sagte: »Hier drinnen finden Sie alles.« Fünf Minuten später öffnete sie eine andere Tür und verkündete: »Miß Cranswick.«

Edith stand in der Tür eines riesigen Salons von einem Luxus, den sie nie für möglich gehalten hätte. Sie erschrak, als sie jetzt *zwei* Damen vor sich sah: eine sehr freundlich aussehende saß entspannt auf einem breiten Sofa, die andere thronte steif und gerade an einem kleinen Tisch.

Die Steife neigte den Kopf. »Miß Cranswick, guten Tag. Ich bin Mrs. Heron, und das ist Mrs. Musgrove. Bitte nehmen Sie Platz.« Kühl bis ans Herz hinan.

Da standen so viele Stühle – welchen sollte sie nehmen? Mrs. Heron half ihr mit keinem Wort. Doch jetzt sprang Mrs. Musgrove auf und führte Edith zum Sofa. »Kommen Sie, setzen Sie sich zu mir.«

»Danke schön«, sagte Edith dankbar. Mrs. Musgrove fragte: »Soll ich gleich klingeln, Dorothy?«

Mrs. Heron nickte. Mrs. Musgrove zog an einer langen Samttroddel, die neben dem Kamin hing. Dann setzte sie sich neben Edith, lächelte ihr warm zu und sagte: »Ein scheußliches Wetter. Sind Sie sehr naß geworden?«

»Nein, nicht so schlimm, danke schön«, sagte Edith.

Die Tür ging auf. Ein Diener im Gehrock kam herein mit einem riesigen Tablett mit Silbersachen. Eine Frau folgte mit einem zweiten Tablett mit Geschirr und Kuchen und Sandwiches. Der Diener stellte das Tablett auf Mrs. Herons Tisch, rückte einiges zurecht, und dann begann die Zeremonie. Plötzlich fragte Mrs. Heron: »Und wie geht es Ihrem Bruder, Miß Cranswick?«

»Gut, danke, Mrs. Heron.«

Sie hatte nicht mit der Wimper gezuckt bei der Frage. Allmählich sah es so aus, als sei er wirklich ihr Bruder. Und sie war auch keineswegs so, wie Dorothy erwartet hatte. Gut und diskret angezogen, nichts Auffallendes; sie sprach gut, sie war höflich, aber nicht unterwürfig. (Etwas

Unterwürfigkeit wäre Dorothy ganz lieb gewesen.) Und sie war nicht im mindesten ungeschickt mit Teetasse und Teller und Serviette. Konnte wirklich die Schwester eines Mannes wie Cranswick so damenhafte Manieren haben? dachte sie argwöhnisch. Andererseits: war das denn von einem leichten Frauenzimmer eher anzunehmen? Ach, es war alles höchst ärgerlich. Ärgerlich und sehr enttäuschend.

Und nun Vinny – die mußte natürlich der Person auch noch schöntun. Gerade hatte sie sie gefragt: »Finden Sie das Cottage nicht auch ganz reizend, Miß Cranswick?«

»O ja, bezaubernd«, sagte Edith, und die beiden Frauen lächelten einander an. Edith lachte. »Für meinen Bruder ist es der Garten Eden.«

Und wer weiß, vielleicht bist du doch die Schlange, dachte Dorothy. Laut sagte sie: »Noch eine Tasse Tee, Miß Cranswick?«

»Danke, gern.« Edith hielt inne. »Darf ich sagen, Mrs. Heron, was für ein wunderschöner Raum dies ist?«

Mrs. Heron neigte kühl den Kopf.

Lavinia Musgrove sagte: »Sie haben gewiß Freude an schönen Dingen, nicht wahr?«

»Ja«, sagte Edith etwas entspannt. Ihr Gesicht erhellte sich. »Deshalb genieße ich es ja auch so, diese – Urlaubstage hier. Ich bin an so viel Schönheit gar nicht gewöhnt: der Fluß, die Bäume und Blumen. Für einen Städter ist das alles eine Offenbarung.«

»Das glaube ich gern«, sagte Dorothy Heron kühl. Das eine kurze Zögern in Ediths Antwort war ihr nicht entgangen. »Sie sind also auf Urlaub hier, Miß Cranswick?«

»Ja, so kann man vielleicht sagen, Mrs. Heron.«

»Wieso *vielleicht*?« hakte Dorothy ein.

»Dorothy!« sagte Lavinia scharf.

»Wieso *vielleicht*, Miß Cranswick?« wiederholte Dorothy Heron.

Edith war tiefrot geworden. Sie erhob sich ruhig und sagte: »Ich muß jetzt wirklich gehen, Mrs. Heron. Vielen

Dank für die freundliche Einladung.« Sie neigte leicht den Kopf und lächelte Mrs. Musgrove zu, dann ging sie zur Tür.

Mrs. Heron stand nicht auf. »Hill, holen Sie Miß Cranswicks Mantel. Auf Wiedersehen, Miß Cranswick. Vielen Dank für Ihren Besuch.«

Edith neigte noch einmal den Kopf und ging weiter. Eins zu null für dich, dachte Lavinia. »Miß Cranswick!« rief sie. »Warten Sie einen Moment, ich komme mit.«

Minuten später gingen sie schweigend zusammen den Weg hinunter, der voller Wasserlachen stand. Endlich sagte Lavinia: »Verdammt unhöflich war sie. Tut mir leid. Sie ist eine meiner ältesten Freundinnen, aber sie kann ganz unmöglich sein.«

»Sie müssen sich nicht gezwungen fühlen, meinetwegen einer alten Freundin gegenüber unloyal zu sein.«

Lavinia blickte interessiert auf. »Sie schätzen Loyalität?«

»Ja. Sehr hoch.«

»Ja.« Pause. »Ich bewundere Ihren Bruder, soweit ich ihn kenne«, sagte Lavinia.

Edith wandte sich ihr zu und lächelte. »Danke. Ja, er ist ein *guter* Mann.«

»Ich weiß. Man sieht es ihm an.«

»Ja.«

Der Wind schleuderte ihnen eine Handvoll Regen ins Gesicht. Lavinia Musgrove fragte:

»Haben Sie – irgendwelchen Kummer?«

»Ja.«

»Möchten Sie darüber reden?«

»Lieber nicht, wenn das nicht unhöflich ist.«

Lavinia lachte. »Ich würde Sie auch nicht für unhöflich halten, wenn Sie mir sagten, ich sollte mich um meine eigenen Angelegenheiten kümmern. Aber – wenn Sie jemals reden möchten...«

»Danke. Sie sind sehr freundlich.« Sie waren an einer Weggabelung angekommen. Mrs. Musgrove sagte: »Lavinia Musgrove, Hall Farm. Meine Freunde nennen mich Vin, oder Vinny. Besuchen Sie mich mal. Ich gehe hier links runter, Sie müssen rechts gehen.« Offen und nachdenklich blickten sie einander an: die schöne kraftvolle Landfrau und die wehmütig-stille Taube aus der Stadt. Jede wußte, daß sie eine zuverlässige Freundin gefunden hatte.

Auf ihrem Heimweg traf Lavinia einen Reiter, der ihr zurief:

»Vinny, wo kommst du denn her bei diesem Wetter?«

»Ich war zum Tee bei Dorothy, mit Miß Cranswick, Robert.«

»Ah ja. Nun, wie ist sie denn?«

»Eine ganz reizende und intelligente Frau.«

»Großartig. Und wie kam sie mit Dorothy aus?«

Schweigen. Dann sagte Lavinia: »Na ja, in die Haare sind sie sich nicht gerade geraten.«

»Liebe Zeit. War es so schlimm?«

»Ja – du weißt ja, wie Dorothy ist. Aber Miß Cranswick ist ihr nichts schuldig geblieben. Im Gegenteil, würde ich sagen. Paß nur auf, lieber Robert.«

Er grinste. »Ich krieg sowieso die ganze Schuld. Na, macht nichts. Die arme Dorothy nimmt sich so schrecklich wichtig.« Er galoppierte davon, um den Brei auszulöffeln, den er sich da eingebrockt hatte.

»Allmächtiger!« rief Mr. Hill aus und schoß fast aus seinem Sessel hoch.

»Hill!« protestierte seine Frau. Sie mochte keine Blasphemie, vor allem nicht am Sabbat. Man konnte nie wissen, ob nicht der Blitz danach einschlug.

Dina sagte gar nichts. In ihren Augen stand gespannte Erwartung.

Mr. Hill wand sich aus seinem Sessel und brachte die *News of the World* hinüber an den großen Spültisch, wo Mrs. Hill und Dina nach dem Abendessen das Geschirr abwuschen. »Da!« sagte er und stupste mit dem Finger auf einen Artikel auf der Innenseite.

Mrs. Hill las ihn und wehrte dabei Dina ab, die sich dazudrängen wollte. Dann sagte sie:

»Fertig. Ich hab's gelesen.«

»Und gemerkt hast du gar nichts?« fragte Hill triumphierend.

»Eh – nein?« sagte Mrs. Hill vorsichtig. Sie hatte keine Lust, sich von ihrem Mann übertrumpfen zu lassen, dem sie sich geistig und sozial überlegen fühlte.

»Und wie ist das mit der großen Dame, die neulich zum Tee hier war?«

Mrs. Hill überlegte. »Miß Cranswick?« Sie griff noch mal nach der Zeitung. »Miß Cranswick. Ingerby. Von dem Verstorbenen *Täubchen* genannt«« – Sie fuhr zu Dina herum. »Stimmt – du hast gehört, wie er sie *Täubchen* nannte, was?«

»Ja. Was steht denn da, Mrs. Hill? Steht da so was wie in dem anderen Artikel neulich, ›Es kam zu Intimitäten‹?«

Mrs. Hill fiel jetzt ein, daß sie die Haushälterin war und daß es sich für sie nicht schickte, so üble Dinge mit dem Küchenmädchen zu erörtern. »Das geht dich nichts an«, sagte sie kurz. Denn sie hatte soeben wieder die beiden Wegweiser, Pflicht und Lust, wahrgenommen, die in die gleiche Richtung zeigten. Sie nahm daher kurzerhand ihrem Mann die Zeitung aus der Hand, verließ die Küche und marschierte die Treppe hinauf nach oben in den Salon.

Robert Heron kehrte von einem behaglichen Spaziergang im Forst zurück. Die Abendsonne schien herrlich warm, seine Pfeife schmeckte ihm; er war so zufrieden, wie es ein englischer Landedelmann auf eigenem Grund und Boden nur sein konnte. Das Leben hatte ihn nicht gelehrt, dem Lächeln des Geschicks zu mißtrauen, und er war daher unvorbereitet auf das Gewehrfeuer, das ihn beim Eintritt in den Salon begrüßte.

Es hatte einiger Wässerchen und Riechsalz bedurft, um Dorothy Heron halbwegs wieder herzustellen. Die Erkenntnis, daß tatsächlich in diesem Salon eine leichtfertige Person von ihr bewirtet worden war, hatte ihr eine Weile fast den Verstand geraubt. Das Badewasser brauchte zum Heißwerden immer mehrere Stunden, sonst wäre sie sofort nach oben gestürzt, ins Bad. Sie kam sich beschmutzt, infiziert vor. Erst als ihr mit freudigem Schreck einfiel, daß sie das alles ihrem Mann zu verdanken hatte, kam sie wieder zu sich. Jetzt saß sie da, aufrecht, mit rachsüchtig glitzernden Augen, Hills Zeitungsblatt fest in der Hand, und wartete.

Schritte auf der Treppe. Die Tür ging auf, und Robert kam herein, gefolgt vom wedelnden Rover. »Herrlicher Abend«, sagte er und trat an den Flaschenständer, wo er sich einen Whisky einschenkte. Erst jetzt bemerkte er die eisige Stille im Raum.

Ohne ein Wort reichte ihm seine Frau die Zeitung. Er sah sie erstaunt an.

»Was machst du denn mit diesem Schundblatt?«

»Lies nur«, sagte sie grimmig. »Da – ›Schreckliche Enthüllungen über Tod eines Geistlichen‹ – das ist es.«

Er las. »Mein Gott – Ingerby.« Er las weiter. »Clulow. Der Name kommt mir bekannt vor. Armer Kerl.«

»Armer Kerl?« Sie war empört. »Er ist doch wohl selber schuld, oder?«

»Trotzdem, armer Kerl. Was er durchgemacht haben muß ...«

»Dafür hat er ja vorher seinen Spaß gehabt. Daran hätte er denken können.« Doch dies alles war nur das *hors d'œuvre*, das Spiel der Katze mit der Maus. Jetzt kam der Prankenschlag. »Und was ist mit der Dame?«

Robert warf noch einen Blick auf die Zeitung. »Miß Cranswick? Ist das nicht – ja natürlich. Ja. Cranswicks Schwester. Herrgott im Himmel.«

Dorothy Heron sammelte ihre Streitkräfte. »Allerdings. Die Frau, die ich zum Tee einladen mußte.«

Etwas hilflos blickte er noch einmal auf die Zeitung. »Kann sein«, sagte er.

»Kann sein? Sie *war* es, du Narr. Paßt alles zusammen. Die Schwester eines Laienpredigers und die – Freundin eines Geistlichen.«

Er sprach halb zu sich selbst, als er jetzt sagte: »Das ist schlimm für unsere Kirche hier. Ich muß so bald wie möglich mit dem Superintendenten sprechen. Feststellen, was man dort vorhat.«

»Das hat ja wohl Zeit, mein Lieber. Zunächst mal mußt du als erstes dafür sorgen, daß diese Huri aus unserem Cottage verschwindet.«

Sie war so fein erzogen worden, daß in ihrer Gegenwart das Wort vermutlich noch niemals ausgesprochen worden war. Er sagte deshalb gereizt:

»Hure, nicht Huri.«

»Was redest du da?«

»Hure. Huris gibt es nur im Islam. Wenn du schon Schimpfwörter benutzt, dann such dir auch die richtigen aus.«

Das Gespräch drohte einen Kurs einzuschlagen, den sie durchaus nicht beabsichtigt hatte. Robert sollte am Boden zerstört werden und nicht ihr Vokabular kritisieren. Aber sie wollte ihn schon gefügig machen. Sie saß stocksteif da, mit eisig glitzernden Augen; auch in der Stimme klirrte Eis. »Robert! Du hast offenbar noch gar nicht begriffen, daß du es warst, der mich zwang, diese – Person hierher einzuladen. Und ich habe auch noch die arme Vinny dazugebeten, in aller Ahnungslosigkeit! Das wird sie mir nie verzeihen. Ich habe dir gleich gesagt, es war beleidigend – die Schwester eines Handwerkers. Hätte ich geahnt, *wie* beleidigend . . .«

Er schien gar nicht zuzuhören. »Mein Gott, was für eine schreckliche Geschichte«, murmelte er. Dann fiel ihm etwas ein, was er nicht laut sagte, sondern ganz für sich behielt. Verwünscht. Cranswick war hier nicht ganz offen gewesen. Was hat er gesagt, als er mir – reichlich spät, muß ich schon sagen – mitteilte, daß er seine Schwester im Cottage untergebracht habe? Sie hatte – ja, sie hatte eine schwere Zeit hinter sich.

Was es war, hat er nicht gesagt. Verwünscht noch mal. Man darf vielleicht von diesen Leuten nicht zuviel erwarten, aber trotzdem – er war nicht offen zu mir. Dadurch hat Dorothy jetzt Oberwasser.

Das bewies ihm Dorothy sofort, als sie sagte: »Es ist dir wohl klar, daß sie heute abend noch fort muß?«

»Fort?« fragte er. »Fort wohin?«

»Das kümmert doch mich nicht, und auch dich hoffentlich nicht. Jedenfalls aus dem Cottage fort, dann kann sie gehen, wohin sie will.«

Er sagte sehr ruhig: »Meine liebe Dorothy, ich weise keine Frau zur Nachtzeit hinaus aus Haus und Heim, und damit basta.«

»Das Dorf hier ist eine christliche Gemeinde«, sagte sie. »Was sollen die Leute denken, wenn sie sehen, daß du eine notorisch leichtfertige Person aufnimmst?«

»Was sollen sie denken, wenn ich sie heute abend auf die Straße setze?«

»Sie werden es dir danken, weil du ihre Töchter und Söhne vor dem üblen Einfluß dieser Frau bewahrst.«

Robert ließ sich schwer in einen Sessel fallen. Er hatte Angst. Ihm war, als habe seine Frau ihm eine Schlangengrube gezeigt, in der sich Haß und Frömmelei wanden. Und das Schlimme war: Er wußte, auf lange Sicht gesehen hatte sie recht. Sobald man in Moreland von dieser Sache erfuhr, konnte er Miß Cranswick nicht in einem seiner Cottages wohnen lassen. Die Leute wären empört. Er würde es auch selber nicht zulassen. Er war ein großherziger Mensch, verdammen würde er niemals. Aber was ihm zuwider war, das wollte er auch nicht schweigend billigen. Miß Cranswick mußte gehen, schnell und unauffällig, und wenn möglich in beiderseitigem Einverständnis. Aber gehen mußte sie.

Dorothy Heron nahm das Schweigen ihres Mannes für

widerwilliges Einverständnis. Um ihr Eisen zu schmieden, sagte sie:

»Und auch Cranswick muß natürlich gehen.«

Roberts Blick glich fast dem eines gejagten Tieres. Er sagte schwer: »Das habe ich zu bestimmen. Er ist ein guter Mann und ein guter Arbeiter.«

»Mag sein. Aber mit dieser kostbaren Schwester hat er dich zum Narren gehalten.«

»Das wird sich herausstellen.«

»Er hat gelogen und dich getäuscht. Und außerdem – ein fauler Apfel ist nie der einzige im Korb, da sind immer noch mehr. Und sie ist seine Schwester, vergiß das nicht.«

»Dorothy, diese Dinge sind niemals so schwarz und weiß und so simpel, wie du dir vorstellst. Es geht dabei um verletzliche und recht hilflose Menschen, man kann das nicht einfach so abtun. Bitte überlaß es also mir.«

»Ich weiß nicht, was da viel nachzudenken ist«, sagte Dorothy verärgert. Aber sie war einigermaßen zufrieden. Wenn Robert das nächste Mal Lust hatte, sich aufs hohe Roß zu setzen, würde er wohl etwas vorsichtiger sein.

Jetzt lag noch eine recht böse Aufgabe vor Dorothy; und da sie im Grunde ein redlich denkender Mensch war, erledigte sie sie sofort. Verweint und überreizt erschien sie im Farmhaus. »Meine liebe Vinny, ich habe etwas getan, das du mir nie, niemals verzeihen kannst.«

»Wieso – was ist denn los?« fragte Lavinia kühl.

»Ich habe dich, ohne es zu ahnen, mit einer sittenlosen Frau bekannt gemacht. Und was noch schlimmer ist, ich habe dich sogar mit ihr zum Tee gebeten.«

»Du meinst Miß Cranswick. Liebe Doll, dafür bin ich dir außerordentlich dankbar. Von ihrer Moral weiß ich gar nichts, aber ich fand sie enorm anziehend.«

»Dann wirst du deine Meinung wohl ändern müssen«, sagte Dorothy giftig. »Hier, lies das.« Sie schob ihr die *News of the World* zu.

Lavinia las. »O wie schrecklich. Die Ärmste! Ich muß zu ihr gehen.«

Für Dorothy Heron schien die Welt plötzlich kopfzustehen. Leichtfertigkeit und Unmoral waren in ihr Leben getreten. Und ihr Mann sowie ihre älteste und liebste Freundin fanden für die Schuldigen keine anderen Worte als »Armer Mann« und »Arme Frau«. Warum sagte keiner mal »Arme Dorothy«, die man gezwungen hatte, eine solche Person in ihr Haus einzuladen. Sie explodierte. »Zu ihr gehen? Lavinia, sie ist doch kaum etwas anderes als eine ganz gewöhnliche – du weißt schon.«

»Ach, übertreib doch nicht so sinnlos, Dorothy.«

Dorothy war ins Farmhaus gekommen mit der Absicht, ihre Freundin, der sie so bitteres Unrecht zugefügt hatte, um Verzeihung zu bitten. Nun mußte sie feststellen, daß die Freundin gar kein Unrecht gelten ließ und außerdem nicht begriff, worum es sich hier handelte. Also war Dorothy entsprechend gereizt.

»Du wirst dich beeilen müssen, meine Beste«, sagte sie bitter. »Robert will sie heute abend hinauswerfen.«

»Unsinn. So was würde Robert niemals tun.«

Lavinia hatte recht. Manchmal hatte sie mehr Verständnis für Robert Heron als seine eigene Frau.

Robert verbrachte eine lange schlaflose Nacht; und je mehr er grübelte, desto größer wurde sein Groll über Nathan Cranswick. Nathan mußte von all dem gewußt haben, als er seine Schwester in Roberts Cottage brachte. Und was hatte er gesagt? Zuerst gar nichts. Verschlossen wie eine Auster. Am Ende dann irgend etwas von einer schweren Zeit. Nein, so ging es wirklich nicht. Wenn er Cranswick anstellen sollte, dann mußte viel mehr Vertrauen zwischen ihnen herrschen. Aber um drei Uhr früh sah es nicht mehr sehr wahrscheinlich aus, daß er Cranswick anstellen würde.

Robert Heron war ein Mann, der schwelenden Groll haßte. Er mußte Cranswick aufsuchen, und zwar schnell, bevor das Mißtrauen noch weiter wuchs. Um acht Uhr morgens fuhr er in seinem leichten zweirädrigen Wagen die Straße hinunter nach Ingerby. Er hatte ein Frühstück mit Rührei und Schinken hinter sich und sah, mit Peitsche und Zügel in der Hand, äußerlich elegant und gepflegt aus. Nur das Herz war ihm schwer. Die stille Schönheit des Morgens übte eine beruhigende Wirkung auf ihn aus, aber er wußte, er war im Begriff, die Sorgen und Nöte eines Mannes zu vergrößern, der im Grunde ein Mann nach seinem Herzen war, ein Mann, den er achtete und bewunderte.

Doch bevor er zu Nathan ging, suchte er den Superintendenten auf. Das war keineswegs ein Mann nach seinem Herzen; er war ein negativ eingestellter Mensch, voller Verachtung für einen Priester, der die Kirche an die *News of the World* verkauft hatte. Ja. Der Superintendent meinte, da sei doch auch ein Sohn –? Nein, er wußte nicht, wo der Junge war. Nein. Selbstverständlich wußte er auch nicht, was mit der Frau geschehen war. Und, offen gesagt, es kümmerte ihn auch nicht. Nur in einem Punkt war er nicht völlig negativ: Nach dem Zeitungsartikel war die Frau die Schwester von einem der Laienprediger. Bis zu den Enthüllungen über Clulow hätte der Superintendent so was niemals für möglich gehalten. Doch nun – ja, jetzt konnte man ja wohl alles glauben, nicht wahr? Und wenn es wirklich zutraf, dann mußte die Anstellung dieses Laienpredigers sehr, sehr sorgfältig erwogen werden. Man durfte nicht zulassen, daß womöglich der Hirte die Herde ansteckte.

Robert Heron sagte nur wenig darauf. Er verabschiedete sich und machte sich auf den Weg zu Cranswick.

Sie trafen sich im Hof der Werkstatt: Robert in gutgeschnittenem, erstklassigem Tweed und Nathan in seinen Arbeitskleidern.

»Guten Morgen, Mr. Heron«, sagte Nathan ruhig und ohne seine sonstige Wärme. Die letzten Tage hatten ihm arg zugesetzt.

Beim Anblick seines Freundes, der ihm blaß und freudlos gegenüberstand, spürte Robert allen Ärger schwinden. An Stelle des Vorwurfs, den er beabsichtigt hatte, sagte er ruhig und ohne Bitterkeit: »Warum haben Sie mir nichts gesagt?« In seiner Stimme lag Mitgefühl und keinerlei Schärfe.

»Ich habe zuerst gar nicht daran gedacht, Mr. Heron. Und dann, nach der Untersuchung und alldem, habe ich mich gefragt, ob ... Aber dann hoffte ich, Sie würden es genauso ansehen wie ich.«

»Und wie haben Sie es angesehen?«

»Ich dachte, wenn jemand das durchgemacht hat, was Edith durchmachen mußte, dann braucht er ein bißchen Ruhe und Frieden.«

»In einem meiner Häuser? Vergessen Sie nicht, ich habe auf meinen Ruf zu achten. Und ich muß den Dorfbewohnern ein Vorbild sein.«

»Ich sagte nicht, daß sie Ruhe und Frieden verdient hat, Mr. Heron. Ich sagte nur, daß sie sie *brauchte*. Und ich hatte Sie so verstanden, daß ich über dieses Haus verfügen durfte, wie ich wollte.«

Sie standen jetzt in dem schäbigen kleinen Büro, das zur Werkstatt gehörte. Heron betrachtete das verstaubte Nordfenster, den überfüllten Schreibtisch, den Spieß mit den Quittungen, den Linoleumfußboden. Das kleine dunkle Loch kannte weder Sonne noch Morgen- und Abenddämmerung, weder Schnee noch Wind und Wetter. Das hier war Cranswicks Welt, wenn er nicht im Regen auf einem Dach hockte oder im Schlamm Fundamente aushub. Robert dachte an den weiten Himmel über seinem eigenen Land. Trotzdem sagte er streng:

»Mr. Cranswick, ich finde, Sie sind mir gegenüber nicht ganz fair gewesen.«

»Es tut mir leid, daß Sie das so sehen, Mr. Heron.«

»Sie haben mir gesagt, Ihre Schwester habe eine schwierige Zeit hinter sich. Was die Schwierigkeiten waren, das haben Sie mir nicht gesagt.«

»Das war gedankenlos von mir. Ich sehe es ein.«

»Gedankenlos? Oder unaufrichtig?«

»Gedankenlos. Wie ich schon sagte, ich habe einfach nicht daran gedacht.«

»Inzwischen hat ihr – Freund sich umgebracht, es hat eine skandalöse Untersuchung stattgefunden, und ich erfahre von der ganzen Sache zuerst aus einem Sensationsblatt.«

Mit betont sachlicher Stimme sagte Nathan: »Meine Hauptsorge war meine Schwester. An irgendeine Irreführung habe ich keinen Augenblick gedacht. Aber Sie haben recht, wenn Sie jetzt ärgerlich sind. Ich werde sie natürlich heute noch wegbringen, dann steht Ihnen das Cottage zur Verfügung, und ich bitte Sie, sich nach einem anderen Schreiner umzusehen.«

Robert Heron blickte ihn durchdringend an. »Und das ist dann das Ende von allem, was Sie erhofft hatten.«

Nathan schwieg und ließ sich in seinen Stuhl zurückfallen, doch dann raffte er sich zusammen. »Nein, Mr. Heron, ganz so schwächlich bin ich nicht. Ich habe eine Frau und Kinder und ein Geschäft. Wenn ein Mann aus einem schönen Traum erwacht, dann heißt es nicht, daß er nie wieder träumen kann.«

Heron erhob sich, trat an die Tür und blickte hinaus auf den überfüllten kleinen Hof. Dann drehte er sich um und sah Nathan an. »Nun hören Sie mal zu, Cranswick, so kann ich Sie nicht gehen lassen. Sie bringen erst mal Ihre Schwester weg. Da oben kann sie nicht bleiben, das sehen Sie ein – der Skandal wäre zu groß. Und danach – ziehen Sie ein, wenn Sie soweit sind, und nehmen Ende des Monats die Arbeit auf.«

Nathan schüttelte den Kopf. »Das würde nie was werden, Mr. Heron. Sie hätten nicht mehr das Gefühl, daß Sie mir vertrauen könnten.«

»Ach was, selbstverständlich hätte ich das.«

»Und ich«, fuhr Nathan fort, »hätte nicht mehr das Gefühl, daß ich mich auf Sie verlassen könnte.«

Robert sah ihn erstaunt an. »Sie könnten sich nicht mehr auf mich . . .? Also hören Sie, das geht doch wohl etwas zu weit, Mann.«

»Ich meine damit nichts Schlechtes, Mr. Heron«, sagte Nathan ruhig. »Aber Sie sind ein Großgrundbesitzer, mit den Ansichten eines Großgrundbesitzers. Und ich –« er wies mit der Hand rundum auf das schäbige kleine Büro –, »ich bin ein Handwerker und denke so wie ein Handwerker. Meine Ansichten über den Krieg neulich, die mochten Sie nicht, und im Grunde haben Sie mich verachtet, glaube ich. Und da ich ein Handwerker bin, habe ich nicht erkannt, was es bedeutet, wenn meine Schwester in Ihrem Hause wohnt. Ich hatte mir vorgestellt, Sie würden ihr gern Zuflucht gewähren.«

»Tut mir leid, aber Sie müssen einsehen: Sie hat hier die Grenzen überschritten.«

»Sie ist immer noch ein Mensch, Mr. Heron.«

»Und hätte niemals auf meinen Grund und Boden gebracht werden dürfen.« Dann fügte er, um die harten Worte etwas zu mildern, hinzu: »Und Sie sind alles andere als ein Handwerker. Für mich sind Sie so etwas wie mein geistiger Mentor.«

»Und das ist gerade die Schwierigkeit, Mr. Heron. Wären wir einfach Herr und Knecht, dann wäre alles in Ordnung. Aber das sind wir nicht. Zwischen uns gibt es noch etwas anderes.«

»Darf ich es Freundschaft nennen?« fragte Robert ruhig.

»Das würde mich glücklich machen. Aber es wäre nicht von Dauer, Mr. Heron, wenn ich käme und für Sie arbeitete. Über kurz oder lang würden Sie mich auf einer Waage wiegen und zu leicht befinden.« Er seufzte.

»Und damit wollen Sie sagen, daß Sie auch mich zu leicht befinden.«

»Ich will sagen, daß ich Ihren Gedanken nicht immer würde folgen können.«

Sie schwiegen beide. Robert war verärgert, besonders

über sich selbst. Das Gespräch war keineswegs so verlaufen, wie er beabsichtigt hatte. Er hatte es nicht richtig in die Hand genommen. Er hatte sich vorgestellt, wie er, ein aufrechter Landedelmann, hereinkam, sich alles ohne Umstände von der Seele redete und dann: Versöhnung, eine Zusage von Cranswick, seine Schwester zu entfernen und damit Dorothy den Mund zu verschließen. Wenn dann Gras über den Skandal gewachsen war, wollte er unauffällig Cranswick wieder im Cottage installieren und ihn die Arbeit aufnehmen lassen. Wenn Dorothy dann immer noch Schwierigkeiten machte, kam es eben zum Kampf, das war ja nicht der erste; und die Trümpfe wären alle in seiner Hand.

Statt dessen war das Gespräch in Moll verlaufen; Cranswick hatte ihn ruhig und höflich in seine Schranken gewiesen und dabei gleichzeitig die eigene Zukunft in Fetzen gerissen.

»Wissen Sie noch«, sagte Heron, »was Sie sagten, als ich Ihnen damals die Stellung und das Cottage anbot?« Er wartete, denn Nathan schwieg mit bedrücktem Gesicht. »Vom Garten Eden haben Sie gesprochen.«

»Der war es auch«, sagte Nathan. Jetzt klang auch seine Stimme bedrückt.

»Dann werde ich nicht zulassen, daß Sie ihn um einer Laune willen aufgeben.«

Jetzt kam Leben in Nathan, zum erstenmal an diesem Morgen. Er sprang auf und rief:

»Es ist keine Laune, Mr. Heron!«

»Sondern was?« fragte Heron kühl. »Habe ich mich in Ihren Augen so schlecht benommen?«

»Sie haben sich in meinen Augen überhaupt nicht schlecht benommen. Ich habe nur erkannt – bevor es zu spät ist –, daß wir in zwei verschiedenen Welten leben. Herr und Knecht – das ja. Aber dafür ist es zu spät.«

»Aber doch wohl nicht Gott und Adam?« sagte Heron.

Nathan schüttelte den Kopf. »Es tut mir leid, Mr. Heron, aber ich kann's nicht erklären. Ich bin nicht klug genug. Und ich kann auch nicht mehr klar denken, nach diesen letzten Tagen. Ich weiß nur – mein Garten Eden ist vernichtet. Kann ich uns jetzt eine Tasse Tee aufbrühen?«

Heron wußte, er war entlassen, und das Wort ›aufbrühen‹ betonte den Unterschied zwischen ihnen. Er erhob sich. »Nein, danke.« Er blickte Nathan erbittert an. »Dies ist nicht das letzte Wort, das sage ich Ihnen.«

»Doch, Mr. Heron.«

Sie blickten einander fest in die Augen: Jeder bemühte sich verzweifelt, den anderen zu verstehen, und beide sahen sich geschlagen.

Heron sagte: »Ich werde Ihnen selbstverständlich die Kosten erstatten, die Ihnen bei dem Umbau entstanden sind.«

»Ja, das ist wohl in Ordnung«, sagte Nathan. »Ich danke Ihnen.«

Robert Heron wußte nichts mehr zu sagen und nickte, nur die Lippen formten das Wort ›Auf Wiedersehen‹. Eilig verließ er den Hof und schloß die Pforte hinter sich. »Ach, zum Teufel mit der Moral«, murmelte er und stieg ergrimmt in seinen Wagen.

15

Robert Heron hätte Nathan wegen seines schäbigen kleinen Büros nicht zu bemitleiden brauchen. Es war klein und schäbig, ja – aber es war sein Königreich. Es erhob ihn über alle Arbeiter in Ingerby. Sie alle hatten einen Chef. Nathan hatte keinen, er war sein eigener Herr in seinen vier Wänden, und er allein besaß den Schlüssel zu seinem Reich. Nur er durfte hier eintreten; und wenn er drinnen war, konnte er die ganze Welt ausschließen.

Nun saß er auf dem wackligen Stuhl vor seinem billigen Schreibtisch und dachte an die Zukunft, die plötzlich in Scherben vor ihm lag. Zunächst aber drängten sich Bilder der jüngsten Vergangenheit noch einmal in seine Gedanken: Martin Clulows blutleere Finger, seine durchschnittenen Handgelenke; Ediths Gesicht, als er ihr berichtete, daß Martin sie verlassen hatte (wobei weder Edith noch er selbst ein Wort der Verdammung geäußert hatte; Gott allein stand der Richtspruch zu, und sie beide hofften, er werde ebensoviel Verständnis haben wie sie); das Trauma der amtlichen Leichenschau, als Nathans Vater, geschwollen vor Entrüstung, den Toten als Schänder und Verführer geschmäht hatte; Nathans Sorge um den vereinsamten Guy und die Entscheidung, ihn zunächst zu sich ins Haus zu nehmen; seine Freude, als es ihm gelungen war, noch im letzten Moment das Geschäft zu verkaufen – eine Freude, die sich jetzt in Panik verwandelte.

Und nun also die Zukunft. Erst einmal Edith aus dem Cottage holen. Das sollte noch heute geschehen – Ehrensache. Auch sie mußte irgendwie im Hause untergebracht werden.

Dann gegen Ende des Monats die Übergabe des Geschäfts. (Er hatte ja gewußt, daß er sein kleines Königreich hergeben mußte. Nur hatte er sich vorgestellt, er werde es gegen ein erfüllteres Leben, eine weite farbige Welt eintauschen und nicht gegen Bargeld.)

Und schließlich mußte er eine Arbeit finden. Der Erlös aus dem Verkauf des Geschäfts reichte nicht weit. Er mußte sich nun einen Arbeitgeber suchen – nicht auf den grünen Feldern von Moreland, sondern in der grauen lärmenden Stadt Ingerby.

Das Herz lag ihm wie ein Stein in der Brust; er hatte das Gefühl, in den letzten Tagen um zehn Jahre gealtert zu sein. Das unfaßbare Verhalten seiner Schwester (denn bei allem Mitgefühl blieb es für ihn unfaßbar); Schmach und Selbstmord des Mannes, dem er so viel zu verdanken hatte; die üblen Schimpfereien seines Vaters und schließlich die praktischen Probleme – das alles hatte ihm den Mut genommen.

Dazu kam noch die Verstimmung mit einem Mann, den er schätzte und bewunderte, und der Untergang seines Paradieses.

Doch plötzlich überkam ihn ein Lachen – ein fast verschmitztes und doch echtes Lachen. Ihm war etwas eingefallen: Aus dem Paradies verjagt – und dabei haben weder Zilla noch ich von der verbotenen Frucht gegessen. Eigentlich hart, fand er. Der kleine Scherz hob seine Laune – er war wieder der alte Nathan. Solange er noch lachen konnte, nahm er es mit der ganzen Welt auf.

Zuerst also mußte er Täubchen beibringen, daß es mit ihrer Zuflucht im Cottage zu Ende war. Das war kein Spaß.

Er legte seine Arbeitskleidung ab, spannte das Pferd vor den Kutschwagen und fuhr hinüber nach Moreland. Vor der Arche Noah stieg er die alten Stufen hinauf, öffnete die Pforte und rief betont munter: »Täubchen!«

Sichtlich erfreut kam sie an die Tür. »O Nathan – wie wunderbar, daß du kommst.«

Trotz des tapferen Lächelns sah sie blaß und abgehärmt aus. Nathan dachte an ihre stumme Trauer, als er ihr die Nachricht von Martin Clulows Tod überbracht hatte, und wunderte sich nicht. Am besten kamen immer jene durch, die sich bei einem Kummer in Worten Luft machen konnten.

Sie küßte ihn liebevoll, schob ihren Arm in den seinen und führte ihn ins Haus. Hier war alles in tadelloser Ordnung. Auf der grünen Filztischdecke lag ein weißer Umschlag, und ohne es zu wollen, las er den Namen darauf, geschrieben in der festen Handschrift seiner Schwester: »Mr. Nathan Cranswick.«

»Was ist denn das, Täubchen?«

»Ein Dankbrief – und ein Abschied«, sagte sie.

Er nahm den Brief in die Hand. »Ja«, sagte sie, »lies ihn. Das macht es leichter.«

Er riß den Umschlag auf und las.

Sie wollte fortgehen, stand da. Weit fort. Zwecklos, sie etwa zu suchen. Sie würde ihren Namen ändern und eine andere werden. (»Natürlich kann ich mein richtiges Ich niemals gänzlich abschütteln, das weiß ich«, hieß es traurig.) Sie dankte ihm für seine Hilfe und seine Liebe. (»Als wir Kinder waren, lieber Bruder, da waren wir eins. Jeder trug die Sorgen des anderen mit und freute sich über seine Freuden. Ich habe dich bewundert, und du warst für mich da.«) Ja, so war es, dachte er. Von ihren Eltern hielten sie wenig; er war ihr Vater und sie seine Mutter.

Nun aber, so fuhr sie fort, hatte sie ihn verraten, ihn und alles, an das er glaubte. Sie hatte sich selber unwiderruflich verdammt. (»Mein lieber Bruder, wir werden uns nicht wiedersehen, weder in dieser noch in der nächsten Welt. Lebe wohl für immer. Dein Täubchen.«)

Er hatte zu Ende gelesen.

Er seufzte tief auf. »Gott sei gedankt, daß ich rechtzeitig gekommen bin. Warum wolltest du gehen? Sag mir das.«

»Mir ist plötzlich klargeworden, daß ich kein Recht hatte, hier zu wohnen. Im Hause achtbarer Bürger.«

»Ich nehme dich mit zurück nach Ingerby.«

»Nein. Ich habe alles eingeleitet.«

»Ich nehme dich mit nach Ingerby.«

»Nein, Nathan.« Es klang fest entschlossen, aber war da nicht ein sehnsüchtiger Blick in ihren Augen? Ruhig sagte er: »Nun komm schon, Täubchen.« Er nahm die gepackte Reisetasche vom Stuhl. »Komm mit.« Sanft nahm er sie beim Arm.

Sie sah ihn verzweifelt flehend an. Dann ging sie mit, und zusammen verließen sie das Haus.

Armes Täubchen, dachte er. Sie ist wirklich am Boden, sonst hätte sie niemals nachgegeben. Er warf einen Blick zurück auf das Cottage und schloß die Tür. Einmal mußte er noch herkommen, um die Möbel abzuholen, dann war dieses Kapitel zu Ende, der Traum ausgeträumt.

Eins war sicher: Es wäre viel weniger riskant gewesen, Edith ziehen zu lassen, fort aus seinem Leben, als sie jetzt mitzunehmen, nach Hause. Doch das kümmerte Nathan nicht.

Worin lag die Gefahr?

Daß die schwergeprüfte Zilla aufmuckte, wenn *noch* ein Hausgast kam? Nein. Für Zilla war Aufmucken viel anstrengender als Sich-Fügen. Mit ihr gab es keine Schwierigkeiten.

Daß Blanche die häßliche Wahrheit erfuhr? Aber das war sowieso unvermeidlich, da es nun in der Zeitung gestanden hatte.

Daß die braven Christen von Ingerby noch ein paar Steine warfen, wenn Ediths Anwesenheit bekannt wurde? Oder Schlimmeres geschah? Ja, das waren Gefahren, die er eben in Kauf nehmen mußte.

Blanche und Guy spülten zusammen das Geschirr vom Mittagessen. Blanche war erfüllt von einem Glücksgefühl, wie sie es sich nie hätte träumen lassen. Sie und Guy im gleichen Haus! Guy war ungewöhnlich ruhig und sanft, er brauchte die Liebe, die ihr Herz überströmen ließ. Sein

Ausbruch im Park war vergessen. Sie waren beisammen, und an Tante Täubchen und ihren unbegreiflichen Verrat wollte sie nicht mehr denken.

Jetzt hörte man Hufgetrappel und das schleifende Geräusch von Metallreifen. Blanche spähte im Vorderzimmer aus dem Fenster und kam dann zurück. »Es ist Pa – und Tante Täubchen.«

»Wer . . .?« Zum erstenmal seit langer Zeit lachte Guy. »Wer ist denn Tante Täubchen?«

»Eine Tante von mir«, sagte sie kurz.

Guy war innerlich noch nicht zur Ruhe gekommen. Sein Vater war unter schandbaren Umständen gestorben, das geordnete Leben im Pfarrhaus hatte von einer Minute zur anderen aufgehört. Jetzt fand er sich in einem unordentlichen und lärmenden, wenngleich munteren Haushalt, wo es schnell zu kleinen Streitigkeiten kam, die ebenso schnell vergessen wurden; wo Kuchen und Toast oft angebrannt auf den Tisch kamen und das Bad aus einer Zinkwanne in der Küche bestand, wo er aber erstaunt auch Vernunft und Lebensweisheit in der Unterhaltung mit dem Laienprediger feststellte, ebenso wie mütterliches Mitgefühl in der weniger tüchtigen Hausfrau, Freude in der Gesellschaft der beiden kleinen Jungen und Trost in der Liebe der Tochter eines Handwerkers. Es war alles sehr neu für ihn. Der etwas sarkastische und hochfahrende Umgangston, den er sich angewöhnt hatte, war – zumindest vorläufig – verschwunden.

Als er jetzt die Reisetasche sah, war ihm klar, daß noch ein Gast gekommen war, jemand mit dem ungewöhnlichen Namen Täubchen. Es war übrigens jemand, der – offen gesagt – eher in seine soziale Kategorie zu gehören schien.

»Tante Täubchen! Tante Täubchen!« Beliebt war sie jedenfalls, diese Besucherin. Nur Blanche blieb steif stehen und sagte nichts. Tom kam strahlend angelaufen, auch Jack watschelte etwas unsicher herbei und streckte krähend und lachend die Arme aus.

Formelle Vorstellungen waren hier nicht üblich. Tante Täubchen lächelte daher Guy freundlich fragend an, bis Blanche sehr kurz sagte: »Ein Freund von mir, Tante.«

»Guten Tag.« Warmes Händeschütteln; jeder freute sich, daß der andere offenbar eine Sprache sprach, die man selber verstand. »Darf ich Sie auch Tante Täubchen nennen?« fragte dann Guy mit gewinnendem Lächeln.

Was für ein reizender Junge! Edith fühlte, wie ihr warm wurde. Blanches junger Mann? Dann hatte sie es gut getroffen. »Ich würde mich sehr freuen«, sagte sie herzlich.

Blanches Worte »Eine Tante von mir« hatten bei Guy ein Warnsignal ausgelöst. Aber er schob seinen Verdacht beiseite. Diese reizende Dame konnte niemals so tief gefallen sein. Wahrscheinlich war sie eine Tante mütterlicherseits. Die verhaßte Person hieß außerdem Edith.

Jetzt kam auch Nathan herein. »Ah – ihr habt euch schon bekannt gemacht.« Er suchte nach einem Platz für die Reisetasche und ließ sie schließlich auf den Boden fallen. »Zilla!« rief er laut.

Zilla kam erhitzt ins Zimmer. Ihr Gesicht und Haar sahen meistens so aus, als habe man sie gerade über einen Topf mit heißem Wasser gehalten; aber ihre Begrüßung war warm und herzlich. »Täubchen! Da kommst du gerade recht zu einer Tasse Tee.« (Jeder Besucher kam zu jeder Tageszeit gerade recht zu einer Tasse Tee.)

»Sie kommt nicht nur zu einer Tasse Tee«, sagte Nathan. »Sie bleibt bei uns.«

Zilla lachte Edith freundlich an. »Ja . . .? Aber sehr bequem wirst du's nicht haben, weißt du. Eng wie Sardinen in einer Büchse.«

Edith ging zu Zilla hinüber, nahm sie bei den Schultern, gab ihr einen Kuß und sagte: »Willst du mich auch wirklich haben, Zilla? Ich falle euch zur Last, das weiß ich.«

»Haben? 'türlich wollen wir dich haben«, sagte Zilla und überschlug im Geist vergeblich die Bettenzahl und die Möglichkeit einer weiteren Schlafgelegenheit. Sie gab es bald auf und beschloß, erst mal für alle Tee zu machen.

Tante Täubchen fragte ins Zimmer hinein: »Was gibt es denn Neues aus Südafrika? Ich habe seit Tagen keine Zeitung gesehen.«

Da niemand antwortete, sagte schließlich Guy eifrig: »Sie wollen eine Konferenz in Bloemfontein einberufen mit Milner und Krüger. Mir scheint allerdings, eine Konferenz wird kaum ausreichen, um diesen Krüger zur Vernunft zu bringen.«

»Sie meinen, es kommt zum Krieg? Aber zu solchen Mitteln werden wir doch sicher nicht greifen.«

Nun war das Gespräch im Gang, und beide freuten sich, jemanden gefunden zu haben, dessen Interessen über den Alltag hinausreichten. Blanche hörte zu; sie war erstaunt, daß jemand über ein so weit entferntes Land soviel wußte wie Guy. Das hier war mehr als eine abstrakte Diskussion, soviel merkte sie. Es ging um Guys Zukunft wie um die ihre und um die Zukunft von vielen tausend Menschen vieler Rassen. Es ging auch um menschliche Dummheit und menschliches Leid. Als Tante Täubchen sagte: »Also was immer Sie sagen, ich würde es niemals für gerechtfertigt halten, wenn wir in den Krieg zögen«, begann Blanche sehr bescheiden und zögernd an der Unterhaltung teilzunehmen, und zwar – zu ihrer eigenen Überraschung – auf Tante Täubchens Seite und gegen Guy. Sie nahm vielleicht zum erstenmal im Leben an einer Unterhaltung zwischen informierten Menschen teil, und sie fühlte fast so etwas wie einen Stich der Eifersucht, als sie sah, wie gut sich Guy und Tante Täubchen trotz der gegensätzlichen Standpunkte verstanden.

Merkwürdig. Seit dem Gespräch mit ihrem Vater hatte sie Tante Täubchen im Geist als ein Ungeheuer betrachtet, raffgierig, schamlos und hart. Und nun war alles wie früher, sie liebte und bewunderte diese Frau; und was immer geschehen war, sie mußte versuchen, sie zu verstehen, sagte sich Blanche. Beschämt ergriff sie ihre Hand, drückte sie und sagte: »Ich freue mich so, daß du bei uns bleibst, Tante.«

Edith sah sie mit großen Augen an. »Dank dir, Blanche«, sagte sie mit gepreßter Stimme. Und dann geschah etwas Seltsames: Diese oft heitere und immer beherrschte Frau begann vor der gesamten Familie zu weinen, in harten stoßweisen und wortlosen Schluchzern.

Nathan sprang auf, hockte sich vor sie hin und nahm ihre Hände. »Nicht, Edith, nicht. Ist ja schon gut.« Verzweifelt suchte er nach Trostworten. »Wir freuen uns doch alle, daß du bei uns bleibst, Edith.«

Sie starrte ihn an, und die Tränen rannen ihr langsam herab. Sie wollte sprechen und konnte nicht. Alle saßen ratlos da, vor allem Blanche begriff nicht, was sie mit ihren impulsiven liebevollen Worten angerichtet hatte. Zilla war hilflos, denn eine weitere Tasse Tee war hier offenbar nicht das richtige Hilfsmittel. Für Tom waren weinende Erwachsene etwas Unnatürliches, mit dem er nicht fertig wurde, also bekam er sofort Bauchweh. Jack starrte fasziniert seine Tante an.

Doch jetzt geschah noch etwas. Guy hatte sich erhoben, langsam wie ein alter Mann, und starrte mit ungläubigem Entsetzen auf Tante Täubchen. »Sie – Sie sind Edith Cranswick«, sagte er stockend. »Edith Cranswick. Ja.« Es war keine Feststellung, es war eine Anklage.

Sie blickte ihn erstaunt an.

»Die Frau, die schuld ist an meines Vaters Tod.«

Noch immer sah sie ihn an. Dann erhob sie sich ebenfalls und fragte: »Schuld an Ihres Vaters Tod? Was soll das heißen? Wer sind Sie denn?«

»Ich bin Guy Clulow.«

»Sie – Sie sind Guy Clulow?« fragte sie verwundert. »Aber – Sie waren doch noch so klein, als ... Ich glaube, ich habe Sie nur einmal gesehen. Nachher waren Sie – im Internat, meine ich.«

Auch er starrte. In seinem Blick lag Widerwillen. »Wie ist das möglich?« brachte er heraus. »Sie – Sie sind doch ...«, er verbesserte sich. »Sie sahen doch so – freundlich aus.«

»Sie *ist* auch freundlich«, sagte Nathan bestimmt und lächelte Edith zu. »Nicht wahr, Schwester?«

Langsam und traurig schüttelte sie den Kopf.

»Entschuldigung«, sagte Guy schwer und ging hinaus. Niemand rührte sich, und niemand sagte ein Wort. Blanche war zumute, als drücke ein großes Gewicht sie alle zu Boden.

Fünf Minuten später erschien Guy wieder mit dem Hut in der Hand und dem Mantel über dem Arm, in der anderen Hand einen Koffer. Steif sagte er:

»Ich danke Ihnen für Ihre Gastfreundschaft, Mr. Cranswick. Aber ich bin etwas eigen in bezug auf die Gesellschaft, in der ich mich aufhalte. Ich muß Sie bitten, mich zu entschuldigen.«

»Guy – wo willst du hin? Warum gehst du fort?« rief Blanche verzweifelt.

Nathan war aufgesprungen. »Es tut mir leid, Junge. Ich hätte das nicht zulassen sollen, aber – ja, ich weiß, du kannst mir da nicht folgen, aber meine Schwester *ist* ein guter Mensch. Sie hat deinen Vater geliebt und ihm sehr geholfen.«

»Geliebt, Mr. Cranswick?« fragte Guy mit offenem Hohn.

»Ja, geliebt, Guy. Und sie war nicht schuld an seinem Tod.«

»Wer war dann schuld?« fragte Guy zornig.

»Sein eigenes Wesen«, gab Nathan traurig zurück.

»Wie können Sie es wagen?« Guy machte kehrt. Es war die Geste eines albernen und großspurigen Jungen, der meinte, so müsse sich ein Mann benehmen.

»Nathan«, sagte Edith müde, »sag ihm, er soll hierbleiben. *Ich* werde gehen.«

»Nein, du wirst nicht gehen. Niemand braucht zu gehen, wenn wir die Sache vernünftig ansehen.«

»Ich glaube, es ist ein Fluch«, sagte sie bedrückt. »Von nun an werde ich Schlimmes bringen, wohin ich auch gehe. Und dieses Haus will ich davor bewahren.«

»Natürlich geht sie nicht fort«, sagte Zilla fest. »Gib mir mal die Tasche.« Sie nahm die Reisetasche und marschierte nach oben.

Guy öffnete die Haustür, ohne Blanche noch einmal anzusehen, und trat hinaus. Blanche stürzte ihm nach. »Guy! Was ist denn bloß los? Bitte sag es mir. Ich war doch so glücklich!«

»Erwartest du wirklich, daß ich im gleichen Hause bleibe wie die Frau da?« fragte er kalt.

Sie schwieg. Er blickte über ihren Kopf hinweg und fragte noch einmal: »Erwartest du wirklich, daß ich hierbleibe? In demselben Haus wie meines Vaters . . .«

Jetzt war auch Nathan herausgekommen. Freundschaftlich legte er Guy eine Hand auf die Schulter und sagte: »Komm, Junge. Überschlaf es wenigstens noch einmal.«

Guy schüttelte die Hand ab, drehte sich um und ging.

»Guy!« rief Blanche. »Komm zurück – geh nicht fort! Wo willst du denn hin?«

Sie wollte ihm nachlaufen, aber Nathan hielt sie fest. »Hat keinen Sinn, Blanche. Jetzt will er dich nicht, bis er damit fertig geworden ist.« Wenn er jemals damit fertig wird, dachte er.

Blanche weinte, und er hielt sie an sich gedrückt, während die stille Straße sich langsam mit Abenddämmerung füllte. Endlich sagte er:

»Blanche, es ist mir so leid um dich. Weißt du, die Welt ist nicht ganz so, wie du immer glaubtest. Deine Tante Täubchen, die wir alle lieben, hat bei Mr. Clulow gelegen, den wir alle bewundert haben.«

Sie wand sich aus seinem Arm und blickte ihn an. »Das ist nicht wahr. Es ist unmöglich. Ich will das einfach nicht glauben, auch wenn du es sagst.«

»Ja, ich weiß, es ist unmöglich«, sagte Nathan müde. »Aber geschehen ist es doch. Die Menschen tun manches, was wir für unmöglich halten, im Guten oder im

Bösen. Und wir müssen es einfach hinnehmen. Aber für dich tut es mir schrecklich leid, mein Mädchen.« Sein Arm lag auf ihrer Schulter, als sie langsam ins Haus gingen.

Tante Täubchen saß auf dem gleichen Platz wie vorher und wischte sich noch immer die Augen. Flehend blickte sie Blanche an. »Ist er fort?«

»Ja.« Blanche hatte nicht gewußt, daß ihre Stimme so kalt klingen konnte.

»Ich – es tut mir so – ach, Blanche, darf ich versuchen, es dir zu erklären?«

»Nein.«

»Nein«, wiederholte Edith tonlos. »Nein. Du hast ganz recht, mein Kind. Es gibt Dinge, die man nicht erklären kann. Man kann sie nur hinnehmen.«

»Manche Dinge kann man auch nicht hinnehmen«, sagte Blanche erregt. »Aber das ist mir egal – es ist mir egal, was du getan hast, auch wenn es noch so schrecklich ist. Aber du hast mir Guy aus dem Haus getrieben!«

»Oh, Blanche, nein!« rief Edith verzweifelt. »Das kann ich nicht ertragen!«

Blanches Stimme war jetzt ganz kühl. »Ich kann es auch nicht ertragen, Tante, aber wir müssen es wohl beide versuchen. Weil uns nämlich gar nichts anderes übrigbleibt, nicht wahr?«

Sie stürzte hinaus und lief nach oben in ihr Zimmer, wo ihre Mutter eben dabei war, ein schmales Notbett aufzustellen. »Für wen ist das?« schrie Blanche.

Zilla sah sie erschrocken an. So kannte sie Blanche nicht. »Für Tante Edith«, sagte sie beschwichtigend.

Blanche riß das Bett an sich und begann es auseinanderzuzerren. »Die schläft nicht hier in meinem Zimmer!« rief sie ungestüm. Sie riß den Bettrahmen und die Decken und Kissen auf den Flur und begann, alles die Treppe hinunterzuwerfen. Nathan hörte den Lärm und kam nach oben gelaufen. Er packte Blanche an beiden

Armen, schob sie in das elterliche Schlafzimmer, schlug die Tür zu, wandte sich um und blickte seiner Tochter in die Augen. »So, jetzt hörst du mir mal zu. Deine Tante ist Gast in diesem Hause, verstanden? Und noch etwas. Für wen hältst du dich, daß du hier zu richten wagst?«

»Ich richte nicht! Was sie mit dem schmutzigen alten Clulow gemacht hat, ist mir ganz egal. Aber sie hat Guy aus dem Haus getrieben!«

Nathan schlug sie ins Gesicht. »Mr. Clulow war ein guter Mensch, das kannst du dir merken, Blanche. Und du – hüte dich, so zu richten, wie die Welt richtet!«

Sie standen einander gegenüber. Inständig bat Nathan Gott, er möge ihm helfen, seinem verzweifelten Kind Trost und Verständnis zu geben. Sie schluchzte, weil ihre Welt in Scherben lag und weil dazu noch – völlig unfaßbar – der geliebte Vater sie geschlagen hatte.

Ganz sanft sagte Nathan: »Edith hat den Mann verloren, den sie geliebt hat. Vielleicht – vielleicht ist es dir jetzt ebenso ergangen, Blanche. Hast du kein bißchen Liebe und Trost für sie – anstatt Haß?«

»Nein, niemals!« Ihre Augen sprühten vor Zorn.

Er lächelte traurig. »Ich glaube doch, mein Kind. Ich kenne dich besser, als du dich selber kennst. Schau, sie hat sehr viel durchgemacht.« Das graufaltige Gesicht sah sie aufmerksam an. Noch war kein Zeichen einer Besänftigung zu erkennen. Aber es würde kommen, sagte er sich. Er kannte ihr weiches Herz.

16

Auf der Rückseite des Umschlags, den Nathan Cranswick für Notizen benutzte, stand:

1. Cottage ausräumen
2. Freitag 10 Uhr Superintendent
3. Arbeit suchen.

Der erste Posten war ein Versprechen, also Ehrensache und deshalb so schnell wie möglich zu erledigen.

Nummer drei war bittere Ironie. Weiß Gott, er mußte ja nicht daran erinnert werden, daß er sich nun sehr bald in die graue Schlange der Arbeiter einzureihen hatte, die jeden Morgen um sieben den eisernen Fabriktoren zustrebte.

Aber Nummer zwei machte ihm im Augenblick am meisten Sorgen. Für einen erst kürzlich ernannten Laienprediger war der Superintendent ein Mann mit sehr viel Macht und Autorität. Für Nathan kam er gleich nach dem lieben Gott. Nur war sein Brief nicht gerade ermutigend gewesen.

»An Mr. N. Cranswick. Lieber Bruder in Christo, ich bitte um Ihren Besuch am Freitagmorgen um zehn Uhr. Mit besten Grüßen

Simon Fisher.«

Ein wenig freundlicher Brief, dachte Nathan. Er würde doch nicht schon wieder für das Verhalten seiner Schwester bezahlen müssen? Er saß in seinem kleinen Büro und starrte auf die spitze schwarze Schrift. Wenn sie mir die Predigtlizenz nehmen, vernichten sie mich, dachte er. Alles andere könnte ich ertragen. Aber wenn sie das tun, kann ich meinem Herrgott nicht mehr dienen und auch nicht meinen Mitmenschen. Das würde mein Leben zerstören.

Das war nicht alles, soviel gestand er sich mit bitterem Lächeln ein. Auch das neue Bild von Mr. Nathan Cranswick wäre dann zerstört, das er sich selbst gemacht hatte; des Mr. Cranswick, der ein Mann mit Prestige war, der am Sabbat Zelluloidmanschetten und ein steifes Vorhemd mit Krawatte tragen durfte, auch wenn er wochentags in alter Arbeitskleidung herumlief. Und er wußte sehr wohl, das wäre ein schwerer Schlag für seinen Stolz.

Doch er wußte auch, Stolz war des Teufels. Je tiefer die Demütigung, um so besser. Nur war Nathan an dieser Einsicht noch nicht ganz angelangt. Noch sehnte er sich inständig danach, irgend etwas von dem zu behalten, wonach er gestrebt hatte.

Ein Dienstmädchen, adrett und blitzsauber, öffnete Nathan auf sein Klopfen und führte ihn über einen halbdunklen Flur. Sie klopfte an eine Tür, öffnete sie, ließ ihn eintreten und meldete: »Mr. Cranswick.«

Reverend Simon Fisher saß am Ende eines langen Tisches, der offenbar für kirchliche Sitzungen benutzt wurde. Heute war er allein.

»Ah ja, Mr. Cranswick«, sagte er, ohne sich zu erheben. Er bot auch Nathan keinen Stuhl an. Nathan blieb stehen.

Auf Mr. Fishers magerem Gesicht mit dem kantigen Unterkiefer stand kein Lächeln. Was am meisten an ihm auffiel, waren die starken Fingerknöchel, besonders weil er unablässig Bewegungen machte, als wasche er sich die Hände. Er begann: »Sie kennen ja gewiß diese schreckliche Sache mit Pfarrer Martin Clulow?«

»Ja.«

Mr. Fisher sah aus, als habe er ein »Ja, Sir« erwartet. Er ignorierte die Ungehörigkeit und fuhr fort:

»Man kann nur annehmen,daß ihn diese Frau vorsätzlich in die Irre geführt hat.«

»Warum?«

Sobald Mr. Fisher sich ärgerte, fuhren seine Augenbrauen in die Höhe und die Mundwinkel nach unten, wodurch das blasse Gesicht noch länger aussah. Die Knöchel traten bei dem ständigen Händewaschen immer stärker hervor. »Warum...? Das ist doch wohl die einzig mögliche Erklärung für ein so unfaßbares Verhalten.«

Nathan blieb ruhig. »Ich weiß, daß die beiden sich aufrichtig liebten, Mr. Fisher.«

Der Reverend blickte ihn erstaunt und empört an. »Sie liebten sich? Was um alles in der Welt hat das damit zu tun? Ich möchte Sie doch bitten, etwas vorsichtiger zu sein, Mr. Cranswick. Ihre Einstellung zu dieser Katastrophe erscheint mir für einen methodistischen Laienprediger reichlich frivol.«

Frivol? dachte Nathan. Nie im Leben ist mir ernster zumute gewesen. Doch er wollte vorsichtig sein; dieser Mann hielt seine Zukunft, seine Stellung und seine Selbstachtung in den Händen. Es hatte keinen Zweck, ihn gegen sich aufzubringen. »Ich bitte um Entschuldigung, Sir. Bitte glauben Sie mir, daß mir Frivolität ganz fern lag.«

Mr. Fisher nickte kühl, schlug die Beine übereinander und betrachtete seine Finger. »Ich hatte noch einen persönlichen Grund, Sie zu mir zu bitten, Mr. Cranswick. In Ingerby wird behauptet, die Frau, um die es sich hier handelt, sei eine Verwandte von Ihnen.«

»Miß Cranswick ist meine Schwester«, sagte Nathan mit unbewegtem Gesicht.

Mr. Fisher stieß die Luft aus und lehnte sich in seinen Sessel zurück. »Es ist also wahr.« Der Blick, mit dem er Nathan ansah, war hart. »Nicht gerade die Art Verwandtschaft, die wir bei unseren Laienpredigern erwarten.« Er schüttelte langsam den Kopf. »Ich fürchte, einige unserer Gemeindemitglieder werden ernste Einwände erheben, wenn vor ihnen auf der Kanzel ein Prediger steht, der eine Frau – eine Frau solcher Art zur Schwester hat.«

»Eine Frau welcher Art?« fragte Nathan ruhig.

Simon Fisher war vernünftig genug, die Frage nicht zu beantworten. »Wir waren bisher sehr zufrieden mit Ihrer Arbeit für den Herrn, Cranswick. Wirklich lobenswert bei einem Mann mit so geringer Vorbildung. Aber wir müssen darauf bestehen, daß Sie sich von dieser Frau distanzieren. Wenn Sie sie dazu bringen können, unsere Gegend zu verlassen und weit fortzugehen, dann kann man vielleicht diese Sache vergessen, die gegenwärtig für unsere Kirche eine Katastrophe darstellt. Sie sehen also, mein lieber Cranswick« – er zwang den Mund zu einem ungeübten Lächeln –, »Sie haben es in der Hand, unserer Kirche einen großen Dienst zu erweisen.«

Trotz seiner geringen Vorbildung hatte Nathan alles verstanden: die verhüllte Drohung, den Köder, das Versprechen. Er schwieg.

Mr. Fisher war nicht recht wohl bei diesem Schweigen; er versuchte es daher mit Konversation. »Wissen Sie zufällig, wo die Frau wohnt, Mr. Cranswick?«

»Ja. Sie wohnt bei mir, in meinem Haus.«

Mit offenem Mund starrte Mr. Fisher ihn an. »Bei Ihnen?« Einen Augenblick versagte ihm die Sprache. Seine Knöchel waren ganz weiß geworden. »Sie müssen verrückt sein«, sagte er endlich.

»Wieso? Ich sagte Ihnen doch, Miß Cranswick ist meine Schwester.«

»Aber – eine Frau mit einem solchen Charakter.« Mr. Fisher stützte die Ellbogen auf den Tisch, legte das Kinn in die Hände und starrte Nathan weiter an. »Und Sie, ein Laienprediger. Mann, sehen Sie denn gar nicht, wie sehr Sie unserer Kirche schaden?«

»Sie ist meine Schwester, Sir«, wiederholte Nathan ruhig. »Was also sollte ich tun – sie hinauswerfen?«

Mr. Fisher kam halb aus seinem Sessel hoch. »Ja. Jawohl. Ich will Ihnen etwas sagen, Mr. Cranswick. Ich lasse es nicht zu, daß ein Laienprediger eine übel beleumundete Frau bei sich aufnimmt. Das bin ich jeder Gemeinde in meinem Kirchenkreis schuldig.«

»Meine Schwester ist ein guter Mensch, Mr. Fisher.«

Jetzt erhob sich der Reverend zu seiner vollen Höhe. »Diese Bemerkung ist ein Hohn auf die Lehren nicht nur unserer Kirche, sondern unseres Herrgotts selber. Hören Sie: Ich gebe Ihnen eine Woche Zeit. Bis dahin werden Sie mir mitteilen, daß die Frau Ihr Haus und die Stadt Ingerby verlassen hat. Wenn nicht, wird Ihre Predigerlizenz annulliert. Meine Kreisbehörde wird mich darin unterstützen, das kann ich Ihnen versichern.«

»Dann brauchen wir keine Woche zu warten«, sagte Nathan höflich.» Meine Schwester wird mein Haus nicht verlassen. Sie können deshalb meine Lizenz schon jetzt annullieren, meinen Sie nicht?«

Mr. Fisher ließ sich in seinen Sessel zurückfallen. »Und Ihnen habe ich erlaubt, vor arglosen Gemeinden das Wort Gottes zu predigen. Der Himmel weiß, welche Irrlehren und aufrührerischen Gedanken Sie ihnen eingegeben haben.«

»Ich habe nur zwei Dinge gepredigt: die Liebe Gottes und christliche Nächstenliebe. Aber vielleicht«, fügte er nachdenklich hinzu, »sind das in Ihren Augen und in denen der Kreisbehörde auch Irrlehren?«

Mr. Fisher ergriff die Glocke, die vor ihm auf dem Tisch stand, und läutete heftig. Unter den dichten Augenbrauen blickte er Nathan hart an. »Also dann, Cranswick. Wenn Sie jemals wieder versuchen, in einer unserer Kirchen einen Gottesdienst zu halten, werden Sie aus der Kirche entfernt werden – notfalls durch die Polizei. Ist das klar?«

»Völlig klar, Mr. Fisher.«

Das Dienstmädchen erschien. »Emily, bringen Sie Mr. Cranswick hinaus.« Das Mädchen knickste, Nathan folgte ihr, und sie hielt ihm die Haustür auf. Er trat nach draußen. Hinter ihm fiel die Tür so schwer ins Schloß wie eine Kirchentür hinter einem Exkommunizierten.

Das war's dann also, sagte sich Nathan, als er niedergeschlagen in seine Werkstatt zurückging. Ohne Kirche und ohne Stellung. Zwischen ihm und dem Arbeitshaus stand nur die Möglichkeit, irgendwo wieder eine Anstellung zu finden. Aber zwischen ihm und der Vernichtung seiner Position in der Gemeinde stand nun *gar nichts* mehr.

Schwer ließ er sich auf seinen Stuhl am Tisch fallen, faßte den Umschlag mit den Notizen mit zwei Fingern und betrachtete ihn mißmutig, dann nahm er eine Feder und strich heftig den Posten zwei durch. Der Besuch war erledigt, und mit welchem Resultat! Aber er gab Mr. Fisher keine Schuld. Es war nur natürlich, daß ein Mann in seiner Stellung die Dinge anders ansehen mußte als ein schlichter Laienprediger. Er mußte schließlich die gesamte Kirche vor Ansteckung bewahren. Gefühle wie Liebe und Loyalität waren für ihn ein Luxus, den er sich nicht erlauben konnte.

Blicklos starrte Nathan auf den Umschlag; dann erhob er sich mit schweren Gliedern. Die Beine fühlten sich steif an. Aber er wollte sich jetzt an die Aufgabe Nummer eins machen und Mr. Heron dann berichten, daß das erledigt war. Er war ja schon in Sonntagskleidung, konnte also auch seinen Besuch im Herrenhaus gleich hinter sich bringen. Natürlich war es nicht die richtige Kleidung für den Möbeltransport, doch auch das wollte er gleich erledigen. Der Sonntagsanzug war von nun an nicht mehr so wichtig in seinem Leben.

Er ging hinüber und gab dem alten Pferd zwei Stück Zucker. Ihm war so trübsinnig zumute, daß er die Trübsal in der Welt um ein weniges vermindern wollte. Das Pferd warf den Kopf zurück und wieherte fröhlich. Nathan spannte an und fuhr nach Moreland.

Der Tag war still und grau verhangen, das paßte zu seiner Stimmung. Ein sonnenheller Tag hätte ihn womöglich zum Heulen gebracht. Im Cottage war alles so tadellos in Ordnung, wie Edith es hinterlassen hatte. Nathan lud die paar Möbel, das Bettzeug, die Geräte und Lebensmittel in den Wagen und räumte danach gründlicher auf, als es Zilla wohl getan hätte. Dann kletterte er wieder auf den Bock und fuhr durch den Hohlweg hinüber zum Herrenhaus. Da er mit einem hochbeladenen Wagen ankam, benutzte er nicht die Vordertür, sondern ging um das Haus herum zum Hintereingang.

Hier war er noch nie gewesen. Er sah den kiesbelegten Hof, die Hauswand mit mehreren Türen und eine Anzahl Nebengebäude. Alles war blitzsauber, Türen und Fenster gestrichen, das Mauerwerk glatt, der Efeu beschnitten.

Er klopfte an eine Tür, die sofort von Dina geöffnet wurde.

»Tag, Dina«, sagte er. »Kann ich bitte Mr. Heron sprechen?«

Dina sah sich plötzlich konfrontiert mit jemandem, der entweder ein Liebchen hatte oder dessen Schwester jemandes Liebchen war. Sie brachte kein Wort heraus. (Es war Mrs. Hill gelungen, ihr die volle Wahrheit vorzuenthalten.)

Nathan lächelte. Sie gefiel ihm, besonders nach seinem Besuch bei Mr. Fisher. »Mr. Heron...?« fragte er noch einmal.

Dina riß sich zusammen. »Da drinnen«, sagte sie und zeigte auf eine Tür mit der Aufschrift »Büro«.

»Danke schön, Dina.« Nathan lüftete den Hut und neigte höflich den Kopf.

Das war Dina noch nie geschehen. In euphorischer Stimmung und leicht schockiert kehrte sie in die Küche zurück.

Nathan klopfte. »Herein!« rief eine muntere Stimme.

Robert Heron saß an einem großen Schreibtisch und schrieb noch einen Augenblick, dann blickte er auf. »Nathan Cranswick! Kommen Sie doch herein, mein Guter.« Er sprang auf und schüttelte Nathan die Hand. »Sie haben sich also umbesonnen wegen der Stellung, das ist prächtig. Sie ist noch frei.« Er strahlte.

Nathan schüttelte den Kopf. »Nein, ich fürchte nicht, Mr. Heron. Ich habe gerade das Cottage ausgeräumt. Hier sind die Schlüssel.«

Heron nahm den Schlüsselbund zögernd an sich. »Ach,

Nathan, Sie sind ein guter Mann. Ich wollte, ich könnte Sie umstimmen.«

Nathan lächelte traurig. »Es tut mir sehr leid, Mr. Heron.«

»Mir auch, verdammt noch mal. Aber ich warne Sie – wenn Sie das nächste Mal zum Predigen kommen, nehme ich noch mal einen Anlauf.«

Nathan schwieg. Es war aus mit dem Predigen. Sollte er es Mr. Heron jetzt gleich sagen, oder war es besser, ihn alles selbst feststellen zu lassen? Nathan wollte nicht den Eindruck erwecken, als bitte er um Mitgefühl. Andererseits war es ihm lieber, wenn alles offen war und nichts verheimlicht wurde. Deshalb sagte er zögernd: »Mr. Heron...«

»Ja?« Heron blickte etwas erschrocken in das traurige Gesicht. »Was ist denn, Nathan?«

»Ich will es Ihnen lieber gleich sagen. Ich komme nicht mehr zum Predigen.«

»O doch, wenn ich ein Wort mitzureden habe«, sagte Robert Heron heftig. »Warum – was ist denn passiert? Hat man Sie woandershin versetzt?«

»Nein. Es ist – meine Schwester wohnt bei mir. Sie wissen doch, die... und Mr. Fisher hat meine Predigtlizenz annulliert, weil ich ihm versprechen sollte, sie wegzuschikken, und das tue ich nicht.«

»Glatte Erpressung.«

»Ach, wissen Sie, Mr. Heron, ich glaube, die sind ganz froh, daß sie mich loswerden. Als Ediths Bruder bin ich eine Belastung für sie, das kann ich verstehen.«

Heron ging um den Schreibtisch herum und setzte sich in seinen Sessel. »Ach, gehen Sie mir doch mit soviel Großmut«, sagte er gereizt. »So etwas ist unerhört. Ich werde mit Master Fisher ein Wort zu reden haben.«

»Bitte tun Sie das nicht, Mr. Heron. Was getan und gesagt worden ist, kann man nicht ungeschehen machen.«

»Glauben Sie?« Er wies mit der Hand auf einen Sessel. »Nun setzen Sie sich doch, Mann.«

Nathan schob sich in den Windsorsessel und blickte seinen Freund und Gutsherrn unglücklich an. Hätte er doch bloß den Mund gehalten und nichts gesagt!

»Also«, sagte Robert Heron. »Nun hören Sie mir mal zu. Wer, meinen Sie, hat die methodistische Kapelle in Moreland gebaut? Wer zahlt den Unterhalt, Reinigung, Kerzen und das alles?«

»Sie, nehme ich an.« An so etwas hatte Nathan noch niemals gedacht.

»Ja, ich. Und mir hat keiner vorzuschreiben, wer dort predigen soll.« Er lachte kurz auf. »Ich bin nämlich auch imstande, ein bißchen an der Erpresserschraube zu drehen.«

»Ach, Mr. Heron... Vielleicht kommt es Ihnen dumm vor, was ich jetzt sage. Ich war stolz darauf, Laienprediger zu sein. Es hat mir etwas bedeutet; nicht nur, weil ich den Menschen helfen konnte. Aber damit ist es jetzt aus. Es kann nie wieder dasselbe werden. Bitte lassen Sie es dabei, Mr. Heron.«

»Unsinn. Ich bin eine Kämpfernatur, Nathan, seit jeher, wenn es etwas ist, um das es sich zu kämpfen lohnt. Deshalb setze ich ja auch alle Hebel in Bewegung, um nach Südafrika zu kommen. So, und jetzt gehen Sie. Ich bringe das in Ordnung und gebe Ihnen Bescheid. Wiedersehen.« Er nickte freundlich und ergriff den Federhalter.

Nathan zog die Tür hinter sich zu. Mr. Heron wollte ein Haus wieder aufbauen, das bis auf die Grundmauern zerstört war, das nie wieder aufgebaut werden konnte. Er war ihm dankbar für seine Reaktion, aber er wünschte, Heron unternähme nichts mehr.

Langsam ging er zu seinem Wagen zurück. Ein Haus war zerstört? Nein, seine Welt lag in Trümmern. Daß ein geliebter Mensch, ein einziger, schuld war an seinem Unglück: Auf diesen Gedanken kam er gar nicht.

Am Küchenfenster stand Dina und winkte ihm lachend zu.

Er winkte nicht zurück, sondern zog noch einmal den

Hut. Ein strahlendes Lächeln dankte ihm, dann hob sie den Arm und warf ihm beherzt eine Kußhand zu.

Diesmal mußte er lächeln. Dann saß er auf dem Kutschbock und knallte leicht mit der Peitsche, der Wagen fuhr los und war bald verschlungen vom Nebelgrau des Tages.

17

Das Gespräch zwischen den Herren Robert Heron und Simon Fisher verlief auf Herons Seite explosiv und auf der Gegenseite kühl-distanziert. Aber Heron hatte mit seiner Fürsprache keinen Erfolg. Fisher hatte am Ende das Gefühl, seine Christenherde – die er auf seine trockene und kalte Art doch liebte – gegen die Angriffe des leibhaftigen Satans verteidigt zu haben. Und Heron wußte nun, was es hieß, wenn man mit dem Kopf immer wieder gegen eine glatte Marmorwand anrennt.

Als er auf der Heimfahrt sein Pferd zur Eile antrieb, kochte er vor Zorn. Es war unerhört, un-er-hört, daß ein ehrlicher und rechtschaffener Mann wie Cranswick darunter zu leiden haben sollte, daß seine Schwester nicht besser war, als man von ihr erwarten durfte. Es war auch lächerlich, daß er, Robert Heron, der in dieser Gegend so viel für die methodistische Sache getan hatte, hier die Segel streichen sollte. Er wollte an den Vorsitzenden der Kreisbehörde schreiben. Auf keinen Fall wollte er die Dinge auf sich beruhen lassen.

Aber er war nicht nur ein impulsiver und aufbrausender, sondern auch ein vernünftiger Mann, und sein armes Pferd sollte unter den Schwächen Simon Fishers nun wirklich nicht leiden. Er verlangsamte die Fahrt und mahnte sich zur Ruhe. Warum war er überhaupt so zornig? War es wegen Cranswick? Oder war es vielleicht Selbstmitleid, weil sein Großmut ihm in diesem Fall nicht zu dem Privileg verholfen hatte, auf das er ein Anrecht zu haben meinte?

Nein, es war um Cranswicks willen, ganz sicher. Nun,

er war noch nicht am Ende seiner Möglichkeiten. Wie ein Lichtstrahl war ihm plötzlich etwas eingefallen, ein Plan, der ihn schon jetzt so faszinierte, daß er die Zügel hängen ließ und eine Weile in Nachdenken versank. Dann knallte er mit der Peitsche und fuhr eilig nach Hause, wo er durch die Hoftür eintrat, laut nach dem Groom rief, der den Wagen übernahm, und sich sofort an seinen Schreibtisch setzte. Er griff zur Feder, klappte das Tintenfaß auf und nahm einen Briefbogen.

»Lieber Nathan, ich möchte etwas mit Ihnen besprechen. Könnten Sie mich wohl an einem Vormittag dieser Woche – nicht am Freitag – hier aufsuchen? Es geht um eine Sache, die für uns beide von Vorteil sein kann. Freundliche Grüße – Robert Heron.«

Er machte den Brief postfertig und blieb noch eine Weile am Schreibtisch sitzen, tief in Gedanken. Die Schlacht stand bevor, und er war bereit.

Nathan kam schon am nächsten Vormittag, gleich nachdem er den Brief erhalten hatte. Er war voll düsterer Ahnungen. Sicher hatte Mr. Heron in der allerbesten Absicht Mr. Fisher überredet, ihn wieder einzustellen.

Und das eben wollte er nicht. Mr. Fisher, Repräsentant der methodistischen Kirche, hatte ihn gedemütigt, ihn in den eigenen Augen degradiert. Das war nicht wiedergutzumachen. Nichts konnte ihm seine bescheidene frühere Selbstachtung zurückgeben. Er glich einem Mann, der beim Bergsteigen über eine Felswand stürzt und sich weigert, auch nur einen Versuch zum Wiederaufstieg zu unternehmen.

Robert Heron erhob sich, schüttelte Nathan die Hand, wies auf einen Stuhl und setzte sich ebenfalls. »Ich danke Ihnen, daß Sie schon so schnell gekommen sind, Nathan.«

»Schon recht, Mr. Heron.« Nathan war merkwürdig unsicher zumute.

Heron blickte ihn nachdenklich an. »Ich bin nach allgemein üblichen Begriffen ein sehr wohlhabender Mann, Nathan.«

Nun, das wußte Nathan. Eilig erwiderte er: »Sie wollen mir hoffentlich nicht sagen, daß Sie es mit Geld erreicht haben, mich wieder einstellen zu lassen. Denn . . .«

»Ach, seien Sie doch nicht gleich so nervös, Mann. Nein, selbstverständlich nicht. Das sähe mir wenig ähnlich und, offen gesagt, auch Simon Fisher nicht.«

»Ja. Tut mir leid«, murmelte Nathan.

»Das will ich hoffen.« Leicht verärgert sah er Nathan an. Merkwürdig, dachte er, was für mich selbstverständlich ist, das kennt er nicht. Aber daß er der richtige Mann für mich ist, das weiß ich ganz sicher. Etwas freundlicher fuhr er fort: »Noch einmal, ich bin ein wohlhabender Mann. Aber ich gebe mein Geld gern da aus, wo es am besten angelegt ist.«

Nathan wartete. Er hatte keine Ahnung, wohin die Unterhaltung führen sollte; aber noch eine Zurückweisung wollte er nicht riskieren.

Robert sprach weiter. »Moreland ist ein kleines Dorf, aber der Umkreis ist groß – lauter weit abliegende Höfe und kleinere Häuser. Eine arme und hart arbeitende Gemeinde.«

Nathan wartete weiter mit trockenem Mund.

»Sie sind eine Herde ohne Hirten. Ich möchte ihnen zu einem Hirten verhelfen, besonders weil ich vielleicht doch eine Chance habe, in Südafrika zu kämpfen.«

»Die Kirche wird ihnen einen Hirten geben«, meinte Nathan. »Nur weil sie mich nicht schicken . . . aber irgend jemanden schicken sie ganz sicher.«

»Ja. Irgendeinen Mietling, für Geld. Ich spreche von einem Hirten, Mann.«

Nathans Mund war nun sehr trocken. Ihn schwindelte fast, und er war den Tränen nahe. Robert Heron sprach weiter.

»Ich mache Ihnen einen Vorschlag. Wenn Sie unserer Gemeinde als unabhängiger Seelsorger dienen wollen, so würde ich Ihnen dafür ein kleines Entgelt zahlen. Das Cottage gehört dann Ihnen, mietfrei. Also Gottesdienste, Krankenbesuche machen, Missetäter ermahnen und für jedermann ein Freund und Mentor sein – auch für mich. Was halten Sie davon?«

Nathans Stimme gehorchte ihm nicht. Um ihm aus der Verlegenheit zu helfen, sagte Robert Heron mit leicht humorvollem Lächeln:

»Sie sagten neulich, auf mich als Ihren Arbeitgeber könnten Sie sich nicht mehr verlassen. Aber ich wäre dann nicht Ihr Arbeitgeber, Sie hätten völlige Rede- und Gedankenfreiheit.«

Nathan schluckte. »Und die methodistische Kirche?«

»Wenn die sich einmischen, kriegen sie es mit mir zu tun. Bei Taufen und Hochzeiten und Beerdigungen müßten wir sie natürlich hinzuziehen. Aber sonst hätten Sie das Feld ganz für sich.«

Nathan räusperte sich, fuhr sich über die Augen und sagte langsam: »Mr. Heron, Sie bieten mir eine ganz wundervolle Gelegenheit für die Arbeit, die ich mir immer gewünscht habe.«

Jetzt saß Robert Heron schweigend da und wartete.

Nathan beugte sich vor, die Ellbogen auf den Knien, den Blick auf seine Finger gerichtet, die sich verflochten und wieder lösten. Endlich sagte er traurig:

»Ich glaube, dazu reicht meine Vorbildung nicht aus.«

»Wollen Sie das nicht *mich* beurteilen lassen?«

Schweigen. Endlich fragte Nathan: »Und wenn ich's nicht schaffe?«

»Sie werden es schaffen. Meinen Sie, ich hätte dieses Angebot einem Mann gemacht, den ich nicht wirklich kenne?«

»Ja, und – Sie glauben – ich kann jeden Sonntag Gottesdienst halten und die Leute zu Hause aufsuchen und – alles tun, womit ich ihnen helfen könnte?«

»Ja. Genau das.«

»Mr. Heron«, sagte Nathan fast erschöpft, »ich kann das

nicht allein entscheiden. Aber mit Gottes Hilfe« – und zum erstenmal erschien so etwas wie ein Lächeln auf seinem Gesicht –, »ich glaube, da könnte ich Wunder vollbringen.« Dann fiel ihm etwas ein. »Ja – aber meine Schwester . . .?«

Mr. Heron sah etwas verlegen drein. »Also, mein lieber Nathan, ich habe im Dorf erzählt, Sie hätten den Methodisten die Stirn geboten und darauf bestanden, sie zu sich ins Haus zu nehmen. Ich habe gesagt, Sie seien ein Mann mit sehr viel Verständnis für menschliche Schwächen. Es war riskant. Aber ich glaube, das hat ihnen gefallen, besonders denen, die selber nicht ohne menschliche Schwächen sind.«

Sie lachten beide, doch Nathan wurde gleich wieder ernst. Zum zweitenmal wurde ihm hier die Erfüllung eines Herzenswunsches angeboten, doch diesmal war das Angebot viel, viel größer. Es gab ihm die Möglichkeit, sein Leben der Arbeit für seinen Gott und seine Mitmenschen zu widmen; das war etwas, das er angesichts seiner bescheidenen Herkunft und Gaben niemals für möglich gehalten hatte. Das Gefühl drohte ihn zu überwältigen; er war verwirrt und gleichzeitig glückselig beschwingt und dabei erfüllt von einer seltsam traurigen Demut. Und voller Angst, daß ihn das Schicksal zum zweitenmal fallen lassen könnte.

Es klopfte an der Tür. Die adrette Dina brachte mit ernstem Gesicht ein Tablett mit Brot und Käse und Bier.

So saßen der Gutsherr und sein Seelsorger freundschaftlich zusammen, aßen und tranken und besprachen die Pläne, die das Leben der Einwohner von Moreland bereichern sollten. Danach fuhr Nathan heim durch den stillen ländlichen Nachmittag und konnte eigentlich immer noch nicht glauben, was ihm da widerfahren war. Robert Heron schloß das Büro ab und ging hinüber ins Haus, um seiner Frau zu berichten, was er soeben unternommen hatte.

18

Dorothy Herons Reaktion auf das Gesagte war natürlich
voraussehbar. (Ihre Reaktionen waren immer voraussehbar, das war das Langweilige an ihr.) Es gefiel ihr nicht.
Robert verwendete viel zuviel Zeit und Geld auf die Fürsorge der Dorfbewohner und der kleinen Häusler. Noch
dazu hatte er nun eine neue Ausrede für die Heranziehung dieses gräßlichen Cranswick gefunden. Ach was,
Robert war nicht recht bei Verstand.

Auch Zillas Reaktionen waren voraussehbar. »Also ich
weiß nicht«, sagte sie. »Ich weiß wirklich nicht.« Aber
wenn Nathan es für richtig hielt, brauchte sie sich nicht zu
sorgen. »Was man nicht ändern kann, muß man halt hinnehmen«, war einer ihrer Lieblingssprüche. Wozu sollte
sie *ihren* Kopf anstrengen. Wie üblich faßte sie dann alles
zusammen: »Ja, wenn es dir recht ist, Lieber, dann natürlich . . .«

Andere Einwände gab es dann kaum noch. Dem Superintendenten machte Robert zwei Dinge ganz klar. Erstens: er
werde seine recht großzügigen Zahlungen an die methodistische Kirche weiterhin fortsetzen, und zweitens: er
werde keinerlei Einmischung in alles, was die Kapelle in
Moreland betraf, dulden, denn diese Kapelle betrachtete
er als seine eigene Schöpfung.

In Nathans Plänen gab es jedoch noch eine ungelöste
Frage. Er hatte mit Mr. Heron zwar über Edith gesprochen, doch über ihre zukünftige Bleibe war nichts gesagt
worden. Nathan war vernünftig und sah ein, daß sie nicht
mit im Cottage wohnen konnte, selbst wenn dort genü-

gend Platz gewesen wäre. Damit hätte er die neue Arbeit gleich zu Anfang mit einem schweren Fehler belastet. Was also war zu tun? Mit Edith konnte er das nicht besprechen; sie hätte sofort ihre Sachen gepackt und das Haus verlassen.

Da Nathan ein schlichter und gottesfürchtiger Mann war, besprach er es mit Gott dem Herrn. Und Gott löste das Problem auf seine Weise.

Eines Abends, als Zilla gerade Tom zu Bett brachte, wurden sie von lautem Klopfen an der Haustür aufgeschreckt. Wer konnte das so spät sein? Nathan ging zur Tür, drehte den großen Schlüssel um und öffnete.

Draußen stand sein Vater. Das rote Gesicht war weniger rot als sonst und auch nicht so aggressiv; er blickte seinen Sohn angstvoll bittend an. »Deine Mutter«, sagte er zitternd. »Ich weiß nicht, was ich machen soll. Du mußt kommen.«

»Ja, natürlich.« Nathan langte schon nach seiner Mütze, die hinter ihm am Haken hing. »Was fehlt ihr denn, Dad?«

»Ist wohl 'n Schlaganfall, glaube ich. Geht ihr schlecht.«

Jetzt war auch Edith in der Tür erschienen. »Was ist los, Nathan?«

»Es geht um Ma – vielleicht ein Schlaganfall. Ich gehe rüber. Sag Zilla Bescheid, wenn sie runterkommt.«

»In Ordnung, geh du nur mit Dad. Ich packe ein paar Sachen zusammen und komme dann nach.« Sie lief schnell nach oben. Nathan und sein Vater machten sich auf den Weg.

Der alte Mann stolperte dahin. Ihm ging es offensichtlich auch nicht so gut. Nathan nahm seinen Arm. »So, Dad – soo. Nicht ganz so schnell.«

Doch der Alte hatte es eilig. »Sie wird doch nicht sterben, Nathan? Allein werd ich nicht fertig.«

»Nein, sie wird nicht sterben, Dad.« Und wenn sie nun doch starb, dachte er. Was soll ich dann mit dem alten

Mann machen? (Arme Emily. Selbst ihr Sohn nahm die Möglichkeit ihres Todes nicht allzu tragisch.)

Sie bogen um die Ecke. Bert Cranswick stolperte weiter, den Kopf auf der Brust. Plötzlich überkam ihn der Groll. »Das kommt nur von all dem Gerede mit eurem Umzug, das hat sie so aufgeregt. Ihr seid schuld, wenn sie stirbt.« Er wandte den Kopf und blickte Nathan anklagend an.

Nathan schwieg, und der Alte redete weiter. »Ja, ihr, du und Edith. Zwei prächtige Kinder seid ihr mir. Allein werd ich jedenfalls nicht fertig, das sag ich dir. Wenn sie stirbt, mußt du einen Platz für mich finden. Wo du doch die Schuld hast.«

Nathan war erleichtert, als sie das Haus erreicht hatten. »Wo ist sie?«

»Auf'm Sofa liegt sie.«

Nathan ging schnell in die Wohnküche.

Emily lag schlaff da wie eine achtlos zu Boden geworfene Puppe. Die Augen starrten blicklos, der Atem ging schwer mit rasselnden Schnarchtönen. Nathan ergriff die kraftlose Hand. »Mutter«, sagte er leise und traurig. Es fiel ihm nicht leicht, vor dieser schweren hilflosen Gestalt Mitgefühl aufzubringen. Dieser arme gestrandete Wal hatte so gar nichts gemein mit der jungen Frau, die ihn geboren, deren Brust ihn genährt hatte.

»Arme alte Ma«, sagte eine ruhige Stimme neben ihm.

Er wandte sich um. Da stand Edith, in der Hand die Reisetasche. In ihren Augen lag tiefes Mitgefühl.

Von der Tür her kam schneidend die rauhe Stimme des Vaters. »Nein! Dich wollen wir hier nicht haben. Du kannst gehen und brauchst nicht wiederzukommen.«

»Vater«, sagte Nathan, »sei doch nicht unsinnig. Edith ist hier die einzige, die sich nützlich machen kann.«

»Laß ihn, Nathan«, sagte Edith leise. »Er ist jetzt erregt. Ich bleibe jedenfalls hier. Der Arzt muß auch gleich kommen, ich habe auf dem Weg Bescheid gesagt.«

Er drückte ihr die Hand. »Gutes altes Täubchen.« Im gleichen Moment durchfuhr die Gestalt auf dem Sofa ein konvulsivisches Zucken, das Schnarchen hörte auf, der Kopf ruckte, und das blasse Kinn fuhr hoch, als habe jemand sie heftig am Haar gerissen. Dann lag sie still. Der Tod hatte mit Emily Cranswick nicht viel Umstände gemacht.

Bert blickte fast übellaunig auf seine tote Frau. »Gerade wollte sie uns Sülze machen zum Abendbrot«, sagte er verstört. »Eben wollte sie die Sachen rausholen. Bloß noch ein paar Minuten ...« Es klang, als werde der alte Mann es niemals verzeihen, daß sie vor dem Sterben das Essen nicht fertiggemacht hatte.

»Laß nur, Dad«, sagte Edith. »Ich bleibe hier, ich werde mich um alles kümmern.«

»Ja. Na ja. Ist wohl auch das wenigste, was du tun kannst, wo du uns soviel Kummer gemacht hast«, sagte Bert mit philosophischer Ruhe. Er schlurrte auf die Hintertür zu. »Ich geh mal in 'n Garten hinten.«

Edith trat zu ihrem Bruder und küßte ihn. »Arme Ma«, sagte sie. »Viel hat sie nicht gehabt vom Leben, was?«

»Nein.« Nathan seufzte. »Und du wirst auch nicht viel vom Leben haben, wenn du hier bleibst.« Er wurde jetzt sehr ernst. »Du darfst dich aber nicht für ihn aufopfern, hörst du?«

Sie lächelte ein wenig. »Ach, Bruder – für wen oder für was soll ich mich denn aufopfern? Nein, dies kommt mir sehr gelegen. Ich habe ja einiges wiedergutzumachen.«

Nachdenklich sah er sie an. Er konnte nicht zulassen, daß sie sich opferte. Und doch – wenn sie das tat, war er frei für die Arbeit Gottes. War es denkbar, daß dies alles vom Allmächtigen so bestimmt war?

Zu seiner Beschämung fiel ihm erst, als er wieder zu Hause war, einer von Zillas Leitsätzen ein: Der Mensch denkt, Gott lenkt.

19

Am Himmel des Jahres 1899 ballten sich dunkle Wolken zusammen. Wenige Menschen in England dachten dabei an Blitz und Donner und an das Einbringen der Früchte. Ihnen stand eine andere, blutige Ernte vor Augen.

Nur wenige wußten irgend etwas vom Volk der Buren, und diese wenigen hielten sie für puritanische Eiferer, die meinten, Gott habe das Alte Testament eigens als Handbuch für die Buren geschaffen. Solche Leute konnte man nicht ernst nehmen. Ein einziges Kanonenboot würde genügen, um sie Mores zu lehren.

Doch die Politiker und das Militär nahmen die bärtigen Hinterwäldler sehr ernst. Sie machten Pläne, verwarfen sie, änderten die alten und machten neue. Diplomatische Schritte wurden eingeleitet und Friedenstauben ausgesandt, während man gleichzeitig die Trommeln schlug und mit den Säbeln rasselte. Truppentransportschiffe wurden vergrößert, damit die Soldaten beim Überqueren des Äquators nicht in der Enge erstickten. Es roch nach Krieg, und es war ein böser Geruch.

Bei Emily Cranswicks Bestattung gab jeder sich Mühe, ein Gefühl von Trauer aufzubringen, und keinem gelang es. Man konnte sogar behaupten, sie habe an diesem Tag für mehr Frohsinn gesorgt als jemals zu ihren Lebzeiten. Jack, der Jüngste, amüsierte sich königlich auf der Fahrt zum Friedhof: Den Wagen, in dem er saß, zogen schwarze Pferde mit winkenden schwarzen Federbüschen, und auf dem Bock saßen zwei Männer mit Hüten und schwarzen flatternden Bändern.

Für Tom war Grandma, zugedeckt und ohne Brille, wie

bestimmt kein Mensch sie je gesehen hatte, ein aufregender und ehrfurchtgebietender Anblick. Und das war erst der Anfang, denn jetzt wurde sie in dem schönen Sarg in ein tiefes Erdloch versenkt. Tom beugte sich vor und sah nach, ob unten in der Grube vielleicht ein hungrig wartender Wurm zu entdecken war.

Niemand wußte, was der alte Bert Cranswick dachte und fühlte. Vermutlich gar nichts, denn sein Blick blieb leer. Und doch hatte diese Frau, die ihn nun verlassen hatte, mit ihm zusammen gegessen, geredet, geschlafen und sicher auch manchmal gelacht. Er hatte immer gewußt, was sie sagen wollte, bevor sie es sagte, er hatte ihre Ansichten über alle und alles gekannt, das Innerste ihres Wesens war ihm vertraut gewesen. Das alles hatte er ohne viel Wärme und Verständnis wahrgenommen, einfach aus der langen Gemeinsamkeit heraus. Er vergoß keine Träne. Und man darf wohl gerechterweise annehmen, daß sie ihn ebenso trockenen Auges hätte dahingehen lassen.

Nathan war erfüllt von Mitleid. Arme Ma! Hatte sie jemals – wie er – Sonne und Mond im sinkenden Licht des Tages gesehen? Hatte sie die Winde des Himmels gespürt, die wie der Atem Gottes über die Haut strichen, und die Sonnenwärme, Segen und Glück? Oder hatten die grauen Stadtstraßen ihr das niemals gegönnt?

Ediths Gedanken gingen in die jüngste Vergangenheit. Die beiden haben mir meinen Martin genommen, der tausend von ihnen aufwog, dachte sie. Und doch ist keine Bitternis in mir. Ist meine Seele taub geworden? Muß ich meinen Weg gefühllos zu Ende gehen und von nun ab für einen Vater sorgen, den ich als Christin lieben und als Mensch hassen müßte, für den ich aber überhaupt kein Empfinden mehr aufbringen kann?

Zilla hatte Tee und einen Imbiß vorbereitet, und ihre Mutter bemühte sich, mit *Jerusalem* und *Harre meine Seele* die allgemeine Stimmung etwas aufzulockern, aber viel wurde nicht daraus. Edith brachte den alten Mann bald nach Hause und ins Bett; dann ging sie nach unten, machte sich Kakao und überdachte ihre Zukunft ruhig und sachlich, ohne Angst oder Selbstmitleid.

Das Jahr ging weiter, und immer mehr dunkle Wolken erschienen am Himmel. Tag für Tag wartete Blanche auf die Rückkehr ihres Liebsten.

Sie wartete vergebens. Guy hatte etwas gefunden, das größer und herrlicher war als alles, was er bisher gekannt hatte. Blanche, die Erinnerung an seinen Vater und die Scham über seinen Tod, die Stadt und die Schule und die methodistische Kirche, Kricket und Football, das alles gehörte für ihn zu den Tagen seiner Kindheit. Er war nun ein Mann und hatte das alles hinter sich gelassen, und mehr als das. Er hatte eine Geliebte gefunden, die ihm ungeahnte Freuden versprach, die aus ihm einen ganzen Kerl, einen großen Helden zu machen versprach. Guy hatte die Glorie des Krieges entdeckt und hatte sich ihr wie trunken mit Leib und Seele verschrieben.

20

Es goß in Strömen, als sie endlich in das Cottage einzogen.

Das Geschäft war verkauft, der neue Eigentümer hatte Hof und Werkstatt übernommen. Nathan kam sich leer und ausgelaugt vor, als er zum letztenmal die beiden Flügel des Tors schloß. Er ließ die vertrauten Materialien und Geräte hinter sich: Hammer, Meißel, Holz und Steine und Ziegel – Werkzeuge, mit denen ein redlicher Mann etwas anzufangen wußte. Sein Arbeitswerkzeug für die Zukunft war noch neu und unerprobt: Gebete, Predigen und Zuspruch und dazu die Torheiten des menschlichen Herzens.

Einen Augenblick packte ihn die Angst, daß er es nicht schaffen würde. Wieder fiel ihm eine von Zillas Grundregeln ein: Schuster, bleib bei deinem Leisten. Daran hätte er früher denken sollen. Wer war er denn, daß er so hoch hinauswollte?

Auf der Fahrt nach Moreland wurden sie gründlich durchnäßt, und die Stimmung sank. Heimweh nach der kärglichen Stafford Street erfüllte sie. Selbst das Pferd, das immer wieder die Mähne schüttelte, um den Regen abzuwehren, und das noch dazu eine fünfköpfige Familie hinter sich herzog, war mißgelaunt. Und dabei wußte es noch gar nicht, was sein Herr längst wußte: daß Pferd und Wagen jetzt ein unstatthafter Luxus geworden waren und abgeschafft werden mußten.

In dem kleinen Garten wucherte das Unkraut, die Blumen ließen die Köpfe hängen, und das Häuschen sah in der Nässe recht abweisend aus, obgleich Nathan schon vorher die Möbel hinübergebracht und aufgestellt hatte. Doch die Holzscheite waren feucht, der Schornstein qualmte, das kleine Feuer brannte lustlos und drohte immer wieder auszugehen, so daß sie noch länger auf die beiden Dinge warten mußten, nach denen sie alle sich sehnten: ein prasselndes Feuer und eine heiße Tasse Tee.

Blanche hatte vor der Abfahrt auf einen Zettel mit Druckbuchstaben »Miß B. Cranswick, Arche Noah, Moreland, Derbyshire« geschrieben und den neuen Wohnungsmieter etwas schüchtern gefragt, ob er wohl Briefe, falls welche kamen, nachsenden würde. »Aber ja, natürlich, Mädchen«, hatte er versichert und den Zettel auf die Fensterbank gelegt. Doch selbst der unerfahrenen Blanche war es klar, daß der Zettel, sobald sie den Rücken kehrte, von der Fensterbank verschwinden und verlorengehen würde. Wenn Guy wirklich schrieb, blieb sein Brief erst mal wochenlang in der alten Wohnung liegen, bis jemand ihn einfach ins Feuer warf.

Guy war für sie verloren, damit mußte sie sich abfinden. Und für die Familie begann hier draußen ein neues Leben. Blanche ging hinauf in ihre Schlafkammer, setzte sich auf den Fußboden und blickte aus dem niedrigen Fenster nach draußen.

Tropfende Bäume, grauer Himmel, ein angeschwollener Fluß, Wasserlachen auf dem Weg. Das war nun ihre Welt, bis alles noch schlechter wurde, denn ein Wechsel zum Besseren war gar nicht möglich. Sie liebte Guy, und niemals würde sie – konnte sie einen anderen lieben. Vielleicht ging sie einmal fort von hier, irgendwo in den Dienst, und das Dasein als Dienstmädchen, so hatte auch Dina gesagt, war gräßlich. So saß sie still da, ein liebes warmherziges Mädchen, das eben zur Frau wurde und damit noch nicht ganz fertig zu werden vermochte. In ihr war Sehnsucht nach dem verlorenen Liebsten, daneben aber auch tiefe Betrübnis, weil sie ihre geliebte und schwergeprüfte Tante so sehr gekränkt hatte.

Es gab im Dorf Moreland nicht nur keine richtige Kirche, sondern auch keine Kneipe. Das Fehlen der Kirche ertrug man mit Fassung. Doch ein Weg von zwei Meilen, um die Kehle anzufeuchten, und ein Rückweg von noch mal zwei Meilen – das war eine harte Prüfung.

Moreland bestand eigentlich nur aus ein paar kleinen roten Backsteinhäusern, die in Abständen an einem gewundenen Weg lagen, mit ein paar Bauernhöfen dazwischen. Der einzige Laden befand sich im Vorderzimmer von Miß Wrigleys Cottage. Da gab es Glashäfen mit Bonbons, ein Tablett mit Cadbury-Schokoladentafeln (etwas verblaßt am Rand), selbstgemachte Marmelade, Tee in Dosen, Säcke mit Mehl und Zucker, Schnürsenkel, Brauselimonade, ein paar Fliegen, eine Wespe, die hier Wohnrecht hatte, und einen Sessel, in dem Miß Wrigleys Bruder saß. Ein Schlaganfall hatte ihn mit dreiundsechzig Jahren fast bewegungsunfähig gemacht; so saß er stumm da, und alles, was er vom Treiben der Welt erfuhr, wurde von der Ladenglocke angekündigt und ebenso beendet, wenn der Kunde ging.

Es gab auch noch eine Dorfschule mit Mr. Fulger, dem Schullehrer, der davon überzeugt war, daß Wissen sich nur mit Hilfe eines Rohrstocks vermitteln ließ. Das Läuten der Schulglocke wurde deshalb für Tom Cranswick zu einem Ton, der ihm täglich von neuem Angst einjagte.

So war die Fahrt, die die Cranswicks bei der Übersiedlung zurücklegten, *an Meilen* nur kurz, doch sie gerieten in ein anderes Zeitalter. Sie kamen aus der Stadt mit den Exzessen der frühen Industrialisierung in eine dörfliche Welt mit Ruhe und Ignoranz, mit Sommersonne und häßlichem Winterwetter.

Jack war nun zwei Jahre alt und freute sich über alles: Wiesenhänge und schöne Blumen, die man ausreißen konnte, und Sonnenstrahlen, die durch den Hut drangen. Tom nahm alles viel schwerer. In den Feldern gab es Kühe und Ochsen, auf dem Sandweg begegnete man großen Pferden oder – noch schlimmer – der munteren und unberechenbaren Dina. Dazu kamen täglich fünf Stunden Schule mit Angst und Demütigung. Der Fluß glich immer noch einem sich windenden Tier, das wachsam auf der Lauer lag. Nein, für Tom gab es wenig Trost.

Blanche wartete jeden Tag auf den Briefträger. Sie sah dem in der Sonne blinkenden Mützenschirm entgegen, wenn er auf der Straße am Fluß erschien, am Hohlweg vorbeikam, aber nicht einbog und wenige Minuten später den gleichen Weg zurückging. Du bist eine Närrin, sagte sie sich; du wartest auf einen Brief und weißt doch, daß keiner kommt.

Zilla wurstelte sich so durch wie bisher und war froh, als sie festgestellt hatte, daß Ordnunghalten in einem kleinen Cottage ebenso unmöglich war wie in einem Stadthaus. So gab sie es also frohgemut auf und war glücklich, weil Nathan glücklich war.

Und Nathan *war* glücklich. Das Dorf war zwar klein, aber der alte methodistische Kirchensprengel zog sich weit auseinander; die Verbindungen bestanden aus vergatterten Sandsträßchen, Reitwegen und Trampelpfaden, die manchmal dann zu einem einsamen Hof oder einer kleinen Häusergruppe führten.

Nathan hatte sich vorgenommen, jeden einzelnen Dorfbewohner kennenzulernen. Ein paar Shillinge hatte er ausgegeben für derbe Stiefel und Ledergamaschen. So war er vor den schlimmsten Unbilden des Wetters geschützt, stapfte unermüdlich über Land und half, tröstete und ermutigte, wo immer er konnte.

Für ihn war das Landleben ein nie endendes Wunder. Wie war es nur möglich, daß er im größeren Teil seines Lebens nichts gewußt hatte von der Herrlichkeit eines Sommermorgens, von stillem Mittagsglast, von feuchtwarmen wehmütigen Abenden! Daß er niemals die Pracht des Herbstes, den Farbenglanz eines Septembertages richtig erlebt hatte! All dieser Reichtum wurde ihm neu geschenkt – als Hintergrund seiner Arbeit für Gott den Herrn und für das Glück seiner Mitmenschen. Es war zu viel an Segen, dachte er demütig und hatte dabei fast ein schlechtes Gewissen, weil er den Segen genoß auf Kosten seiner Familie, von der keiner wirklich glücklich zu sein schien. Sie sahen alle aus, als wären sie lieber wieder in der alten Wohnung. Besonders Tom – der müßte doch jetzt schon etwas Farbe haben, doch er sah eher blasser aus als zuvor.

Dafür gab es aber auch einen Grund. Eine Woche nach dem Umzug hatte Tom ein so traumatisches Erlebnis, daß er sich immer wieder weinend und sehnsüchtig in die Sicherheit der Stadt zurückwünschte.

Blanche hatte ihn mitnehmen wollen zum Brombeerpflücken.

»Was is'n das, Brombeeren?« fragte Tom argwöhnisch.

»Du wirst schon sehen. Komm mit.« Blanche ergriff die kleine Jungenhand, und Tom ging widerwillig mit.

Sie ging mit ihm auf eine hochgelegene Wiese oberhalb des Cottage, wo ein paar Kühe und Ochsen grasten. Rundherum zog sich eine dichte Hecke mit Brombeerranken, die dunkelschimmernde Früchte trugen. »Brombeeren«, sagte Blanche, stolz auf ihre neuerworbenen Kenntnisse. »Die kann man essen.«

»Woher weißt du das?«

»Daß man sie essen kann? Das weiß jeder. Guck mal.« Sie pflückte eine Brombeere und steckte sie in den Mund.

Tom sah ihr bei dieser mutigen Tat etwas ängstlich zu. Aber Blanche fiel nicht um und schrie auch nicht. Sie aß sogar gleich noch eine Beere und bot dann auch Tom eine an. Aber er trat erschrocken einen Schritt zurück. Er brauchte noch weitere Beweise, und außerdem hatte er noch ein Bedenken. »Wo muß man bezahlen?« fragte er.

Blanche lachte. »Gar nicht. Die bezahlt man nicht, Tom, die kosten nichts.«

Damit war für Tom die Sache erledigt. Was man nicht bezahlen konnte, aß man nicht. So was konnte nichts taugen.

»Komm«, sagte Blanche ermutigend, »wir wollen mal sehen, wie schnell wir diesen Korb vollkriegen.«

Damit war Tom zufrieden, solange er sie nicht selbst zu essen brauchte, und er begann zu pflücken, obgleich ihm dank seiner puritanischen Denkweise das Einheimsen wilder Früchte wie Diebstahl vorkam.

Und bei dieser Arbeit geschah das Schreckliche. Tom hörte, wie Blanche plötzlich angstvoll aufheulte. Ihm wurde eiskalt vor Schreck: Eine Anzahl junger Ochsen kam drohend mit langsamen Schritten auf sie beide zu. Und als er sich umdrehte, stieß ihn ein dicker Kopf in den Rücken, so daß er in die Brombeerranken fiel.

Flucht war unmöglich. Hinter ihnen lag die dichte Brombeerhecke, vor ihnen standen zwanzig wilde Ochsen, die es *ganz* sicher auf sie abgesehen hatten.

Weinend half Blanche ihrem Bruder auf die Füße und versuchte, mit dem Korb auf die Ochsen einzuschlagen. Umsonst – die Tiere umringten sie. Eine feuchte Schnauze rieb sich an Blanches Hand; verzweifelt versuchte sie, sie abzuwehren.

Jetzt wurden sie und Tom immer näher an die Brombeerranken gedrängt. »Hilfe!« schrien sie, obwohl sie wußten, daß kein Mensch sie hier hören konnte.

»Die tun euch nichts!« rief plötzlich eine tröstende Männerstimme. Zwischen den Ochsen erschien ein junger Mann zu Pferde und schob die andrängenden Tiere mit leichter Hand beiseite.

Blanche und Tom standen wie erstarrt. Einige Ochsen machten noch ein paar Sprünge, die anderen blieben jetzt in einiger Entfernung stehen und blickten mit feucht-schimmernden Augen herüber.

Der junge Mann lachte. »Sie sind bloß neugierig«, sagte er. »Schaut her, sie sind wirklich ganz artig.« Er streckte die Hand aus, und die Ochsen warteten noch einen Augenblick, dann kam einer näher, blieb stehen, trat heran und begann, an dem Jackenärmel des jungen Mannes zu kauen, der ihm nun einen Klaps versetzte. »Du bist ja lieb!« sagte er zärtlich. Dann wandte er sich an Blanche und Tom. »Seid ihr aus der Stadt gekommen?«

»Nein«, sagte Blanche immer noch atemlos, aber stolz darauf, daß sie sagen konnte, sie wohne auf dem Lande. »Wir wohnen in der Arche Noah.«

Er hatte das dunkelhaarige Mädchen schon eine Weile interessiert betrachtet. Jetzt wuchs sein Interesse, und er sagte:»Ach ja, natürlich, Sie sind Mr. Cranswicks Tochter. Ich habe Sie im Gottesdienst gesehen.« Das stimmte – er hatte kaum etwas anderes gesehen. Sicher war der große Sonnenhut daran schuld, daß er sie nicht sofort erkannt hatte.

Einer der jungen Ochsen kam sich bei der Unterhaltung vernachlässigt vor und machte jetzt spielerisch den Versuch, Tom auf die Hörner zu nehmen. Tom hatte so etwas nicht gern. Er schrie auf vor Schreck.

Blanche legte beschützend die Arme um ihn. Der junge Mann beugte sich herab, ergriff Tom und setzte ihn vor sich auf sein Pferd. »Soo – schon gut, hier bist du sicher.« Dann lachte er Blanche an. »Na, wollen Sie auch aufsteigen?«

Blanche schüttelte den Kopf. Sie hatte keine Lust zu näherer Bekanntschaft mit dem großen Tier. Doch der junge Mann kümmerte sich nicht darum. »Komm«, sagte er, sprang vom Pferd (zu Toms Entsetzen, denn ihm war, als säße er ganz allein auf einem Dachfirst) und half ihr hinauf auf die Kruppe. Dann schwang er sich in den Sattel, faßte Tom fest um und rief: »Festhalten, Miß Cranswick!« Und es ging los.

Der einen Gefahr waren sie entkommen, jetzt hatte die zweite sie im Griff, hoch über dem Boden auf schaukelndem Pferderücken, und zum Festhalten gab es nichts als den jungen Mann. Also klammerte sich Blanche an ihm fest.

Es war hübsch, mit ›Miß Cranswick‹ angeredet zu werden, und sie fand, daß auch die schwankende und doch sanfte Reitbewegung recht hübsch war. Der rauhe Tweed der Jacke vor ihr war richtig männlich und tröstend. Jetzt wandte ihr Retter sich halb zu ihr um. »Ich bin Adam Musgrove, ich wohne da drüben«, und er nickte zu einem großen Backsteinhaus hinüber. »Wie gefällt's Ihnen auf dem Lande?«

Das Pferd fiel plötzlich in leichten Trab. »Ach, ich – manchmal habe ich ein bißchen Angst«, sagte Blanche.

Er lachte. »Und ich habe in der Stadt Angst. Der ganze Verkehr – Wagen und Bahnen und Omnibusse –, so was erschreckt mich. So – hier auf dieser Wiese gibt es viel mehr Brombeeren als da hinten, weil hier mehr Sonne ist. Die Ochsen sind alle drüben auf der anderen Wiese. Ich werde Sie hier absetzen, da können Sie so viel pflücken, wie Sie wollen.«

Er glitt vom Pferd, stellte Tom auf den Boden und hielt dann Blanche die Arme hin. Etwas furchtsam schob sie beide Beine auf die gleiche Seite des Pferderückens und brachte es sogar fertig, daß ihre Knöchel verborgen blieben. Dann blickte sie etwas unsicher zu ihm herunter. Er faßte sie unter die Arme und sagte: »Spring!« Sie sprang und stand atemlos neben ihm auf der Wiese.

Er hielt sie noch einen Augenblick fest. »Du bist ja lieb!« sagte er und küßte sie leichthin auf den Mund, und bevor sie sich fassen konnte, war er wieder im Sattel und sprengte davon.

Selbstverständlich war sie sehr böse – legte aber trotzdem den Finger an den Mund und fühlte die Nässe seiner Lippen. Was fiel ihm denn ein? So etwas hätte Guy niemals getan, vor allem nicht mit einem Mädchen, das er gerade erst kennengelernt hatte. Aber Guy war ja auch ein Gentleman.

Mit leicht zitternden Fingern machte sie sich wieder ans Brombeerenpflücken – immer noch zornig. Ihr fiel ein, daß er zu dem gräßlichen Ochsen genau dasselbe gesagt hatte wie zu ihr: »Du bist ja lieb!« mit der gleichen Betonung und derselben Leichtigkeit. Unerhört. Wie konnte er es wagen.

21

»Da liegt 'n Brief für dich«, sagte Bert Cranswick argwöhnisch. Als Emily noch lebte, war fast nie ein Brief gekommen, zum Glück. Ein Brief: So was wurde vorsichtig in die Hand genommen, gemustert, umgedreht, ans Licht gehalten und schließlich geöffnet. Das hier war wieder mal ein Minuspunkt für die High School. Wäre Edith nicht auf diese hochgestochene Schule gegangen, dann würde sie nicht zu den Leuten gehören, die einen Briefverkehr unterhalten.

»Wo ist er denn?« fragte Edith.

»Auf der Fußmatte. Soll ich mich vielleicht bücken und deine Briefe aufheben?«

Edith ging an die Haustür. Da lag tatsächlich ein Brief mit der Anschrift nach oben auf der Matte, adressiert in großer kühner Schrift an Miß Edith Cranswick. Sie nahm ihn mit in die Küche, wo Bert sofort gebieterisch die Hand ausstreckte. »Zeig mal her.«

»Er ist an mich gerichtet«, sagte Edith ruhig, aber sie gab ihn ihm trotzdem. »Ich habe einiges wiedergutzumachen«, hatte sie leichthin zu ihrem Bruder gesagt, und der alte Mann sorgte dafür, daß sie das nicht vergaß. Er behandelte sie mit Verachtung – schließlich war sie ja ein gefallenes Mädchen, nicht wahr. Er bestand darauf, daß sich in seinem Alltag nicht das geringste änderte. Mittagessen um eins, Tee um fünf, Bettzeit um zehn, so war es gewesen, und so hatte es zu bleiben. Er selber hatte bisher niemals auch nur einen Teller abgetrocknet oder eine Tasse Tee gemacht, und damit wollte er auch jetzt nicht anfangen und hätte es auch gar nicht gekonnt. Emily hatte ihn im Stich gelassen, als sie starb; es war also selbstverständlich, daß die ledige Tochter an die Stelle der Mutter trat, vor allem wenn diese Tochter sich wie ein Straßenmädchen aufgeführt hatte. So gab ihm Edith den Brief ohne Streitwort und Widerrede. Sie hatte Strafe verdient, sagte sie sich. Sie lebte nun wieder in dem schäbigen kleinen Schlafzimmer, das sie als Kind bewohnt hatte, in der Küche, wo sie ihrer Mutter zur Hand gegangen war, und sie hörte wieder die banale ausdruckslose Stimme, die die gleichen Vorurteile und mißverstandenen Begriffe von sich gab wie eh und je. Ihr Leben hatte einen Kreis beschrieben und würde – mit Grauen dachte sie manchmal daran – in derselben Kreisbahn weiterlaufen. Auch wenn ihr Vater starb, blieb ihr nichts als dieses Haus und Armut. *Nimm, was du willst, sagte Gott. Nimm es und bezahle dafür.* Und vielleicht ist der Preis, den Gott mir abverlangt, höher, als ich gedacht habe.

Nur in einem Punkt bot sie ihrem Vater Trotz. Sie bestand darauf, auch weiterhin zur anglikanischen Messe nach St. Lukas zu gehen.

Für den alten Mann war St. Lukas ein fast so verderblicher Einfluß wie die High School. Nichts als Kratzfüße und Verneigungen! So was war ungesund, es gehörte nicht hierher. Und überhaupt schätzte er es nicht, am Sonntagmorgen allein gelassen zu werden.

Edith ging trotzdem; doch auch hier stand ein Wechsel bevor. Der gütige alte Pater Cavendish war gestorben, ihm folgte ein langes Interregnum, und nun hieß es, man habe einen neuen jungen Vikar bestellt. Junge Vikare, das war bekannt, schätzten Veränderungen, und Edith mochte keine Veränderung. St. Lukas war in ihrem Leben der eine feste Punkt, den wollte sie behalten.

Aber dann stellte es sich heraus, daß der neue Mann der Pfarrer Mark Forrest war, und der war gar nicht so sehr jung. Zwar war er jung, verglichen mit Pater Cavendish, aber er war schlank und hochgewachsen und sah etwa so alt aus wie Edith selber.

Abgesehen vom Festhalten an ihrer Kirche fügte sich Edith ihrem Vater in fast allen Dingen. So blieb sie auch jetzt geduldig stehen, während er den Briefumschlag befingerte, die Adresse prüfte, die Briefmarke besah und ihr schließlich brummig den Brief zurückgab.

Sie kannte die Schrift nicht. Der Brief sah irgendwie amtlich aus. Ihr Herz tat einen Sprung: Ob die Bibliothek ihr die alte Stelle anbot? Nein, nein – dafür war sie viel zu weit vom rechten Wege abgewichen, sagte sie sich.

»Na, willst du ihn nicht aufmachen?« fragte Bert grob.

Sie hätte ihn lieber irgendwo geöffnet, wo die gierigen Augen sie nicht beobachteten. Aber sicher gab es nur Streit und mißtrauische, sehr direkte Fragen, wenn sie den Brief mit nach oben nahm in ihr Zimmer. Sie riß den Umschlag auf und entfaltete den Bogen.

»Na, was steht drin?« fragte Bert, bevor sie Zeit gehabt hatte, auch nur die Anrede zu lesen.

»Es ist – er kommt von einem Rechtsanwalt, Dad. Ich soll zu ihm kommen.«

»Ha. Das wirst du ja wohl nicht tun, wo du soviel auf dem Gewissen hast.«

»Ich muß hingehen, Dad.« Aber sie hatte Angst. Sobald sie konnte, ging sie nach oben und las den Brief noch einmal. »Sehr geehrte Miß Cranswick, ich wäre Ihnen verbunden, wenn Sie mich so bald wie möglich in meiner Kanzlei aufsuchen könnten. Bitte bringen Sie Ihren Ausweis mit. Mit vorzüglicher Hochachtung, Josiah Thorpe.« Der Briefkopf lautete: Thorpe, Thorpe & Thorpe, Rechtsanwälte.

Am Nachmittag zog sich Edith wie immer sorgfältig an und suchte die Anwaltskanzlei von Thorpe, Thorpe & Thorpe auf. Ihr Mund war trocken, und innerlich bebte sie; dabei wußte sie gar nicht, wovor sie eigentlich Angst hatte. Was konnte ein Rechtsanwalt von ihr wollen? Selbst die High School hatte sie nicht ganz befreit von der alten Scheu der Arbeiterklasse vor studierten Leuten.

Der Angestellte im Empfangsraum spürte ihre Angst

und maß sie trotz ihrer eleganten Erscheinung mit geringschätzigen Blicken. Er ließ sie im Wartezimmer Platz nehmen und gebot ihr zu warten.

Sie wartete. Endlich öffnete sich eine Tür, und eine Stimme sagte:

»Miß Cranswick? Miß Edith Cranswick? Bitte treten Sie näher.«

Sie sprang auf und trat in einen Raum, der vom Boden bis zur Decke mit Akten und Dokumenten angefüllt war. Mr. Josiah Thorpe wies auf einen Stuhl und nahm auch selber Platz. Er sah genauso staubig aus wie die Akten und war auch genauso trocken. Jetzt betrachtete er Miß Cranswick mit einigem Interesse, denn lockere Mädchen gehörten sonst nicht zu seiner Klientel. Eigentlich fand er es ganz spannend, war aber dann entsetzt über sich selber. Er nahm sich zusammen, zog ein Aktenstück heran und räusperte sich ausführlich, und damit hatte ein normaleres und legitimeres Gefühl in ihm die Oberhand gewonnen, nämlich gründliche Mißbilligung. Er ließ den Blick auf der Akte ruhen und fragte:

»Sie waren bekannt mit dem Pfarrer Martin Clulow?«

Edith kam es vor, als stecke ihr Herz in der Kehle und hindere sie am Sprechen. Sie nickte.

»Nun? Ja oder nein?« fragte Mr. Thorpe streng, die Augen immer noch auf der Akte.

»Ja«, flüsterte Edith.

»Ja«, wiederholte Mr. Thorpe. Wieder räusperte er sich. »Ich habe Ihnen mitzuteilen, Miß Cranswick, daß der verstorbene Martin Clulow Ihnen in seinem Testament die Summe von einhundert Pfund hinterlassen hat.«

Jetzt brach Edith in Tränen aus.

Josiah Thorpe war ein vielbeschäftigter Mann. Er hatte weder Zeit noch Lust, sich mit weinenden Frauen abzugeben, besonders nicht mit einer, die durch schlechten Lebenswandel zu einer Erbschaft gekommen war. »Nehmen Sie sich doch zusammen, Miß Cranswick«, sagte er ärgerlich.

Doch die ruhige und sonst so heitere Edith Cranswick war nicht imstande, sich zusammenzunehmen. Jetzt endlich war der Damm gebrochen. Sie hatte Kummer, Haß, Schimpf und physische Angriffe kennengelernt und sich nicht einschüchtern lassen. Nun war ihr Güte widerfahren, das war zuviel.

Mr. Thorpe klingelte und sagte zu dem Angestellten: »Lassen Sie Miß Cranswick draußen warten, bis sie sich gefaßt hat.« Und zu Edith gewandt: »Die Banküberweisung wird Ihnen in Bälde zugehen.«

Edith neigte den Kopf. Von dem draußen angebotenen Stuhl machte sie keinen Gebrauch, sondern tastete sich, noch halb blind vor Tränen, auf die Straße hinaus. O Martin, lieber, geliebter Martin! Wie gütig und vorsorglich war er immer gewesen. Hundert Pfund! Eine unglaubliche Summe. Sie wollte das Geld nicht, sie wußte gar nicht, was sie damit machen sollte. Zurücklegen für ihr Alter? Eine solche Fürsorge hatte sie nicht verdient. Sie hatte beim Allmächtigen noch eine große Schuld abzuzahlen. Wenn sie das nicht tat, mußte sie sich für immer verachten.

Und trotzdem begann sie ganz leise zu träumen. Solange ihr Vater lebte, war sie natürlich eine Gefangene. Aber nachher? Dann konnte sie fortziehen an einen hübschen Ort, vielleicht Bournemouth, das sollte so schön sein. Für hundert Pfund konnte sie ein kleines Haus kaufen. Und dann vielleicht wieder in einer Bibliothek arbeiten, wo niemand sie kannte. In der Nähe einer High Church, vielleicht mit einem schlanken hochgewachsenen Pfarrer, der ein wenig so aussah wie Mark Forrest ...

Auf dem Heimweg schritt Edith leichter aus. Der Gedanke, daß sie in Gottes Schuld stand, verließ sie nie, aber sie hatte heute ein paar Tropfen von einem Wein getrunken, der ihr seit Monaten vorenthalten worden war: der berauschende Wein der Hoffnung.

Ihr Vater brachte sie schnell auf die Erde zurück. »Na, was wollte er denn?« Zurückhaltung kannte Bert Cranswick nicht.

Edith war so erfüllt gewesen von Tränen und Tagträumen, daß sie sich auf ein Verhör nicht vorbereitet hatte. Sie stammelte: »Er hat – er hat mir Geld hinterlassen.«

»Wer hat dir Geld hinterlassen?«

»Martin Clulow.«

Schweigend starrte der alte Mann sie an. Dann fragte er barsch: »Wieviel?«

»Hundert Pfund, Vater.« Klang da eine Spur Trotz hindurch, eine Andeutung von Stolz? Für den alten Mann hörte es sich so an. Er fragte hämisch:

»Und du nimmst es natürlich an?«

Edith rang die Hände. »Er hat es mir *hinterlassen*, Vater.«

»Na.« Er saß da und starrte sie an; deutlich überlegte er, womit er sie am meisten kränken konnte. Endlich sagte er beißend sarkastisch: »Na, dann kann ich wohl stolz auf dich sein. Du mußt ja zur Spitzenklasse gehören. Gibt sicher nicht viele Liebchen, die es so weit bringen.«

Sie sah ihn so flehend, so mitleidheischend an, daß er sich innerlich auf die Schulter klopfte. Dieser Pfeil war der High-School-Lady endlich mal unter die Haut gedrungen.

22

Nun wurde die erste Ernte des Jahres eingebracht. Sense und Sichel, Forke und Spaten, Heuwagen und Karren, starke Arme und kräftige Hände hatten alles zusammengetragen und in die Scheuern gebracht. Der zweite Schnitt stand noch bevor; erst etwas später wurden tausend junge Männer zusammengerufen und auf Schiffen in ein fernes Land verladen.

Die methodistische Kapelle war geschmückt mit Korngarben und Äpfeln und Birnen, mit Kürbissen und Brombeeren und allen Gartenfrüchten, prall und reif wie die Landfrauen, die sie gebracht hatten. Und die Krönung des Tages war wie jedes Jahr das Erntefestmahl, das Mr. und Mrs. Heron in der großen Scheune oben am Herrenhaus ausrichteten.

Nathan war tief beglückt. Er sah die weißgedeckten Tische unter den Schatten des Scheunendaches, die braungebrannten fröhlich lachenden Gesichter; er spürte die warme Nähe der Menschen, die einen guten Kampf gegen Wind und Wetter gekämpft hatten und nun die Früchte ihrer Mühen vor sich sahen, die gefüllten Schüsseln und das Bier für alle, die Lust darauf hatten. Er sah das alles mit den Augen der Liebe, fast mit den Augen eines Dichters, und das Herz ging ihm auf. So mußte das Leben sein – saure Wochen, frohe Feste und Dank für die Gaben Gottes. Es war, als sei ein wenig von Nathans altem Puritanismus in den grauen Straßen von Ingerby zurückgeblieben.

Er war glücklicher, als er es noch vor wenigen Wochen für möglich gehalten hatte. Ringsum war er von Freunden umgeben. Mr. Heron hatte wieder den alten warmen Ton für ihn, und selbst Mrs. Heron (wie jedes Jahr entschlossen, an diesem Tage zu jedermann reizend zu sein, auch wenn sie daran erstickte) behandelte ihn mit ausgesprochen liebenswürdiger Herablassung – was wirklich sehr angenehm war, denn er saß neben ihr auf dem Ehrenplatz.

Liebe, Freude, Frieden, ging es ihm durch den Sinn. Die Früchte des Geistes und die des Bodens in harmonischer Gemeinschaft. Liebe und Freude sprachen aus dem Gelächter und den heiteren Gesichtern ringsum (wenngleich das vielleicht nicht so sehr dem Heiligen Geist wie dem Biergenuß zu verdanken war). Und Frieden! Dieses Fest zeigte doch deutlich, wie unsinnig all das Gerede vom Krieg war. Man war im neunzehnten Jahrhundert – in wenigen Monaten schon im zwanzigsten. Die Völker waren erwachsen und bekriegten sich nicht mehr um Bagatellen.

Lächelnd winkte Nathan einigen seiner neuen Freunde zu. Es waren knorrige alte Männer, die in ihrem Leben niemals über Ingerby hinausgekommen waren, für die die Hügel im Norden ihres Landes so fremd waren wie der Himalaya; Frauen, deren Jahreseinteilung bestand aus Frühjahrsputz, Einmachen, Weihnachtsvorbereitungen und dazwischen Schwangerschaften und Todesfälle; junge Mädchen, rundlich, reif und süß; junge Burschen, kräftig und erwartungsvoll grinsend, weil sie hofften, beim Tanz etwas Dampf ablassen zu können. Er liebte sie alle. Nathan Cranswick hielt ihr Seelenglück in der Hand; er hatte heute abend einen Platz erreicht, den er, der einfache Mann, niemals hatte erhoffen können.

Er blickte zu seiner Familie hinüber. Jack Jubilee war auf dem weichen Schoß seiner Mutter friedlich eingeschlafen. Tom nagte an einer Bleichselleriestange und warf ängstliche Blicke zu Dina hinüber, die auf der anderen Tischseite saß und viel kicherte. Ach, und Blanche – geliebte kleine Blanche! Wenn er sie doch nur von dieser Traurigkeit befreien könnte, die in ihren Augen stand.

Oben am Tisch saß Robert Heron, und er aß und trank, redete und lachte mit so viel Wärme und Lebensfreude, daß es einfach wohltat, ihn anzusehen. Neben ihm saß diese nette Mrs. Musgrove, die Nathan immer irgendwie etwas überlebensgroß vorkam, laut und überschäumend und dabei stets freundlich: So einen Menschen hatte er noch nie kennengelernt.

Endlich wurde zur allgemeinen Erleichterung alles beiseite geräumt und der Boden zum Tanz freigemacht. Die Musikkapelle legte los: Fiedel, Violoncello, Klavier, Flöte, mit mehr Lärm als Musikalität, und genau das wollten die Tanzenden.

Nathan sah plötzlich, daß Mrs. Musgrove sich auf den leeren Stuhl an seiner Seite gesetzt hatte. In ihrem Gesicht stand jetzt ein ernster Ausdruck, als sie sich an ihn wandte und sagte:

»Mr. Cranswick, ich habe ein so schlechtes Gewissen – wegen Ihrer Schwester. Ich war schon ein paarmal oben am Cottage und wollte sie besuchen, aber sie war nicht da. Ich möchte nicht, daß sie denkt, was ich in der Zeitung gelesen habe, hätte ...«

»Ich habe sie fortgebracht, Mrs. Musgrove. Sie lebt bei ihrem Vater. Aber ich werde ihr von Ihrer Freundlichkeit erzählen.«

»Ja, bitte tun Sie das. Ich fand sie besonders angenehm.«

Nathan war bestürzt, als er Tränen auf seinen Wangen fühlte. Daß jemand seine liebe, von allen verdammte Schwester so lobte, war plötzlich zuviel für ihn. Stockend sagte er:

»Ich danke – ich danke Ihnen sehr, Mrs. Musgrove. Sie ist mir eine sehr liebe Schwester. Aber ich wußte nicht, daß Sie sie kennen.«

»Ja. Wir haben uns nur einmal getroffen, aber wir mochten uns gleich.«

Nathan schwieg, er konnte nichts mehr sagen. Vinny Musgrove sah ihn mitfühlend an. Lieber das Thema wechseln, dachte sie. »Es würde Ihnen guttun, diese Polka mit mir zu tanzen«, sagte sie mit gespielter Strenge. »Aber ich weiß schon, Sie werden es nicht tun.«

Er schüttelte resigniert lächelnd den Kopf. Jetzt trat Robert Heron heran, entschuldigte sich bei Lavinia und führte Nathan hinüber zu einigen der Gäste, die er noch nicht kennengelernt hatte.

Tom erschrak, als Dina um den Tisch herumkam und ihn mit den grünen Augen mutwillig anfunkelte. »Nein – ich kann nicht tanzen!« rief er, aber sie kümmerte sich gar nicht um seinen Protest, packte ihn zielbewußt und steuerte ihn auf die Tanzfläche, wo sie ihn so fest umschlang, daß seine dünnen Beine gezwungen waren, den Bewegungen des Tanzes zu folgen, während die Füße kaum den Boden berührten.

Mit Eifer stürzten sich die jungen Männer auf die kichernden Mädchen und zogen sie mit sich zum Tanz. Auf Blanche stürzte sich keiner, sie wirkte einschüchternd, und man hielt sie für eine überhebliche Stadtpflanze. Bis ein hochgewachsener junger Mann sich vor sie hinstellte und einladend eine Hand ausstreckte.

»Oh – ich kann nicht tanzen«, sagte Blanche, die vom Tanzen nicht mehr verstand als ihr Vater. Es kam noch etwas hinzu: Vor ihr stand der junge Mann, der sie vor den Ochsen errettet und sie dann einfach geküßt hatte.

»Bitte, Miß Cranswick«, sagte er drängend und lächelte zuversichtlich dabei.

Sie wich zurück und schüttelte heftig den Kopf. Einen Augenblick später war sie in seinen Armen. »Nein«, sagte sie, »nein – ich kann doch gar nicht. Ich kann nicht tanzen!« und schob ihn energisch von sich.

Er ignorierte das alles. Er lächelte sie nur an und führte sie mit festem Griff in den Tanz.

Blanche hatte immer geglaubt, Tanzen sei schlimm und sündhaft. Nun stellte sie fest, daß es – vielleicht gleich vielen anderen sündhaften Dingen – wunderbar war. Natürlich war sie linkisch und ungeschickt. Aber der Lärm ringsum, die Musik und der Rhythmus, das fröhliche Lächeln ihres Partners, als sie einmal die Augen zu ihm hob, vor allem das Gefühl des Tweedstoffes an ihrer Schulter und des starken männlichen Arms, der sie führte: Das alles war wie eine Offenbarung für ihre kleine puritanische Seele. Mit schlechtem Gewissen wünschte sie sich, der Tanz möge ewig dauern.

Viel zu schnell war er dann zu Ende. Der junge Mann brachte Blanche an ihren Platz zurück und ging schnell fort – wohl um sich eine neue und geübtere Tanzpartnerin zu holen, während Blanche traurig davon träumte, Guy Clulow sei hier. Ganz sicher gab es auf Erden keine größere Freude, als mit Guy zu tanzen.

Sie kam sich Guy gegenüber ganz schlecht vor, doch ihr Herz tat einen Sprung, als der junge Mann sich wieder vor ihr verneigte und ein neuer Tanz begann. Sie mußte ›Nein‹ sagen, sie gehörte doch Guy, auch wenn er sie niemals holte. Doch als sie den Kopf schüttelte und »leider« flüsterte, war sie schon in seinen Armen und bemühte sich angestrengt, ihre Schritte den seinen anzupassen. Ihr Vater beobachtete sie und sah das weiche Lächeln auf ihrem Gesicht, und es machte ihn froh. Ihm hatte Guy Clulows Verhalten gar nicht gefallen. Je schneller Blanche ihn vergaß, um so besser für sie. Diesen Jungen da kannte er und mochte ihn: sauber, wohlerzogen, offenes frohes Gesicht und noch dazu Mrs. Musgroves Sohn. So einer könnte Blanche glücklich machen.

Ihr erster Tanz war eine Polka gewesen, laut und schnell, dabei war eine Unterhaltung nicht möglich. Diesmal war es ein Walzer, romantisch und traumselig.

Adam Musgrove sagte ernst: »Ich finde Sie ganz besonders nett, Miß Cranswick.«

Kein anderer hatte sie jemals Miß Cranswick genannt, und erst recht hatte kein anderer ihr jemals gesagt, sie sei nett. Nicht einmal Guy. Sie senkte den Kopf und flüsterte: »Danke.«

Die Musik setzte aus. Er legte ihr die Hand unter den Ellbogen und führte sie an ihren Platz zurück. Dann fragte er: »Würden Sie noch einmal mit mir tanzen?«

»Wenn – wenn Sie möchten«, erwiderte sie leise und blickte zu Boden.

»Ich möchte sehr gerne«, sagte er. »Dann also nach der Pause.« Und fort war er.

Robert Heron hatte Nathan ringsum bekannt gemacht; jetzt sah er zwei leere Stühle und nahm zusammen mit ihm Platz. Er blickte sich zufrieden um. »Na, wie finden Sie die Leute?«

»Großartig«, sagte Nathan mit leuchtenden Augen.

»Ja, Sie haben recht. Ein paar von den Alten da sind das Salz der Erde. Nie haben sie in der Woche mehr als ein paar Shilling verdient, morgens früh raus, ganzen Tag Arbeit bei jedem Wetter und niemals ein Wort der Klage.« Er trank einen Schluck Bier. »Na ja, warum sollten sie klagen. Sie haben ja alles, wenn man's recht überlegt.«

»Ja«, stimmte Nathan bereitwillig zu. Sie hatten alles: Familie, genug zu essen, Schlaf, redliche Arbeit, Ruhe am Sabbat. Was wollte ein Mensch noch mehr?

Robert ließ sich von seiner Begeisterung forttragen. »Und die Jungen erst – Sie glauben nicht, was die für Kraft haben.« Wieder hob er den Bierkrug an die Lippen, stellte ihn aber hin, als er den Enthusiasmus in der eigenen Stimme hörte. Doch den Redefluß konnte er nicht bremsen. »Bei Gott, das britische Empire braucht sich keine Sorgen zu machen, solange es noch solche Burschen hervorbringt.«

Nathan sagte nichts.

»Wenn ich ein paar wie diese in meiner Schwadron habe, werde ich mich nicht beklagen. Und« – etwas leiser – »unter uns, Nathan, dafür werde ich sorgen.«

Nathan war erstaunt und bestürzt. »Sie meinen – Sie wollen wirklich in diesen Krieg ziehen?«

Strahlend wie ein Schuljunge schlug sich Robert Heron auf die Brust. »Jawohl. Kavallerie. Ich hab die Zusage.

Hoffentlich ist nicht alles vorüber, bevor ich da runterkomme.«

»Das tut mir leid – sehr leid, Mr. Heron«, sagte Nathan ruhig.

»Na, na, so müssen Sie das nicht auffassen. Sie werden es hier schon schaffen, Mann. Ich verlasse mich nämlich darauf, daß Sie alles zusammenhalten. Einer der Gründe, warum ich Sie hergebeten habe.«

»Tatsächlich?« Nun war Nathan doch geschmeichelt. »Aber an mich habe ich dabei nicht gedacht, Mr. Heron. Ich meine nur, Sie könnten hier viel mehr Gutes tun.« Seine kurze Freude hatte sich sichtlich in Bedrückung verwandelt.

Die Musik machte eine Pause. Die Musiker lehnten ihre Instrumente an die Stühle, standen auf und reckten sich.

»Pause«, sagte Robert. »Heiß hier drinnen. Kommen Sie, Nathan, wir machen die große Tür auf.«

Das Scheunentor war groß genug für einen beladenen Heuwagen, und die starken Torflügel schwangen leicht auf in den gutgeölten Angeln. Robert und Nathan traten nach draußen. »Schöner Abend«, sagte Robert. Er hatte recht: Über dem schlafenden Land lag der Sternenhimmel und verwandelte die vertrauten Felder und Wiesen in eine geheimnisvolle Nachtlandschaft.

Plötzlich fuhr Nathan zusammen. Schriller Lärm klang auf, entfernt noch, doch er kam deutlich näher – eine blecherne Weise, die langsam in die *British Grenadiers* überging. Nun hörte man auch das Scharren und Trampeln von schweren Stiefeln auf Kies und dann das Rasseln von Kesselpauken.

Trommeln und Pfeifen und Marschgesang. Heldenmut und Vaterland. Nathan merkte, wie sich etwas in ihm rührte; er mußte zugeben, daß die Relikte einer stürmischen Vergangenheit auch in ihm etwas zum Klingen brachten, etwas vielleicht nicht Unwürdiges. War Mut nicht eine Tugend, die andere edle Gefühle stärkte?

Was machten bloß diese Soldaten mitten in der Nacht hier draußen auf dem Land? Sie kamen anscheinend vom Herrenhaus? Vielleicht hatte Mr. Heron eine Aufführung geplant? »Was kommt denn jetzt?« fragte Nathan.

Robert zog an seiner Zigarre, die rot im Dunkel glühte. »Mein Beitrag zum Empire«, sagte er scherzend und blies den Rauch aus, der sich im Kerzenlicht vor der Scheune nach oben kräuselte. »Tut gut, so was zu hören, was?« sagte er anerkennend.

»Ja«, stimmte Nathan zu. Der Lärm von den Trommeln und den schrillen Pfeifen war fast ohrenbetäubend. In der Dunkelheit erschien jetzt schwach sichtbar ein rotberockter Soldat mit der Fahne und hinter ihm eine noch undeutliche Schar marschierender Männer. Die Spannung wuchs.

In der Scheune drängten sich jetzt alle in die Toröffnung, vor allem die Mädchen und die jungen Männer. Unter lautem Hurra marschierten die Soldaten in die Scheune. Ein Sergeant in prächtigem Rot und Gold, kraftvoll wie ein Bulle, grüßte Mr. Heron im Vorbeigehen mit lautem Hurra. Dann befahl er den Männern »Das Ganze halt!« und rief: »Es lebe Mr. Heron – dreimal hoch und Dank für das Festmahl!«

Automatisch riefen die Männer Hoch, und die Dorfleute applaudierten und lachten erregt. Nathan applaudierte ebenfalls und blickte Robert Heron bewundernd an. Was für ein großzügiger Mann – er lud nicht nur seine Pächter, sondern auch noch eine Anzahl der stationierten Soldaten ein!

Jetzt gebot der Sergeant Ruhe, die auch sogleich eintrat. Der Sergeant wußte immer, was er wollte, und bekam es auch. Er blickte sich in der Scheune um und musterte seine Zuhörer. Dann sprach er – oder vielmehr, er bellte.

»Nun, ihr Burschen«, schrie er, und die Stimme rollte wie Donner unter den hohen Balken. »Wer will sich denn nun den Shilling der Königin verdienen?«

Die jungen Männer, sichtlich unsicher, scharrten mit

den Füßen und starrten zu Boden. Die Mädchen beobachteten sie – halb mit Angst, falls der *eine* vortrat, an dem ihr Herz hing, halb mit Verachtung ob der verlegen drucksenden Tölpel. Und die Jungen spürten das Drängen einiger Mädchen, jetzt Mut zu beweisen, in die Schlacht zu ziehen.

Der Sergeant ließ den Blick über die jungen Leute wandern. »Schöner Haufen!« bellte er zu den Balken hinauf. »Immer noch an Mutters Schürzenband, was?« Er hob die vorstehenden Augen zum Himmel. »Ist doch wahr«, murmelte er angewidert.

Jetzt lachten einige junge Männer, schrien und schlugen sich auf die Schenkel. Das Lachen der Frauen klang unsicher, die Mädchen kicherten abfällig und mokierten sich. Die meisten schwiegen.

Nathan stand noch immer mit Mr. Heron unter dem Tor und blickte fassungslos auf die Szene. »Wie ist denn der hierher geraten?« fragte er.

»Ich habe ihn eingeladen«, sagte Robert Heron. »Nun mal los, Jungens – Courage! Mumm – los mit euch!«

Der Sergeant war jetzt dabei, Glorie, Freuden und Lohn des Soldatenlebens auszumalen. »Und dann erst die Mädchen!« schloß er mit groteskem Augenzwinkern. Und zu den Mädchen gewandt: »Ihr geht doch auch lieber mit 'm schneidigen Soldaten aus als mit so einem Schlappschwanz, was?«

»Ja!« schrien einige der mutigeren.

»Habt ihr's gehört, Jungens?«

Schweigen. Dann rief einer der Jungen: »Ist es wahr, daß es Krieg gibt, Sergeant?«

»Ja, mein Junge, das ist wahr. Da habt ihr gleich eine Chance, euch auszuzeichnen.«

»Oder zu sterben!« rief Nathan laut. Er war selber erstaunt über sich. Gerade noch hatte er sich mitreißen lassen von dem militärischen Gehabe. An kritisches Eingreifen hatte er gar nicht gedacht.

»Wer hat das gesagt?« Der Sergeant lachte, legte dramatisch die Hand über die Augen und blickte auf die Toröffnung; er wirkte wie ein Schmierenschauspieler. »Nun reden Sie mal nicht so, Mister. Die Jungens hier werden gegen einen Haufen betagter Farmer eingesetzt, das ist alles. Und bis Weihnachten ist sowieso alles vorbei.« Er wandte sich wieder an die jungen Männer. »Ihr erntet Ruhm und Ehre, Jungens, ihr kriegt die Welt zu sehen und kommt mit Orden und Ehrenzeichen zurück in die Heimat.«

In Nathan stieg rauchender Zorn hoch und schob jede Angst und Zurückhaltung beiseite. Vor solchen Lügen verlor er die Beherrschung. »Unsinn!« rief er laut. »Hört ihm nicht zu! Er erzählt euch nichts als Lügen!«

Eine Stimme neben ihm sagte ruhig: »Was *fällt* Ihnen ein, Nathan?«

Nathan wandte sich um und sah Robert Heron, der ihn mit kalter Wut anblickte. »Das stimmt doch alles gar nicht, Mr. Heron! So wird es *nicht* ausgehen! Viele werden tot oder verstümmelt sein.«

»Und ist das nicht Ruhm und Ehre, wenn es für unser Land geschieht?« fragte Heron mit zusammengebissenen Zähnen. »*Ich* habe diesen Mann hergebracht, Pastor Cranswick. Bitte mischen Sie sich da nicht ein!«

Der Sergeant war jetzt in Schwung gekommen. »Und ich sage euch, hört nicht auf *den*, Jungens! Ich weiß, wir haben hier schon allerhand Burenfreunde, und der Krieg ist noch nicht mal richtig losgegangen.« Er räusperte sich, um auszuspucken, tat es dann aber nicht und fuhr fort: »Kümmert euch nicht um die. Seht her: Ich habe hier eine ganze Tasche voll neuer blanker Shillinge.« Er warf einen Shilling in die Luft, fing ihn auf und klatschte ihn auf den Tisch. Grinsend rief er: »Na, wer will ihn sich holen?«

Niemand rührte sich. »Herrgott, laß sie nicht so töricht sein!« betete Nathan laut. Heron warf ihm einen bösen Blick zu.

Jetzt regte sich etwas. Angestachelt von seinen Freunden, schob der erste sich vor. Die schweren Stiefel schlurften über den zertrampelten Boden.

Unterdrücktes Lachen und dann lautes Gelächter kam auf, denn alle kannten Sammy Bacon und freuten sich diebisch auf den Spaß.

Sammy Bacon wohnte mit seiner alten Mutter in einem kleinen Haus am Waldrand; er hatte, milde gesagt, nicht alle Tassen im Schrank. Nun warteten die Zuschauer gespannt, ob dem Anwerber ein Licht aufging für die Komik der Situation.

Doch nicht alle hatten Spaß an der Sache. Es gab auch unter diesen Dörflern ein paar sensible Leute, die das alles gar nicht komisch fanden. Zu ihnen gehörte Nathan. Er trat eilig nach vorn und sagte: »Geh mal zurück, Sammy.« Dann wandte er sich an den Sergeanten. »Seine Mutter ist Witwe, den können Sie nicht nehmen. Außerdem bezweifle ich, ob er Ihnen viel nützen würde, Sergeant.«

»Ich brauche keinen Burenfreund, um das zu sehen«, sagte der Sergeant grob. »Einen Dorftrottel erkenne ich genauso schnell wie einen Burenfreund – danke schön.« Und zu Sammy gewandt schnarrte er: »Verschwinde!« Dann drehte er sich zu den grinsenden jungen Leuten um und sagte böse: »Ihr braucht gar nicht so dämlich zu lachen! Euch möchte ich mal auf meinem Kasernenhof haben. Ihr habt diesen Schwachkopf hergebracht, das ist eine Beleidigung für Ihre Majestät, die Königin. Und jetzt sitzt ihr da, und keiner hat den Mut vorzutreten.«

»Nathan!« rief Robert Heron laut.

Nathan blickte zu ihm hinüber. Mit einer herrischen Kopfbewegung winkte ihn Robert zu sich heran. Nathan trat zu ihm und fragte kühl:

»Wollen Sie was von mir, Mr. Heron?«

»Ja. Wollen Sie sich bitte da heraushalten, ja?«

»Aber Mrs. Bacon kann ohne Sammy nicht fertig werden – sie hat sonst niemanden zum Wasserholen und Holzhacken.«

»Sie haben sich gründlich blamiert«, sagte Heron scharf. »Zu denken, der Sergeant würde Sammy nehmen! Was für eine Idee.« Er kochte. »Und noch eins: Auf welcher

Seite stehen Sie eigentlich? Auf der Seite des Empire oder auf Krügers?«

»Auf der Seite des Empire selbstverständlich. Nur sehe ich nicht ein, warum es zu einem Krieg kommen muß, Mr. Heron.«

»Ich nehme Ihnen das sehr übel, Nathan. Bisher ist noch jedes unserer Erntefeste froh und glücklich verlaufen. Dieses heute haben Sie verdorben.«

Nathan kochte jetzt ebenfalls. »Mit Verlaub, Mr. Heron, ich meine, dieses haben *Sie* verdorben, weil Sie den Sergeanten zur Rekrutierung eingeladen haben.«

Robert Heron wandte sich auf dem Absatz um und ging zornig davon. Nathan blieb unentschlossen stehen. Sollte er bleiben oder ihm folgen? Er blieb, wo er war, traurig und verärgert. Der Freund stellte sich als ein viel schwierigerer Charakter heraus, als er angenommen hatte. Andererseits: Was konnte man denn erwarten bei seiner Herkunft? Es wäre doch geradezu unnatürlich, wenn er nicht so dächte. Er, Nathan, mußte einfach Konzessionen machen, wenn sein Zorn sich gelegt hatte.

Der Sergeant fuhr jetzt fort, zu den störrischen Zuhörern zu sprechen, versuchte sie mitzureißen und versprach ihnen goldene Berge. Und plötzlich trat ein hochgewachsener junger Mann vor und sagte fest: »Ich nehme Ihren Shilling, Sergeant.«

Blanche erkannte ihn: Es war der junge Mann, der zweimal mit ihr getanzt hatte. Adam Musgrove. Auch Nathan hatte ihn erkannt und war entsetzt. Nicht nur um Blanches willen. Der junge Musgrove gehörte doch hierher, er war ein Teil dieser Landschaft, genauso wie die Bäume und Kornfelder und Hecken. Ging er, so verlor das Land an Wert. Als Soldat in der Fremde war er an ganz falschem Platz; es war, als wollte man eine der großen Eichen ausgraben und sie im südafrikanischen Feld einpflanzen – zum Leben oder zum Sterben.

Eilig lief er durch die Scheune und rief: »Adam! Tun Sie nichts Voreiliges!«

Doch nun trat der Sergeant auf ihn zu – nicht abwartend, sondern bereit zum Kampf. Er sprach laut und deutlich. »Hören Sie mir mal zu, Sie da! Das reicht mir jetzt. Machen Sie, daß Sie rauskommen, und mischen Sie sich hier nicht weiter ein!« Die Orden auf seiner Uniform berührten fast Nathans Brust.

»Sie haben Ihre Pflicht zu erfüllen, Sergeant«, sagte Nathan gelassen. »Aber ich werde nicht einfach zusehen, wenn das mit Lügen und Täuschungen geschieht.«

Der Sergeant war jetzt gefährlich ruhig. »Sie wollen also behaupten, daß ich, ein Unteroffizier Ihrer Majestät, lüge?«

Bevor Nathan antworten konnte, kam Adam Musgrove dazwischen und sagte: »Bitte lassen Sie, Mr. Cranswick. Ich wollte mich ohnehin freiwillig melden.« Er sah so verlegen aus wie jeder typische Engländer, der über seine Gefühle spricht. »Ich will nicht andere an meiner Stelle für England kämpfen lassen.«

Nathan wandte sich an den Sergeanten. »Jawohl, das behaupte ich. Daß Sie lügen und die Dinge falsch darstellen.«

Der Sergeant nahm stramme Haltung an. »Damit behaupten Sie das auch von Ihrer Majestät, Sie elender Burenfreund!«

»Ach, Unsinn«, sagte Nathan. Er wandte sich zu einigen Jungen, die sich etwas unsicher hinter Adam Musgrove aufgestellt hatten, und sagte zornig: »Los, geht zurück auf eure Felder, ihr kleinen Idioten – *da* gehört ihr hin. Der Mann hier bietet euch den Tod – für einen Shilling pro Tag.«

»Mr. Heron!« rief der Sergeant laut.

Robert Heron hatte am Scheunentor gestanden und kam jetzt eilig herüber. »Was ist los, Sergeant?« fragte er, doch der Blick, den er Nathan zuwarf, bewies, daß er nicht zu fragen brauchte.

Der Sergeant sprach ganz kühl. »Mr. Heron, der Mann hier ist darauf aus, meine ganze Rekrutierungsaktion zunichte zu machen.«

»Nathan!« Robert Heron machte eine Kopfbewegung zum Tor hin.

Nathan blickte ratlos auf die Reihe der jungen Männer; dann zuckte er die Achseln und folgte Heron. Der Sergeant blickte ihm nach und sagte laut:

»Gut, Jungens – den hätten wir. Ihr könnt mir glauben, wenn der Krieg erst erklärt ist, macht der uns keine Schwierigkeiten mehr. Weil er nämlich dann hinter Gittern sitzt.« Dann wandte er sich an Adam Musgrove. »Adam, sagten Sie? Ein guter Name ist das. Schade, daß Sie Eva nicht gleich mitgebracht haben – haha! Aber man kann nicht alles haben, was?« Und sein Redestrom floß weiter – ein tödlicher Strom.

Ohne einen Blick zurück schlenderte Robert Heron hinaus in die Dunkelheit. Er kam an ein Gatter mit fünf Querlatten, stützte die Ellbogen darauf und zog weiter an seiner Zigarre. Er wandte auch nicht den Kopf, als Nathan sich wortlos neben ihn stellte.

Schweigend blickten beide in die Nacht. Endlich sagte Robert Heron: »In Südafrika haben sie andere Sterne.«

»Ja, wirklich?« Das überraschte Nathan.

»Ja. Kreuz des Südens und so. Ist eben sehr weit weg, verstehen Sie.«

»Ja.« Ganz verstand Nathan es nicht. Gott hatte offenbar am vierten Tag wohl doch mehr vollbracht, als Nathan sich bisher vorgestellt hatte.

»Eine andere Zeit haben sie auch. Wenn's in London Mittag ist, dann ist es da unten schon zwei Uhr nachmittags.« Das erschreckte Nathan. Wenn Gott den Menschen da unten andere Sterne geben wollte, dann war das Seine Sache. Aber mit der Uhrzeit herumzuspielen, das kam ihm sinnlos und blasphemisch vor.

»Sogar die Jahreszeiten sind anders«, fuhr Heron sinnend fort. »Sie haben Weihnachten im Sommer.«

Weihnachten im Sommer? Wo doch jeder wußte, daß Jesus Christus im Winter geboren war? Nathan war konsterniert über die Gottlosigkeit der Buren, doch im Augenblick beschäftigte ihn Mr. Herons Verhalten weit mehr. Er hatte bittere Vorwürfe, vielleicht sogar einen heftigen Streit erwartet. Nun stand neben ihm ein Mann, der sich bequem auf das Gatter lehnte und nachdenklich seine Zigarre rauchte. Er warf einen Blick auf seinen Nebenmann in dem Augenblick, als Robert an der Zigarre zog und die Glut sein Gesicht erhellte. Die wettergebräunten Züge waren undurchdringlich.

»Der Große Bär wird mir fehlen«, sagte Robert endlich. »Und der Orion – vor allem der Orion.« Eine Weile schwieg er und sagte dann nachdenklich: »Fabelhafter alter Bursche, der Orion.«

Es drängte Nathan, etwas zu sagen: »Mr. Heron, Sie haben doch so vieles hier. Und Sie *sind* so vieles. Für die Leute hier sind Sie doch wie ein König. Müssen Sie wirklich gehen und uns allein lassen?«

Robert Heron antwortete nicht gleich. Dann: »Sie haben mich heute abend sehr erzürnt, Pastor. Ich bin noch immer böse, denn ich finde, Sie schmähen all die Männer, die gekämpft haben und gestorben sind, damit dieses Empire entstehen konnte. Sie, Nathan, wollen das Haus nicht erhalten, das die gebaut haben – Sie lassen es verfallen.« Er fuhr herum. »Verdammt noch mal, Sie wollen sogar mich und die Jungens da drüben daran hindern, es zu bewahren.« Seine Augen blitzten.

»Ich glaube, es liegt an meiner Unwissenheit, Mr. Heron. Ja, ganz sicher. Aber ich kann nicht einsehen, daß wir ein Anrecht auf dieses Empire haben.«

Starr vor Staunen sah ihn Robert Heron an.

Nathan fuhr fort: »Sie sprechen von den Männern, die ihr Leben gaben, um das Empire zu schaffen. Und ich meine, viel mehr Männer haben ihr Leben gegeben, um das zu verteidigen, was für sie die Heimat war.«

»Das waren doch Wilde, Mann! Die haben sich gegenseitig abgeschlachtet, bis wir ihnen das Christentum brachten.«

Das war ein gutes Argument, nur hätte Nathan gern mehr Zeit gehabt, um darüber nachzudenken. »Daran hatte ich nicht gedacht«, gab er zu. Aber konnte man denn das Christentum mit Schwertern und Kanonenkugeln bringen?

»Ja, Nathan, das ist bei Ihnen der wunde Punkt, wenn ich das mal sagen darf«, meinte Heron. »Sie haben über diese Dinge nicht nachgedacht. Sie sind ein Erbe des größten Empire, das die Welt je gesehen hat. In den Schoß ist es Ihnen gefallen, Mann! Und nun wollen Sie es nicht nur nicht verteidigen, Sie wollen uns auch noch daran hindern, es zu verteidigen.«

Nathan schwieg einen Augenblick und fragte dann schweren Herzens: »Halten Sie mich immer noch für den richtigen Mann, um Ihren Leuten recht zu dienen, während Sie fort sind?«

»Ja, natürlich. Ich habe Ihnen freie Hand gegeben. Aber ich bitte Sie sehr, wenigstens einmal über das nachzudenken, was ich gesagt habe.«

Nathan war immer noch erregt. »Wäre es nicht vielleicht doch besser, wenn ich das Amt abgäbe?«

Robert Heron sah ihn lange und nachdenklich an. »Nein«, sagte er dann. »Nein. Sie sind immer noch der Richtige für mich, Nathan.« Plötzlich lächelte er, trat den Rest seiner Zigarre in den Sand und ergriff Nathans Hand. »Tun Sie nur Ihr Bestes, darum bitte ich Sie. Und bis Weihnachten ist ja auch alles vorüber.« Gleich darauf war er in der Dunkelheit verschwunden.

An diesem Abend zahlte der Rekrutierungssergeant sechs Shilling aus und schrieb sechs Namen in sein Buch.

An diesem Abend kamen sechs junge Männer nach Hause, stolzgeschwellt von den tönenden Worten des Sergeanten und von der Bewunderung der Mädchen. Und an diesem Abend weinten sich zwölf Frauen – Mütter und Bräute – in den Schlaf.

Man schrieb September 1899. Die Zeit der Tränen war

gekommen. Irgendein Dummkopf hatte sich einen Spaß daraus gemacht, Sammy Bacon ein Glas Bier vorzusetzen. Sammy war daraufhin unfähig, allein nach Hause zu finden, und auch seine Mutter konnte ihn ohne Hilfe nicht heimbringen.

Nathan betrachtete sich als eine Art Helfer in jeder Lebenslage nach dem alten Motto seiner Handwerkszeit: »Übernehme jede Arbeit – kein Auftrag zu klein.« Also half er dem stöhnenden, speichelnden Sammy über die ausgefahrenen Sandwege, während Mrs. Bacon mit einer Laterne vorausging und von Zeit zu Zeit den Allmächtigen anrief. Als Nathan dann nach Hause kam, waren alle im Bett bis auf die geduldige Blanche.

Der Kessel summte noch. Sie brachte das Wasser zum Kochen und machte zwei Tassen Kakao. Dann saßen beide zusammen am Küchenfeuer, und Nathan betrachtete sie aufmerksam. Sie sah blaß und traurig aus. »Tut mir leid um Adam, mein Mädchen«, sagte er.

»Ja, Pa. Danke.«

»Wo du ihn gerade ein bißchen kennengelernt hattest.«

»Ja.«

»Ach, mein Kleines.« Wie wenig vermochten doch Worte sein Mitgefühl auszudrücken! »Mr. Heron sagt, bis Weihnachten ist alles zu Ende. Er muß es wohl wissen.«

»Aber dann dauert die Schiffsreise noch mal sechs Wochen. Vor Februar kann er nicht wieder hier sein.« Und für ein Mädchen, das mit Sehnsucht auf einen Mann wartet, ist das eine halbe Ewigkeit, das wußte Nathan.

Er beugte sich vor und legte ihr zärtlich die Hand an die Wange. »Es geht vorüber, Blanche. Glaub mir, es geht vorüber.«

In dieser Nacht schlief Nathan nicht viel. Am nächsten Vormittag ging er hinüber ins Farmhaus, wo ihm Mrs. Musgrove die Tür öffnete mit mehlbestäubten Armen.

»Kommen Sie rein«, sagte sie. »Macht es Ihnen was aus, wenn ich Sie in die Küche bitte? Ich bin beim Backen.«

Er spürte sofort, daß ihren Worten die sonstige Wärme fehlte. »Ja, wenn es Ihnen wirklich recht ist . . .«, sagte er.

»So recht wie sonst auch. Zu tun habe ich immer.« Ihr Lächeln war gleich wieder verschwunden. »Hier runter.« Sie ging voran in die große Küche. »Nehmen Sie Platz. Was kann ich für Sie tun, Mr. Cranswick?«

Sie ließ sich auf einen Stuhl fallen und sah ihn durchdringend an.

Er setzte sich an den Tisch. Offenbar hatte er irgendwas falsch gemacht; er hatte keine Ahnung, was es war. »Ich wollte Ihnen sagen, wie leid es mir tut um Ihren Sohn, Mrs. Musgrove.«

»Wieso leid? Um meinen Sohn . . .?«

»Er hat sich doch freiwillig nach Südafrika gemeldet.«

Verständnislos blickte sie ihn an. »Ja – aber warum tut Ihnen das leid, Mr. Cranswick?«

Jetzt verstand er sie nicht. »Aber Sie wollten doch sicher nicht, daß er geht?«

»Wollen Sie damit sagen, es müßte mir lieber sein, wenn er zu Hause bliebe?«

»Er kann doch verwundet oder sogar getötet werden! Es ist – eine so schreckliche Vorstellung. So sinnlos! Ich – ich bewundere Ihren Mut, Mrs. Musgrove. Ich möchte meinen Sohn nicht hergeben, das muß ich sagen. Vor allem nicht für eine so überholte Sache wie einen Krieg.«

Sie verschränkte die Hände auf dem Tisch. Weißer Mehlstaub lag darauf. »*Überholt?* Mr. Cranswick, wenn Kriege überholt sind, dann wird der menschliche Geist erloschen sein.«

Er schüttelte traurig den Kopf.

Sie atmete tief auf und setzte sich ganz gerade. »Mr. Cranswick, mein Großvater fiel im Krimkrieg, und *sein* Großvater starb mit Nelson. Ein Vorfahr meines Mannes kämpfte bei Agincourt. Glauben Sie wirklich, ich möchte, daß mein Sohn sich in der Heimat herumdrückt?«

»Aber Sie sind im Irrtum, Mrs. Musgrove«, sagte Nathan verzweifelt. »Töten oder zum Krüppel machen kann man nicht rechtfertigen und erst recht nicht – verzeihen Sie – glorifizieren, wie Sie es tun.«

»Ich kenne Ihre Ansichten«, sagte sie gereizt. »Ich habe Sie gestern abend gehört – wir alle haben Sie gehört. Offen gesagt, Mr. Cranswick, ich finde, Sie haben sich gründlich blamiert.«

Ihm war, als habe sie ihn ins Gesicht geschlagen. Schwer stand er auf und neigte den Kopf. »Ich kann nur hoffen, Mrs. Musgrove, daß Sie bei Kriegsende immer noch finden, das Abschlachten junger Menschen habe sich gelohnt.«

Er ging auf die Tür zu. Sie kam mit ihm und öffnete sie für ihn. »Leben Sie wohl«, sagte er schwermütig.

»Leben Sie wohl, Mr. Cranswick.« Die große Tür fiel hinter ihm ins Schloß. Tief in Gedanken machte er sich auf den Heimweg. Ob er selber wohl auch Vorfahren besaß, die im Krimkrieg oder bei Agincourt gekämpft hatten? Wenn ja, so würde man von denen nie etwas hören. Soldat Cranswick, tot im Straßengraben. Kanonier Cranswick, von der eigenen Kanone zerfetzt. Ihre Namen waren nirgends in Stein gemeißelt. Es war der Landadel, es waren die Besitzenden, die Land und Vorfahren hatten, denen ein Teil Englands gehörte. Mochten sie also dafür kämpfen und sterben, wenn sie wollten. Von einem Mann in einem billigen Mietshaus in der Stadt, dessen Vorfahren niemand kannte, durfte man gewiß nicht erwarten, daß er seine Söhne so bereitwillig in den Krieg schickte. Auf dem ganzen Heimweg grübelte Nathan, immer noch tief verletzt, über diese revolutionären Thesen nach. Eins wurde ihm allmählich klar: Der Umgang mit den Besitzenden war eine dornenreiche Sache.

Daher wurde ihm etwas beklommen zumute, als ihn Mrs. Heron ins Herrenhaus rufen ließ. Sie empfing ihn im Verwalterbüro, wo sie am Schreibtisch ihres Mannes saß. Als er eintrat, erhob sie sich, lächelte steif und gab ihm die Hand. »Bitte nehmen Sie Platz, Mr. Cranswick.«

Beide setzten sich. Er ließ sie nicht aus den Augen, denn ihm saß eine neue Mrs. Heron gegenüber. Er kam sich vor wie einer, der, froh über die wärmenden Strahlen der Sonne, bei Tauwetter über das immer dünner werdende Eis ging.

Mrs. Heron setzte sich zurecht und lächelte ihn noch einmal an. Da Lächeln ihr nie ganz leicht fiel – außer wenn sie Höherstehende begrüßte –, wirkte es leicht verkrampft und war meist schon erloschen, bevor es die Augen erreichte.

»Mr. Cranswick«, begann sie, »Sie und ich, wir sind nicht immer einer Meinung gewesen. Mr. Heron und ich – wenn ich das sagen darf – finden Ihre Ansichten manchmal beunruhigend. Aber da Mr. Heron jetzt dem Ruf des Vaterlandes gefolgt ist und es mir überlassen hat, alles so gut wie möglich weiterzuführen, ist es wichtig, daß Sie und ich zu einer Art *modus vivendi* kommen. Das ist für uns beide nützlich.«

Nathan wußte nicht, was ein *modus vivendi* war, und nickte.

Sie blickte ihn scharf an. »Sie verstehen mich doch?«

Er sagte zögernd: »Sie meinen, es kommt jetzt auf uns an, damit alles weitergeht?«

»Ich meine, daß Sie, wenn Sie vor Problemen oder Schwierigkeiten stehen, zu mir kommen müssen«, sagte sie kühl. Dann spreizte sie die Finger beider Hände und legte die Fingerspitzen aneinander. »Wenn es um einfache praktische Probleme geht – ein Loch im Dach zum Beispiel oder ein zerbrochener Zaun –, dann werde ich natürlich Sie um Hilfe bitten.«

»Ja natürlich, Mrs. Heron.«

Sie nickte. Unsicheres Schweigen folgte. »Ich denke, wir werden sehr gut miteinander auskommen«, sagte sie endlich. Es klang keineswegs überzeugend, aber das Gespräch war damit beendet, und Nathan erhob sich. »Ach ja, noch eins. Wenn Mr. Heron entgegen unseren Hoffnungen Weihnachten noch nicht zurück ist, dann werde ich mit dem Hauspersonal in unser Londoner Haus übersiedeln und komme wahrscheinlich erst zurück, wenn dieser gräßliche Krieg vorüber ist.« Ihr Lächeln war dünn. »Offen gesagt schätzt es nur mein Mann, hier auf dem Lande begraben zu sein.«

»Ich verstehe.«

Noch einmal kurze Verlegenheit. Mrs. Heron hatte offenbar nicht viel Erfahrung in Gesprächen mit Untergebenen. Nathan wußte nicht recht, ob er nun entlassen war.

Dann sagte er entschlossen: »Danke vielmals, Mrs. Heron«, neigte höflich den Kopf und war draußen.

23

So zogen sie nun in den Krieg. Die sechs Burschen aus Moreland stiegen in ein staubiges Dritter-Klasse-Abteil, johlend und lachend mit lauten Reden, um ihre Unsicherheit zu verbergen. Kaum einer war je über Ingerby hinausgekommen. Sie kannten die Welt nicht und erst recht nicht den Krieg.

Major Robert Heron fuhr Erster Klasse, auf dem Platz neben sich ein schottisches Plaid und einen Imbißkorb mit Hühnerkeule, Käse, Keks und einer halben Flasche Wein. Der Korb war ein Präsent der Midland Railway.

Der Regimentskommandeur, General Sir Redvers Buller, Träger des Victoria-Kreuzes, stand auf dem Bahnsteig im Londoner Waterloo-Bahnhof, wo sein Standplatz durch Seile abgegrenzt war. Er bestieg den Salonwagen unter den guten Wünschen der Militärs, der Regierung und des Prince of Wales, und als der Zug sich majestätisch-langsam in Bewegung setzte, sangen tausend hingerissene Londoner *Rule Britannia.*

Blanche war zu Fuß zum Bahnhof Barton Minor gegangen, der fünf Meilen entfernt lag, um Adam Musgrove Lebewohl zu sagen.

Sie hatte zuerst gar nicht hingehen wollen, denn sie fand, es käme ihr nicht zu. Aber am Abend vorher hatten sie und Adam sich noch einmal unter dem funkelnden Sternenhimmel getroffen, und da hatte Adam gesagt: »Morgen früh geht's los. Um sieben von Barton Minor.«

»Einmal Dritter Klasse Barton Minor nach Südafrika und zurück.«

Mit Guy hätte sie nie solche Scherze gemacht, auch

nicht bei einem fröhlichen Anlaß, und dies war alles andere als ein fröhlicher Anlaß.

Adam lächelte. »Bis Weihnachten ist alles vorüber.«

»Ja, das sagen alle.«

»Dann muß es doch stimmen«, meinte er heiter.

Sie blickten zum herbstlichen Himmel auf. »Mein Vater sagt, in Südafrika haben sie andere Sterne«, sagte Blanche.

Adam lachte. »Das ist doch unmöglich. Er macht bloß Spaß.«

Blanche war erleichtert, denn sie hatte schon Tränen vergossen bei dem Gedanken, daß für sie und Adam nicht mal die gleichen Sterne am Himmel stehen sollten, weil er so weit weg war.

Beide schwiegen. Dann küßten sie sich, und in dem Kuß lag die ganze Süße junger Liebe. »Hast du schon mal einen Jungen geküßt?« fragte er mit unsicherer Stimme.

Sie schwieg einen Augenblick und flüsterte dann leise: »Ja.«

»Wo ist er jetzt? Ist er immer noch . . .?«

»Nein, nein. Er hat mich bestimmt vergessen. Ich denke, er wird jetzt in Südafrika sein.«

»Den bringe ich um, wenn ich ihn treffe«, sagte Adam leichthin. »Wie heißt er?«

»Das muß dich nicht kümmern.« Sie seufzte. »Du hast bestimmt auch schon viele Mädchen geküßt.« Sie dachte an ihre Begegnung auf der Brombeerwiese.

»Tausende«, sagte er und grinste. »»Aber noch nie eine wie dich.«

Sie sah ihn mit großen Augen an. Diese Mischung von Ernst und Scherz war ihr neu. Und dann bei etwas so Wichtigem wie einem Kuß! In der Stafford Street, wo sie aufgewachsen war, da war ein Kuß zwischen Mann und Frau fast ein Heiratsversprechen. Etwas unglücklich sagte sie: »Mach doch keinen Spaß mit so was. Wir sehen uns vielleicht nicht wieder.«

Seine Arme, die sie ganz fest hielten, waren wundervoll stark, und doch war die Zeit nahe, da er sie loslassen mußte. Die Zeit war stärker als er. »Ach was, natürlich sehen wir uns wieder«, sagte er. »Du kommst doch morgen früh zum Bahnhof, wenn ich abfahre.«

»Das geht nicht, Adam«, sagte sie erschrocken. »Da ist – deine Mutter . . .«

»Unsinn. Mutter ist ein feiner Kerl. Paß auf: Wir holen dich kurz nach sechs mit dem Wagen ab.«

»Nein!« Jetzt sah sie wirklich entsetzt aus. »Nein – wenn ich komme, dann gehe ich lieber zu Fuß, allein.«

Er sah sie verständnislos an. »Aber warum denn?«

Ja, warum . . . Nie hatte jemand Blanche erklärt, daß das Herz eigene Gründe habe, die der Verstand nicht kennt. Ihr Herz hatte viele Gründe. Ihr Zuhause war ein kleines Cottage, seines war ein ansehnlicher Hof. Sie hatte eine Zukunft als Dienstmädchen vor sich, er und seine Mutter waren offenbar recht wohlhabend. Sie war schüchtern und unbeholfen; seine Mutter – das hatte Blanche beim Erntefest gesehen – war anders als alle Frauen, die sie bisher gekannt hatte: sie war laut und munter, freundlich und doch fast ein bißchen angsteinflößend. Nein, für Blanche gehörte es sich nicht, mit Mutter und Sohn in ihrem Wagen zu fahren; das wäre ganz und gar unpassend. Ihr Platz war am Ende des Bahnsteigs, allein; von dort aus würde sie winken, wenn der Zug aus der Halle dampfte und die lange Fahrt nach Ingerby, nach Kapstadt und zu den Schlachtfeldern antrat, wo Ruhm und Ehre oder der Tod warteten.

Doch einen Grund, der mit ihrem Herzen nichts zu tun hatte, gab ihr auch der Verstand jetzt ein. »Deine Mutter will dich bestimmt für sich haben«, sagte sie ernst. »Fremde wird sie nicht dabeihaben mögen.«

»Unsinn. Ich sag dir doch, Mutter ist ein Prachtkerl.«

»Sie ist immer noch deine Mutter, und du bist immer noch ihr Sohn. Nein, ich gehe zu Fuß.«

Er blickte sie an. So ein liebes Ding, und doch hatte sie anscheinend durchaus ihren eigenen Willen. Er lächelte und küßte sie zärtlich. »Also dann, wie du willst«, sagte er.

So stand sie am nächsten Morgen um halb sechs auf, wusch sich in kaltem Wasser, zog den langen grauen Wintermantel an, setzte den Hut auf und machte sich im Dunkeln auf den Weg.

Der Hohlweg war schwarz und unheimlich. Doch auf der Straße gaben die Sterne ein wenig Licht, und bald überzog sich der Himmel mit dünnem Grau, das dann in blasses Blau überging. Blanche ging mit festen zielbewußten Schritten. Sie war auf dem Weg zu ihrem Liebsten, ihr Herz hätte jubeln sollen und war doch schwer wie Blei. Wahrscheinlich kam sie gar nicht dazu, mit ihm zu sprechen. Dann fuhr er weit fort, vielleicht für immer fort aus ihrem Leben.

Blanche war zum Lieben und Geliebtwerden geboren. Schon jetzt liebte sie Adam mit der warmen lebendigen Liebe, die sie auch Guy entgegengebracht hätte, wäre sie nicht so schroff zurückgewiesen worden. Liebe für Mann und Kinder war alles, was sie vom Leben erwartete. Und das war ihr dank der Torheit der Männer nun schon zweimal versagt worden.

Jetzt ging die Sonne auf, strahlend und hell. Noch nie hatte Blanche die Dämmerung so unvermittelt in den Morgen übergehen sehen. Aber sie fand es albern, darum soviel Wesens zu machen. Es war nichts als ein neuer Tag, und so traurige Tage wie heute sollten eigentlich überhaupt nur vom Dunkel in Grau übergehen. Die Tautropfen im Gras, die Hecken und Bäume, die der Morgen mit frischen Farben schmückte: nichts rührte ihr schweres Herz. Als sie endlich am Bahnhof Barton Minor ankam, der verlassen dalag, war sie den Tränen sehr nahe.

Sie ging auf dem grasüberwachsenen Bahnsteig auf und ab und blieb dann am unteren Ende stehen. Adam würde sie dort vielleicht gar nicht sehen, er war ja mit seiner Mutter zusammen. Sie wartete.

Ob heute überhaupt kein Zug abging? Doch nun erschien ein schläfriger Beamter auf dem Bahnsteig, öffnete die Türen zu den Schaltern und zum Warteraum und verschwand wieder, ohne Blanche zu beachten. Ein Hund bellte, und irgendwo in der Nähe muhte eine Kuh. Von Menschen war nichts zu hören.

Endlich hörte man stampfende Stiefel: zwei junge Männer traten unsicher grinsend aus dem Schalterraum. Dann war Pferdegetrappel zu hören; zusammen saßen Vater und Sohn auf einem Gaul. Der Sohn sprang ab, schüttelte seinem Vater kräftig und leicht verlegen die Hand, der Vater machte kehrt und ritt davon. Wenn die Arbeit wartet, bleibt keine Zeit für verlegene Abschiedsszenen.

Dann geschah plötzlich alles auf einmal. Mit lautem Klappern fiel das Signal nach unten. Wagenräder knirschten auf dem Kies, und mit fröhlichem Rasseln erschien der Zug.

Auf den Bahnsteig traten noch zwei junge Männer, doch für sie hatte Blanche keinen Blick, denn Adam und seine Mutter traten aus dem Schalterraum. Adam sah Blanche sofort und winkte ihr, näher zu kommen, aber Blanche rührte sich nicht. Mrs. Musgrove trat an den Zug und öffnete ein Erster-Klasse-Abteil. Die fünf jungen Männer winkten und riefen etwas zu Adam hinüber, bevor sie in die dritte Klasse einstiegen. Blanche sah, wie Adam einen Augenblick mit seiner Mutter sprach, dann winkte er wieder zu Blanche hinüber, und diesmal gab sie nach und lief den Bahnsteig entlang. Adam hatte sein Abteil verlassen und sich zu den anderen Burschen gesellt. Blanche hatte den Zug fast erreicht, als die Türen zugeschlagen wurden. Ein schriller Pfeifton, ein Winken mit der grünen Fahne, und der Zug setzte sich in Bewegung.

Blanche blieb stehen und blickte verzweifelt zu den Zugfenstern auf. Plötzlich erschien Adams Gesicht in einem Fenster. Erfreut und leicht verärgert rief er ihr zu: »Du Dummchen, warum hast du denn da hinten gewartet?«

»Ich...«, rief sie atemlos, »ich wollte...« Dann sah man nur noch eine winkende Hand und endlich nichts mehr als die lange Raupe des Zuges, die über die flache

Flußebene kroch. Blanche blickte ihm nach. Es war zu schrecklich, so etwas konnte kein Mensch ertragen. Nun lag der lange Heimweg vor ihr; wenn sie nach Hause kam, war es erst halb neun, und sie hatte einen langen leeren Tag vor sich.

Eine Stimme hinter ihr sagte: »Nun, Kindchen, ich habe jetzt Platz im Wagen. Wohin kann ich Sie mitnehmen?«

Blanche drehte sich um, die Augen voller Tränen. Sprechen konnte sie nicht.

»Kommen Sie«, sagte Mrs. Musgrove. »Sie können's mir später sagen.«

»Nein. Nein, lieber nicht«, stammelte Blanche. »Ich kann wirklich zu Fuß gehen.«

»Für wen waren Sie hergekommen?«

Blanche schluckte. »Mr. Musgrove.«

»Du liebe Zeit.« Zwei Augen starrten Blanche durchdringend an. »Dann sind Sie also Nathan Cranswicks Tochter.«

»Ja.« Blanche biß sich auf die Lippen und ließ den Kopf hängen.

Mrs. Musgrove lachte kurz auf. »Mein Himmel, Mädchen, da brauchen Sie sich doch nicht zu schämen. Ich schätze Ihren Vater sehr, auch wenn wir in den meisten Dingen nicht einer Meinung sind. Und wenn Sie wüßten, wie Adam von *Ihnen* spricht . . .«

Blanche hob ein wenig den Kopf und sah, daß Mrs. Musgrove sie anlachte. »Nein, nein, ich werd's Ihnen nicht sagen. Wär gar nicht gut für Sie. Aber wenn Sie ihn noch mal sehen wollten, dann war es ja wohl ziemlich töricht, was?«

»Ich – ich wollte nicht stören.«

Mrs. Musgrove betrachtete sie nachdenklich. »Also wirklich, Sie Närrchen! Hören Sie, mein Kind, richten Sie sich niemals nach dem, was andere Leute wollen. Tun Sie nur das, was *Sie* wollen. Die anderen wollen nämlich oft ganz etwas anderes, als man denkt. So, und nun steigen Sie ein.« Sie hatten den Wagen erreicht.

»Ja, aber . . .«, sagte Blanche.

»Nun steig schon ein, Mädchen.« Mrs. Musgrove nahm dem Pony den Futtersack ab, band es los und sprang auf den Sitz neben Blanche. »So – jetzt bringe ich uns in Trab, und Sie können inzwischen zu Ende heulen. Und dann reißen wir uns beide zusammen.«

Mrs. Musgrove hatte sich gerade von ihrem einzigen Sohn verabschiedet, sah aber nicht so aus, als werde ihr das Zusammenreißen schwerfallen, dachte Blanche. Nur ihr selber fiel es schwer. Adam war fort, sie hatte ihn nicht mehr gesprochen, nicht mehr geküßt und in den Armen gehalten, und alles, weil seine Mutter dagewesen war. Und weil sie selber so rücksichtsvoll war, hatte man sie Dummchen und Närrin genannt. Warum war sie bloß so töricht gewesen!

Mrs. Musgrove hatte inzwischen den Wagen in Trab gebracht und blickte nachdenklich auf ihre Gefährtin. Ein gutes Gesicht, dachte sie. Weich und doch stark und charakterfest – eine dunkle Schönheit, die gar nicht zu dem Namen paßte.

»Blanche heißen Sie, nicht wahr?«

»Ja«, sagte Blanche und sah sie mit klugen, dunklen Augen an.

»Das dachte ich. Nun sagen Sie mal, was Sie davon halten, daß mein Sohn in den Krieg gezogen ist.«

»Ich . . .«, sagte Blanche, verwirrt stockend.

»Wenn er fallen sollte, würden Sie ihn dann für einen Helden oder einen Dummkopf halten?«

Solche direkten Fragen erschreckten Blanche. Zu Hause umschrieb man so etwas; man hätte vielleicht gesagt: Wenn ihm etwas zustößt. Zögernd sagte sie: »Für mich wäre er ein Held, Mrs. Musgrove.«

»Aha. Aber ganz richtig verstehen Sie doch nicht, warum er gehen mußte, nein?«

»Nein, eigentlich nicht.«

»Nein. Na ja, Sie sind Ihres Vaters Tochter und jung dazu. Sie haben noch viel zu lernen, Blanche.«

Blanche wurde etwas beklommen zumute bei dieser Unterhaltung. Sie war an feste Gespräche mit voraussehbaren Antworten gewöhnt, und bei dieser Dame (die sie trotzdem gern mochte) wußte man nie, was kam. Mit einem Anflug von Stolz sagte sie: »Ich bin zur Schule gegangen, und lesen und schreiben kann ich. Rechnen haben wir auch gehabt.«

Lavinia Musgrove griff impulsiv nach ihrer Hand. »Aber mein liebes Mädchen, das meinte ich nicht mit dem Lernen.« Sie sah Blanche scharf an. »Ich hab Sie doch nicht gekränkt?«

»Nein, 'türlich nicht«, gab Blanche erstaunt zurück. Sie wäre gar nicht auf die Idee gekommen, daß sich eine Dame wie Mrs. Musgrove Gedanken darüber machte, ob sie ein Mädchen wie Blanche gekränkt hatte.

»Sehr gut. Ich trete öfter mal ins Fettnäpfchen, wissen Sie«, sagte Lavinia offen und drückte freundschaftlich Blanches Hand. »Gut, daß Sie nicht empfindlich sind, Kindchen. Empfindliche Leute kann ich nicht ausstehen.«

Wenn es nichts zu sagen gab, konnte Blanche schweigen; das war eine Gabe, die Lavinia Musgrove anerkennend wahrnahm. Sie wünschte sie sich oft selber, aber sie hatte sie nun mal nicht, und alte Bäume lassen sich nicht biegen. Sie fragte: »Sie helfen Ihrer Mutter im Haushalt, ja?«

Blanche nickte. »Ja, solange mein Bruder Jack noch so klein ist. Aber er wird nun schon größer, und Dad schaut jetzt für mich nach jemandem aus, der ein Dienstmädchen braucht.«

»Mein Gott!« rief Lavinia so laut, daß das Pony zusammenfuhr und in leichten Galopp ausbrach. Entsetzt blickte sie Blanche an. »Das wünschst du dir doch nicht etwa selber, Mädchen?«

»Nein. Dina oben im Herrenhaus sagt, es ist gräßlich. Aber was anderes gibt es doch gar nicht, nicht wahr?«

Doch, es gab etwas anderes. Es gab etwas, mit dem sich

Lavinia in Gedanken schon mehr beschäftigt hatte als mit der Abreise ihres Sohnes. Doch noch war es zu früh, davon zu sprechen. Sie war zwar ein schnell entschlossener Mensch, aber noch war sie nicht bereit. So sagte sie jetzt nur:

»Nein. Im Grunde gibt es nicht viele Möglichkeiten für ein Mädchen wie Sie, das ist wahr. Aber ich bin sicher, Dienstmädchen würden Sie nicht lange bleiben. Vielleicht Zimmermädchen oder Zofe – Sie würden gewiß bald aufsteigen, Blanche. Aber dazu müßten Sie natürlich in ein größeres Haus kommen.«

Es war das erste Mal, daß Blanche deutlich mit ihrer Zukunft konfrontiert wurde. Sie bekam Angst: entweder so zu werden wie Dina, die alles gräßlich fand; oder in einem herrschaftlichen Haushalt mit Butler, Köchin, Dienern und Hausmädchen zu landen, die bestimmt alle kein Erbarmen hatten mit einem neuen Kleinmädchen und erst recht nicht mit einer, die vom Kleinmädchen zur Kammerzofe aufgestiegen war.

»Ja«, sagte sie mit leiser Stimme. Mrs. Musgrove blickte sie mitfühlend an, sagte aber nur: »Ich bringe Sie nach Hause. Ich würde nämlich gern mal kurz mit Ihrem Vater sprechen.«

Unten am Hohlweg band sie das Pferd an und sagte: »So – aussteigen.« Und als Blanche einen Fuß auf das Trittbrett gesetzt hatte, fragte sie unumwunden: »Lieben Sie meinen Sohn?«

Blanche errötete tief, aber sie blickte Lavinia tapfer in die grünen Augen und antwortete: »Ja, Mrs. Musgrove.«

»Eine offene Antwort auf eine offene Frage. Gefällt mir, Mädchen.« Sie streckte die Hand aus. »Fragen Sie doch Ihren Vater, ob er so gut sein will und eben mal runterkommt, ja?«

»Ja, gern. Vielen Dank, daß Sie mich nach Hause gebracht haben, Mrs. Musgrove.«

»Es war mir ein Vergnügen, Miß Cranswick.« Lavinia lachte und neigte den Kopf. Blanche war erleichtert, das

Kreuzverhör überstanden zu haben, und lief mit leichten Schritten den Hohlweg hinauf.

Nathan Cranswick war eben im Begriff, sich auf den Weg zu einigen entfernt liegenden Höfen zu machen; er traf Blanche auf den Stufen zum Garten. »Ist er fort, mein Liebes?« fragte er teilnehmend.

Sie nickte. Er legte ihr den Arm um die Schultern, beugte sich herab und küßte sie. »Mein armes Kleines.«

Einen Augenblick schmiegte sie sich an ihn, dann sagte sie:

»Mrs. Musgrove ist unten am Hohlweg. Sie läßt fragen, ob du so gut wärst und mal eben zu ihr runterkommst.«

»Ja.« Er trottete den Weg hinunter und schlug dabei mit seinem Stock auf die Brennesseln ein. Was mochte sie wollen? Er schätzte und bewunderte Mrs. Musgrove, aber im Augenblick war er nicht in der Stimmung für unverblümte Wahrheiten. Er hatte die letzten noch nicht ganz verdaut.

Sie saß im Wagen und begrüßte ihn ohne Lächeln. »Steigen Sie ein, Mr. Cranswick, wenn Sie einen Augenblick Zeit haben«, sagte sie.

»Danke.« Er setzte sich neben sie. Mit immer noch ernstem Gesicht sagte sie: »Ich habe eben Ihre Blanche nach Hause gebracht. Was für ein liebes reizendes Mädchen!«

»Oh – danke schön.« Er war erstaunt. Ebenso wie seine Tochter war er an Überraschungen im Gespräch nicht gewöhnt.

»Das finden Sie doch auch, Mr. Cranswick?«

»Wenn ich das von meiner eigenen Tochter sagen darf – ja. Sie denkt an andere, sie hilft ihrer Mutter sehr viel und hat ein mitleidiges Herz – ja, sie ist ein gutes Mädchen.«

»Adam ist fort«, sagte Lavinia.

»Ja. Darf ich sagen, daß es mir leid tut?«

»Danke, ja. Es schmerzt doch mehr, als ich dachte.« Sie lächelte ihn etwas trübselig an. In seinem freundlichen Faltengesicht stand nichts als Mitgefühl. Sie fuhr fort:

»Ich dachte, ob Sie wohl . . .« Pause. Ausnahmsweise

schien sie ihrer Sache nicht sicher zu sein. »Ich meine – ich dachte, ob Sie mir wohl Ihre Blanche ins Haus geben würden.«

Eine Weile schwiegen beide. Dann sagte Nathan: »Sie wird wohl sowieso in Dienst gehen müssen, etwas anderes gibt es nicht für sie. Deshalb – ja, ich würde mich freuen, Mrs. Musgrove.«

»Als Dienstmädchen habe ich eigentlich nicht gemeint. Sie hat mir sehr gefallen, und ich glaube, sie hat gute Anlagen. Ich würde ihr gern – ja, ich würde ihr gern helfen.«

»Ich verstehe nicht ganz.«

»Ich möchte sie zur Gesellschaft und auch als Hilfe im Haushalt haben. Dann bin ich nicht so einsam, wo Adam nun fort ist. Und ich könnte ihr helfen, noch mehr aus sich zu machen, Mr. Cranswick. Mit ihrem Charakter und mit ihrer Intelligenz kann ihr das viel nützen.«

Wieder schwieg er eine Weile und sagte dann mit schwerem Seufzer: »Das ist sehr großmütig von Ihnen, Mrs. Musgrove. Und ich bin Ihnen dankbar.«

»Aber ...?« fragte sie. »Ich höre da doch ein Aber, Mr. Cranswick.«

»Ja. Meine Schwester bekam in ihrer Schulzeit ein Stipendium für die High School, und mein Vater war dagegen, daß sie es annahm. Das war falsch von ihm.« Mit leicht verzerrtem Lächeln: »Ganz falsch. Aber ich weiß jetzt, wie meinem Vater zumute war.«

»Ich kann Ihnen nicht folgen«, sagte sie kühl.

»Ich habe Angst, das Kind zu verlieren.«

»Sie wollen sie also nicht hergeben?«

»Das habe ich nicht gesagt«, gab er schnell zurück. »So undankbar möchte ich nicht sein. Aber Sie und ich, wir denken oft nicht gleich. Sie würde sich verändern, Mrs. Musgrove.«

»Mr. Cranswick, glauben Sie wirklich, Ihre Tochter hat so wenig Charakter, daß ich sie zum Schlechten ändern könnte – selbst wenn ich das wollte?«

»Da ist noch etwas. Sie liebt Ihren Sohn.«

»Das wäre ein Band zwischen uns. Wir könnten einander trösten.«

Er war erstaunt, als sie ihm plötzlich einen scherzhaften Rippenstoß versetzte. »Also los, Mann. Es kann ihr Glück sein, und für mich wäre es wunderbar.«

»Ich muß darüber nachdenken, Mrs. Musgrove«, sagte er unbewegt.

»Na klar müssen Sie. Und es besprechen mit Ihrer Frau und vor allem mit Blanche. Aber – Mr. Cranswick, ich will Ihnen eine sehr persönliche Frage stellen. Robert Heron hat *Ihnen* die Möglichkeit geboten, mehr aus Ihrem Leben zu machen. Wollen Sie mich nicht das gleiche tun lassen für Ihre Tochter?«

Er sah sie fast flehend an. »Ich werd Ihnen Bescheid geben, Mrs. Musgrove. Und bis dahin – ich danke Ihnen.« Ein kleines unsicheres Lächeln fuhr über sein Gesicht.

Dann war er fort.

Also zum Kuckuck, dachte Lavinia. Er benimmt sich ja gerade so, als täte er *mir* einen Gefallen. Sie stieß ein kehliges Lachen aus, das das geduldige Pony die Ohren spitzen ließ.

24

Und so zog England in den Krieg.

Da dies seit langer Zeit der erste richtige Krieg war, ging man leichten Herzens und mit fast hysterischem Übermut ins Feld. Wenn einige der Jungen heimlich Angst im Herzen spürten, so hätten sie nie gewagt, das zu zeigen. Väter, Onkel, ältere Brüder hatten ihnen beim Abschied mit Tränen die Hände geschüttelt und immer wieder bedauert, daß sie selber leider zu alt seien. Jüngere Brüder hatten sich schier verzweifelt gebärdet, weil sie zu jung waren. Mütter, Schwestern und Bräute hatten sich tränenreich von ihnen verabschiedet, besonders die Bräute. Mancher junge Mann hatte bei so viel Gefühlsüberschwang schon jetzt einen unerwarteten Sieg errungen und dachte am nächsten Morgen besorgt mehr an die mögliche Entstehung eines neuen Lebens als an das mögliche Ende des eigenen.

Friedlich-nüchterne Bürger, die kaum wußten, wo Südafrika lag, und noch weniger ahnten, um was es bei dieser Auseinandersetzung ging, drängten sich in die Straßen, durch die die Truppen zogen, und zwar in solchen Mengen, daß die Polizei oft die Wege nicht freihalten konnte für die marschierenden Soldaten, die sich im Gänsemarsch durchschlängeln mußten. Manche wurden von den begeisterten Zuschauern auf die Schultern gehoben; Zivilisten rissen sich darum, ihnen Gewehre und Tornister nachzutragen. Offiziere und Unteroffiziere kannten ein solches Durcheinander nur von den Schlachtfeldern und waren empört, doch ihr Zorn nützte gar nichts. Für die freundlich-toleranten Inselbewohner war dies ein ganz unge-

wöhnliches Verhalten. Wenige Engländer wußten genug
von den Buren, um sie zu hassen – wenn die gottesfürchti-
gen Farmer überhaupt einen Grund zum Hassen geboten
hätten. Blutdürstige Engländer gab es auch nur wenige.
Die meisten wünschten sich nach den ruhevollen Frie-
densjahren einfach mal ein kleines Scharmützel für die
Soldaten und für sich selber ein bißchen Aufregung.

Blanche lag wach im Bett und blickte trübsinnig durch ihr
kleines Fenster hinaus auf die schwach funkelnden Sterne.
Sie hatte viel Grund zum Trübsinn: Adam war fort ohne
einen letzten Kuß, fort aus ihrem Leben: ach, die Bitterkeit
dieser Trennung ohne den letzten Kuß! Wäre es nur zu einem richtigen Abschied gekommen, dann wäre ihr gewiß
nicht so trostlos zumute. Und Mrs. Musgrove, die sich in
solchen Dingen auskannte, hatte ihr zugestimmt und gesagt, die einzige Arbeit für Blanche sei in der Küche. Ach,
warum nur hatte sie so offen zugegeben, daß sie Adam
liebte? Es lag auf der Hand, daß – wenn Adam heil und gesund zurückkehrte – seine Mutter ihn ganz gewiß von einem Küchenmädchen fernhalten würde.
    Der Morgen kam. Blanche war ein Stadtkind; heute
meinte sie es einfach nicht mehr aushalten zu können auf
dem Lande, wo sich nichts rührte und änderte, wo nie etwas passierte. Im Zimmer unten hing ein Bild: wollige
Schafe, wollige Bäume an einem Feldweg, eine junge Frau
mit großer Haube, die am Rain entlangging. Und das,
dachte Blanche, war ihr Leben hier draußen: Sie war eine
Gestalt vor einer Landschaft, einer schönen leblosen Landschaft. Gestern war ihr nicht so zumute gewesen, und
morgen war diese Stimmung schon wieder vorüber. Doch
heute sehnte sie sich nach Straßen und Läden und Men-
schengedränge. Sie fragte die Mutter beim Frühstück:
»Kann ich heute nach Ingerby gehen, Ma?«
    »Wozu denn, Kind?«
    Mit etwas schlechtem Gewissen antwortete Blanche:
»Ich möchte Wolle kaufen.«

»Wozu brauchst du denn Wolle, Kindchen?«

»Ich will Strümpfe stricken für einen Soldaten.«

»Aber morgen kommt der Hausierer, der hatte letztes Mal sehr schöne . . .«

Jetzt geschah etwas Erstaunliches. Die sonst so sanfte Blanche sprang auf, schlug mit der Faust auf den Tisch und schrie: »Ich will keinen Hausierer! Ich will nach Ingerby!« Noch einmal schlug sie auf den Tisch und stand dann erschrocken und hilflos vor ihrer Mutter.

»Geh in dein Zimmer, Blanche«, sagte Nathan ruhig.

Blanche ging hinaus. Nathan blickte seine Frau an und sah, daß ihr Tränen über das Gesicht liefen. »Nein, nein, Mutter, nun fang du mal damit nicht an«, sagte er. »Sie muß einfach mal aufmucken dürfen, wo nun Adam fort ist, du weißt doch.«

»Der Hausierer hatte so schöne Wolle. Bessere kriegt sie auch in der Stadt nicht.«

»Es geht ja nicht um die Wolle«, sagte er geduldig. »Ich denke, sie möchte bloß mal eine Weile fort und mit sich ins reine kommen, verstehst du.«

Zilla konnte sich kaum beruhigen. »Unsere Blanche! So hat sie sich noch nie aufgeführt.«

»Sie mußte auch noch nie einen Liebsten in den Krieg ziehen lassen. Nun laß sie nur gehen, Mutter, du wirst schon mal fertig ohne sie.«

Er stieg die Treppe hinauf in Blanches kleines Zimmer. »Nun, nun, mein Kind . . .? Das warst du ja gar nicht selber.«

»Nein, Pa. Es tut mir leid. Ich weiß nicht, wie es kam.«

»Laß nur. Wir haben uns eben nicht immer fest in der Hand.« Er zog einen Sixpence aus der Tasche. »Hier – sieh mal zu, ob du deiner Mutter eine hübsche Schachtel Pralinen kaufen kannst. Aber du mußt vielleicht dafür nach Ingerby gehen – ich glaube, Miß Wrigley hat Schokolade nur in Tafeln.«

Vater und Tochter blickten sich einen Augenblick ernst in die Augen, dann begann erst Blanche und dann Nathan zu lachen. Eine halbe Stunde später ging Blanche munter die Straße nach Ingerby entlang.

Ihre Stimmung hatte sich schon jetzt gehoben. Sie und Pa waren immer gute Freunde; und auch Ma, die langes Übelnehmen gar nicht kannte, hatte ihre Tochter mit einem Kuß und Lächeln gehen lassen. Jetzt kam Ingerby mit jedem Schritt näher. Sicher geschah es nicht häufig, daß sich jemand auf die graue Stadt in den Midlands so freute wie Blanche.

Sie war allein und konnte tun, was sie wollte – schon das war selten.

Doch die frohe Stimmung hielt nicht an. Von fern her drang ein Geräusch in die Oktoberstille, das sie bald als Pferdegetrappel erkannte. Sie drehte sich um. Ein Ponywagen kam näher, und peinlich berührt erkannte sie Mrs. Musgrove. Was sollte sie tun – den Kopf gesenkt halten, wenn der Wagen vorbeifuhr? Stehenbleiben und knicksen? Winken? Nein, das auf keinen Fall, das wäre sehr ungehörig. Also weitergehen, ohne aufzublicken.

Die Entscheidung wurde ihr abgenommen, denn der Wagen hielt. »Hallo, Blanche! Wo wollen Sie hin an so einem herrlichen Morgen?«

Blanche knickste und hielt den Blick auf die weiße Landstraße gesenkt. »Nach Ingerby, Mrs. Musgrove.«

»Ich auch. Steigen Sie auf.«

Blanche stieg auf. Mrs. Musgrove knallte leicht mit der Peitsche. »Sie sind doch sicher auf dem Weg zu unseren Soldaten, was? Wird bestimmt ein großartiger Anblick.«

Soldaten? Blanche wußte nichts von Soldaten. »Nein, ich will nur Wolle kaufen«, sagte sie harmlos.

»Wolle kaufen? Aber Mädchen, wissen Sie denn nicht, daß heute die Truppen ausrücken? Um elf ziehen sie aus der Kaserne.« Sie blickte Blanche fest an. »Sie werden heute keine Wolle kaufen, Miß Cranswick. Sie kommen mit mir, unsere Jungens abfeiern.«

Von Mrs. Musgrove mit ›Miß Cranswick‹ tituliert zu werden, war viel schlimmer, als wenn sie ›Mädchen‹ sagte, und es machte Blanche sehr unsicher. Trotzdem erwiderte sie: »Ich will meine Wolle kaufen, Mrs. Musgrove.«

Lavinia sah sie scharf an. »Sie haben wohl einen sehr eigenen Kopf, junge Dame?«

»Ich – ich weiß nicht.«

»Na, ich weiß es aber. Also schön, Sie können meinetwegen Ihre Wolle kaufen. Aber erst kommen Sie mit mir zur Kaserne.«

Blanche senkte den Kopf. Sie fühlte sich überrumpelt. Diese Wirkung hatte die nette Mrs. Musgrove auf viele Menschen.

Sobald sie in die Nähe der Stadt kamen, war es mit der Morgenruhe vorbei. Menschenmassen strömten auf die Wellington-Kaserne zu wie von einem Magneten angezogen. Alle waren in Sonntagskleidung; viele Kinder, hoch auf den Schultern der Väter, schwangen kleine Fahnen. Es war keine lustige Ferienstimmung: fieberhafte Erregung, fast Hysterie, hielt alle gepackt.

Blanche hatte gar keine Lust, die Soldaten ausrücken zu sehen. Sie hatte einen fortziehen sehen, das war genug. Doch sie richtete sich gewöhnlich nach den Wünschen anderer (was sie insgeheim als Schwäche empfand), und da sie ihren Protest nun geäußert hatte, gab sie sich damit zufrieden.

Mrs. Musgrove fuhr zu einem Gasthaus in der Nähe der Kaserne und übergab dort Pferd und Wagen einem Stalljungen. Dann gesellten sie sich zur Menge. Mrs. Musgrove unterhielt sich schon bald nach links und rechts, und die Fremden gingen bei ihr bereitwilliger darauf ein als bei ihrer schüchternen Gefährtin.

Vor der Kaserne stand bereits eine riesige gutgelaunte Menschenmenge, die es der lautstarken Dame nicht weiter übelnahm, als sie sich mit ihrer schüchternen Begleiterin energisch nach vorn drängte. So standen sie bald in der ersten Reihe, vor sich die großen eisernen Torflügel, die noch geschlossen waren. Polizisten schritten davor auf und ab, und dahinter marschierten die Wachtposten mit zackigen Bewegungen hin und her.

Eine Uhr schlug elf. Mit militärischer Pünktlichkeit öffnete sich das Tor, und in einiger Entfernung setzte eine Kapelle mit *The British Grenadiers* ein. Die Zuschauer drängten lachend und rufend nach vorn.

Wie bringt sie das bloß fertig, dachte Blanche. Im Geist sah sie die Abschiedsszene auf dem Bahnhof von Barton Minor. Und nun stand Mrs. Musgrove hier, winkte und rief und jubelte wie alle anderen. Die Kapelle kam näher, und jetzt sah man auch die Musiker, lauter Scharlach und Messing, und dann die Kavallerie, die zwar die khakifarbene Felduniform trug, aber trotzdem großartig aussah.

Die Menschen gerieten in Ekstase. Alle drängten nach vorn, schrien und winkten. »Sagt Krüger ordentlich Bescheid, Jungens!« – »Immer feste drauf aufs Burenfell!« Pandämonium brach aus, krachende Militärmusik, Schreien und Singen und Hufgeklapper auf dem Steinpflaster. Blanche wurde auf einmal schwindlig, sie war froh, daß sie zwischen drei untersetzten Männern fest eingekeilt war.

Doch nicht der Lärm war schuld daran, sondern ein Gesicht. Es gehörte einem der Kavalleristen.

Trotz – oder gerade wegen der stolzen und hochfahrenden Haltung, trotz des dunklen Schnurrbarts, der aus dem Jungen einen Mann gemacht hatte: Sie erkannte ihn sofort. Und ohne nachzudenken, fast gegen ihren Willen, rief sie laut: »Guy! Guy Clulow!«

Er konnte sie in dem Lärm unmöglich hören. Doch sein Blick streifte sie in deutlichem Erkennen, obgleich die militärische Härte nicht einen Moment aus seinem Gesicht verschwand. Dann galt wieder »Augen geradeaus!«, und sein Blick richtete sich nach vorn, als sähe er schon den Feind am Horizont. Blanche ärgerte sich über sich selber. Warum hatte sie bloß gerufen? Warum hatte sie sich so klein gemacht? Sie liebte doch Guy gar nicht mehr, er bedeutete ihr nichts; und als sie jetzt an das hochfahrende

Soldatengesicht dachte, haßte sie ihn sogar, soweit sie überhaupt imstande war, einen Menschen zu hassen. Aber sie war tief gekränkt. Er hatte sie gesehen und sich einfach abgewandt. Sie hatten sich doch einmal geliebt! Es war doch nicht *ihre* Schuld, daß Tante Täubchen – daß Tante Täubchen *das* mit Guys Vater getan hatte. Jetzt ging er fort in ein fremdes Land. Ein kurzer Wink, ein Lächeln, das hätte ja schon genügt für ein Mädchen, das ihm zwar keine Liebe mehr entgegenbrachte, das aber froh gewesen wäre über ein Zeichen der Freundschaft.

Die Kavallerie zog mit lautem Getrappel ab. Immer noch sah Blanche den Rücken der aufrecht sitzenden Gestalt, groß und imponierend trotz des Aufundabschwankens im Sattel. Nun kamen zu Fuß die Infanteristen, beladen mit Gewehren und Tornistern und Munitionsgürteln, formlos und unansehnlich in billigem Khaki und doch jeder Mann ein Held, denn er zog zu Felde gegen einen Feind, den er nicht kannte, in einem Land, von dem er kaum je gehört hatte, und für eine Sache, die ihm nichts bedeutete. Die Zivilisten, die ihn anspornten, wußten eher Bescheid oder glaubten es doch. Der simple Gefreite wußte nur, das Schlachtfeld von heute lag eben in Südafrika, und seine Aufgabe war es, dort zu töten.

Jetzt kam der letzte Trupp, dem sich die Menge dann anschloß unter Absingen der albernen Lieder, mit denen England seit eh und je in den Krieg zog: *Goodbye, Mother Annie*, und *Sons of the Empire*.

»Komm mit zum Bahnhof«, drängte Mrs. Musgrove. Sie war mit Leib und Seele dabei. Blanche hatte längst genug, aber sie ließ sich treiben wie ein Blatt im Strom und unterwarf sich Lavinias stärkerem Willen.

Die Direktoren der Midland Railway hatten sich beim Bau des Bahnhofs von Ingerby nach langen Überlegungen für den griechischen Stil entschieden. So ähnelte der Haupteingang geradezu dem Parthenon, nur bei den Bahnsteigen und Warteräumen hatte man das Ideal nicht erreicht. Heute herrschte vor den Schalterhallen ein einziges Chaos. Unteroffiziere versuchten, ihre Männer zusammenzuhalten; aber die schleppten nicht nur ihre Ausrüstung, sondern auch noch Bierflaschen und Kuchen und handgestrickte Schals, die ihnen aus der Zuschauermenge aufgedrängt wurden. Offiziere und Militärpolizisten taten ihr Möglichstes, in dem Durcheinander nicht den Kopf zu verlieren.

Hinzu kam noch ein weiterer Störfaktor. Zwischen den griechischen Säulen sah man Plakate und Banner mit Aufschriften, die viele der Mitläufer und Mitjubler im Umsehen zu wütenden Patrioten machten. »SCHLUSS MIT DEM KRIEG!« – »HÄNDE WEG VON TRANSVAAL!« – »BUND FÜR VERSÖHNUNG MIT SÜDAFRIKA« – das alles war da zu lesen.

Bis jetzt hatte sich Blanche einfach mitreißen lassen von der Menschenmenge und von Mrs. Musgroves Feuereifer. Jetzt blieb sie etwas zurück, denn vor ihr gab es ein Durcheinander. Rings um die Transparente sah sie erhobene Stöcke und Fäuste und geschwungene Gummiknüppel, hörte sie Schreie und Wutgeheul. Mrs. Musgrove, die nichts versäumen wollte, zog sie weiter. Für die stille Blanche war das nichts, doch ihre Gefährtin riß sie mit sich, und plötzlich mußte sie mit ansehen, wie ein Knüppel auf einen wehrlosen Schädel krachte. Das Ganze war der reine Alptraum: Plakate und Transparente in den Händen älterer Herren, deren Gesichter angstvolle Entschlossenheit verrieten, Schilder und Plakate sogar von einigen Damen hochgehoben; ringsum geballte Fäuste und geschwungene Schirme und Gummiknüppel, Schreien und Fluchen, ein weicher Fall, wenn jemand zu Boden glitt, und über allem die erhitzten und unbeirrten Gesichter der Frauen mit den Transparenten.

Blanche hatte über die Ethik des Krieges noch nie nachgedacht. Krieg war eben Krieg. Über die Ethik von Regen und Kälte dachte man auch nicht weiter nach. Ja, der Krieg hatte ihr Adam fortgenommen, aber so etwas passierte nun mal, da konnte man nichts tun. Nun sah sie diese entschlossenen Frauen vor sich, die sich der wütenden

Menge mit nichts als Parolen entgegenstellten. Woran *die* glaubten, wofür *die* kämpften, daran glaubte auch Blanche jetzt, blindlings.

Gerade sah sie, wie ein Mann sich in wilder Wut auf eine der Frauen stürzte und versuchte, ihr das Schild aus der Hand zu reißen. Sie hielt sich tapfer, war aber schon halb zu Boden gerissen, als sie plötzlich eine lange Hutnadel aus dem Haar zog und damit auf seine Augen zielte. Instinktiv hielt er den Arm vor sein Gesicht, und im gleichen Augenblick fuhr ihm ein Polizeiknüppel zwischen die Schulterblätter. Die Frau steckte gelassen die Nadel wieder in den Hut und packte das Schild fester.

»Hurra!« schrie Blanche und klatschte in die Hände. »Hurra!« und gleich darauf schämte sie sich ihres Gefühlsausbruchs.

Neben ihr sagte eine zornige Stimme: »Was fällt denn Ihnen ein? Haben Sie nicht gelesen, was auf dem Plakat steht?«

Blanche las: SCHLUSS MIT DEM KRIEG! Eine gute Idee, so schien es ihr; dann konnte Adam nach Hause kommen. Und Guy – ach, was Guy tat, kümmerte sie nicht. Aber Adam? Laut sagte sie: »Mir egal, Mrs. Musgrove. Sie hat jedenfalls Mut, die Dame.«

»Finden Sie?« sagte Mrs. Musgrove nachdenklich. Mut imponiert also der Kleinen, dachte sie. Sie hatte die Geschichte von Blanches Angst vor den Ochsen gehört, aber wenn ihr Mut bei anderen Menschen imponierte, dann gab es noch Hoffnung.

Doch jetzt überfiel ein zweiter Mann die Dame, riß an ihrer Bluse und zog ihr den Hut vom Kopf, bis ein Polizist ihn von hinten am Kragen packte und zum Polizeiwagen mitnahm.

Der Hut der Dame war zu Boden gefallen und wurde mit Fußtritten traktiert. Sie stand da und hielt ihr Transparent fest mit der linken Hand, während die Rechte versuchte, die oberen Blusenknöpfe zu schließen.

Das sah Blanche. Diese Bewegung kannte sie. Sekundenschnell war sie zurückversetzt in eine hübsche Wohnung am Abend des Jubiläums der Königin. Jemand hatte damals Mr. Clulow erwähnt, und Tante Täubchen hatte mit genau derselben Geste an ihren Halskragen gefaßt. Tante Täubchen. Blanche starrte sie an. Es war Tante Täubchen! Ohne Hut stand sie trotzig da und hielt ihr absurdes Schild fest – kühl, elegant und anmutig stellte sie sich dem Pöbel.

»Tante Täubchen!« rief Blanche aufgeregt.

»Kennen Sie sie?« fragte Mrs. Musgrove eisig.

»Ja – die Dame da ohne Hut. Das ist meine Tante.«

»Ich würde das lieber nicht so laut sagen, mein Kind. Nicht gerade jemand, auf den man stolz sein kann.«

Blanche blickte auf die entflammten Gesichter der Demonstranten. Dann drehte sie sich um und sah Mrs. Musgrove wütend an. »Ich finde, die sind tapfer – sehr tapfer. Und auf meine Tante werde ich immer stolz sein.«

»Das ist auch ganz recht so, Blanche. Loyalität steht bei mir hoch im Kurs. Aber sehen Sie nicht ein, daß sie Verrat begeht, wenn sie mit diesen Leuten gemeinsame Sache macht?«

»Nein, das sehe ich nicht ein«, sagte Blanche trotzig.

»Querkopf«, sagte Mrs. Musgrove leichthin, doch plötzlich fiel ihr Nathan Cranswicks unerhörtes Verhalten gegenüber dem Rekrutierungssergeanten ein. Hatte man da etwa ein Verräternest vor sich? Und sie hatte schon die ersten Schritte getan, um das Mädchen ins Haus zu nehmen! Also gut, sie hatte noch nie etwas einmal Gesagtes zurückgenommen, und sie wurde auch hiermit fertig. Aber interessant würde das ja nun wohl werden, ganz sicher.

Der Gedanke an Blanches Vater hatte in Lavinias Gedächtnis eine leise Glocke ertönen lassen. Blanches Tante . . .? Mr. Cranswicks Schwester, in der sie eine Frau gefunden hatte, die ihr sehr gefiel – eine Freundin. Gab es da etwa eine Verbindung? Sie starrte auf die Frau mit dem Schild und rief dann laut: »Himmel! Miß Cranswick.«

Loyalität stand bei ihr, wie sie gerade gesagt hatte, hoch im Kurs. Ihre Freunde mochten sich noch so dumm oder verächtlich benehmen: Sie sagte es ihnen glatt ins Gesicht, aber fallen ließ sie sie niemals. »Komm mit«, rief sie Blanche zu und schob sich mit Ellbogen und freundlichen Worten durch bis zu der etwas zerzausten Edith. »Also so was – Miß Cranswick! Was zum Teufel haben Sie mit diesen Leuten gemein?«

Edith Cranswick brauchte einen Augenblick, um sie zu erkennen. Dann strahlte sie. »Mrs. Musgrove! Wie nett von Ihnen. Wollen Sie bei uns mitmachen?«

»Nein, ganz bestimmt nicht. Aber Sie sehen erschöpft aus. Kommen Sie mit. Müssen Sie das verdammte Plakat da mitnehmen?«

»Da ist ja Blanche!« sagte Edith erfreut. »Bist du – sind Sie beide zusammen hier?«

»Du bist so tapfer, Tante«, sagte Blanche mit leuchtenden Augen.

»Tapfer? Ich bin fast gestorben vor Angst.« Sie blickte sich um. Die Menschenmenge verlief sich jetzt; Soldaten, Pferde und die Ausrüstung waren verladen worden, wie man Zinnsoldaten in eine Schachtel packt. Jetzt durften alle nach Hause gehen, Tee trinken und die Ereignisse vergessen. Ein paar brave Bürger standen noch herum und starrten mit giftigen Blicken auf die kleine Gruppe der Burenfreunde, doch mit der Auflösung der Menschenmenge hatte sich die Erregung gelegt. Der kalte Zorn der einzelnen besaß nicht den mitreißenden Furor der Masse.

Edith hatte Blanche den Arm um die Schulter gelegt und blickte Lavinia mit warmem Lächeln an. »Mitkommen wohin? Viel Zeit habe ich nämlich nicht, ich muß zu meinem Vater.«

»Zur Kaserne, da habe ich den Wagen abgestellt. Ich kann Sie dann nach Hause bringen.«

»Vielen Dank, Mrs. Musgrove, das wäre sehr nett.« Sie hielt immer noch ihr Plakat fest. »Möchten Sie lieber, daß ich das nicht mitnehme?«

»Dafür wäre ich wirklich sehr dankbar«, sagte Lavinia betont.

Edith winkte zu einer Gruppe ihrer Freunde hinüber. »Mark – können Sie einen Moment herkommen?«

Ein hochgewachsener Priester, viel jünger als die anderen Männer, kam in schwarzem Talar eilig herüber. Edith reichte ihm die Stange mit dem Schild. »Würden Sie mir das abnehmen? Ich möchte mit meinen Freunden nach Hause gehen.« Sie wandte sich an Lavinia. »Dies ist Reverend Mark Forrest, Vikar von St. Lukas. Mark, das ist Mrs. Musgrove – und Blanche, meine liebe Nichte.«

»Aber natürlich, gern, Edith«, sagte der Geistliche. »Gehen Sie nur und ruhen Sie sich erst einmal aus. Und vielen Dank auch für Ihren Einsatz!« Mit einem Lächeln und einer leichten Verneigung vor den Damen ging er mit dem Schild fort.

»Schön.« Mrs. Musgrove schob einen Arm in Ediths Arm und machte sich mit ihr und Blanche auf den Weg. Als sie das Gasthaus in der Nähe der Kaserne erreicht hatten, hielt sie an und sagte: »Ich schlage vor, wir trinken jetzt erst mal ein Glas Madeira nach all der Aufregung.« Ohne weiteres öffnete sie die Tür und trat ein.

Blanche war entsetzt. In eine Wirtschaft gehen – was würde ihr Vater dazu sagen? Drinnen waren sicher lauter lärmende Zecher; sie hörte schon das laute Singen. Womöglich würde man sie belästigen...

Zu ihrem Erstaunen wurden sie von dem weißbeschürzten Wirt sehr höflich begrüßt und in sein bestes Zimmer geführt; der Raum war hübsch geschmückt mit Aspidistra und Farnblättern, und den Gesang der Männer hörte man hier nur ganz gedämpft. Der milde süße Wein schmeckte richtig gut, so ähnlich wie der Hustensaft, den sie zu Hause hatten. Die Kekse waren dünn und locker. Was man ihr bisher von Gastwirtschaften erzählt hatte, war offenbar ganz falsch.

Mrs. Musgrove leerte ihr Glas in einem langen Zug und füllte es sofort noch einmal. Dann legte sie die behandschuhte Rechte auf Ediths Hand und sagte: »Liebe Miß Cranswick, Sie können sich gar nicht vorstellen, wie froh ich bin, daß wir uns wiedergetroffen haben. Nach unserer Teeparty war ich ein paarmal oben am Cottage, aber Sie waren leider nicht da.«

»Das war sehr nett von Ihnen. Nur – es gab Gründe«, sagte Edith mit nachdenklichem Lächeln.

»Ja, das nehme ich an. Nun haben wir uns zum Glück ja hier getroffen . . .«

Ediths Lächeln war etwas bitter, als sie erwiderte: »Sie müssen aber vorsichtig sein mit Ihrem Umgang, Mrs. Musgrove. Mrs. Heron würde das ganz sicher auch finden.«

»Ach, gehen Sie mir mit Mrs. Heron! Aber eins muß ich Ihnen doch sagen. Ich meine, Sie sollten etwas vorsichtiger sein mit *Ihrem* Umgang.«

Die beiden Frauen sahen einander an. Keine lächelte jetzt. »Sie meinen den Bund für Versöhnung mit Südafrika?«

»Mein Sohn hat sich freiwillig gemeldet. Er ist nun fort. Als ich euch heute morgen sah, da fühlte ich nichts als Haß auf euch, alle miteinander. Ich hatte das Gefühl, ihr stoßt ihm ein Messer in den Rücken.«

»Das ist nicht wahr!« rief Blanche. Sie war über ihren Ausruf ebenso erstaunt wie die beiden anderen. »Tante Täubchen ist ein guter Mensch, genau wie mein Vater! Der Gedanke, daß Menschen getötet werden, ist ihr unerträglich.«

»Mein liebes Kind«, begann Mrs. Musgrove etwas von oben herab und sehr ärgerlich. Doch dann schwieg sie und sagte nach einer Pause: »Nun sagen Sie mir bloß, warum Sie Ihre schöne Tante mit einem so albernen Namen anreden.«

»Tante Täubchen? Aber das paßt doch zu ihr«, gab Blanche zurück.

Mrs. Musgrove sah Edith lange und nachdenklich an, dann berührte sie ihre Hand noch einmal. »Ja. Ja – es stimmt tatsächlich. Aber sie hat noch ein bißchen mehr in sich als nur Taubeneigenschaften.« Sie lächelte Edith herzlich zu und öffnete dann die Uhr, die an ihrem Busen hing. »Ich glaube, wir müssen gehen; ich muß vor Dunkelheit zurück sein. Sagen Sie mir bitte, wo Sie wohnen, Miß Cranswick?«

25

Nathan Cranswick arbeitete im Garten, als Blanche aus Ingerby zurückkam.

Zu tun hatte er überreichlich. Die Natur hat viele gute
Eigenschaften, aber sparsam ist sie nicht. Unaufhörlich
verschwendet sie sich mit Blüten und Blumen und Früchten, sie überschüttet das Land mit Hunderttausenden von
Samen aus einem einzigen Brombeerbusch, mit Tausenden von Äpfeln, mit Birnen und Pflaumen, Ranken und
Winden und Zaungesträuch, das sich über Gärten und
Felder ausbreitet, mit Millionen von Eicheln, die im Gras
verkommen – bis sich in hundert oder zweihundert Jahren
dort eine starke Eiche in den Himmel reckt.

Mit diesem Überschwang in seinem Garten mußte Nathan allein fertig werden, und er hatte wie jeder Gärtner in
jedem Herbst das Gefühl, diesmal sei es nun wirklich zuviel geworden, und wenn er jetzt nicht etwas unternähme,
so würde aus dem Garten ein Dschungel.

Nathan mußte, was den Garten anging, noch viel lernen. Inzwischen aber grub und riß und hackte er unermüdlich weiter, bewahrte das, was er kannte – wie etwa
Kartoffeln – und warf alles andere in ein qualmendes, kni-
sterndes Feuer. Er war zutiefst glücklich bei seiner Arbeit.
Er und die Erde und das, was keimte und wuchs – es war
alles eins, ein uraltes zeitloses Abendmahl. Die milde Ok-
tobersonne, der Geruch des Feuers und das Prasseln des
brennenden Reisigs – sie waren Teil seines irdischen Paradieses.

Nun kam Blanche aus der Stadt zurück und stellte sich
neben ihn. »Ich hab Tante Täubchen gesehen, Pa.«

Nathan kämpfte gerade mit einer langen dornigen Ranke; er schüttelte sie ab und blickte seine Tochter scharf an. »Komm, setz dich her zu mir, mein Mädchen. Eine kleine Rast wird mir auch guttun.«

Er führte sie zu der weißen Bank und ließ sich müde darauf nieder. »Also – wie sah sie aus? Erzähle mal.«

»Gut sah sie aus, finde ich. Aber – ach Pa, sie war so tapfer!« Blanche beschrieb die Szene am Bahnhof etwas zusammenhanglos. Sie war nicht daran gewöhnt, Fakten geordnet darzustellen, und sie verstand auch im Grunde nicht die ganze Bedeutung des Geschehens.

Nathan hörte schweigend zu. Endlich fragte er: »Was stand denn auf dem Schild, das sie trug?«

»»Schluß mit dem Krieg« stand darauf, Pa. Und dann ist Mrs. Musgrove mit uns in eine Wirtschaft gegangen, und wir haben ein Glas Wein getrunken.«

»Mrs. Musgrove? Die war auch da?«

»Ja. Nachher hat sie Tante Täubchen noch nach Hause gebracht. Ich glaube, das Schild mochte sie nicht. Aber sie waren beide nett miteinander.«

»Das Schild mochte sie nicht. Ja, das glaube ich allerdings auch.« Nathan lachte leise vor sich hin. »Da hast du ja allerhand erlebt heute.« Nicht alles war ihm klar, was Blanche da erzählt hatte; er hörte daraus nur, daß er und seine Schwester über diesen Krieg anscheinend der gleichen Ansicht waren. Was Mrs. Musgrove damit zu tun hatte, das wußte er nicht und wollte es auch nicht wissen, denn jetzt gab es etwas viel Wichtigeres mit Blanche zu besprechen.

Die Bäume legten lange Schatten über das Gras, weich und liebevoll wie zärtliche Hände. Nach dem Geschrei der Menschenmassen tat der Frieden hier draußen unendlich wohl.

Blanche hatte seit dem Frühstück am Morgen nichts gegessen als ein paar Kekse und hatte außerdem – ungewohnt für sie – ein Glas Wein getrunken; sie fühlte sich seltsam beschwingt, als sie hier so friedlich und schweigend neben ihrem lieben Pa saß. Selbst die Trennung von Adam konnte sie für kurze Zeit vergessen.

Auch Nathan war glücklich. Er wäre gern mit seiner kleinen stillen Tochter hier noch sitzen geblieben, um die müden Knochen auszuruhen, bis die Sonne unterging. Doch für Nathan gab es kein Ausruhen, immer wartete zu vieles auf ihn. Jetzt fragte er:

»Magst du eigentlich Mrs. Musgrove?«

Nach einer Pause antwortete Blanche: »Ja, schon. Bloß weiß man nie, was sie als nächstes sagen wird.«

»Hast du Angst vor ihr?«

Wieder dachte Blanche nach. »Ja – ein bißchen.«

Nathan lachte. »Ich hab auch etwas Angst vor ihr, das kann ich wohl sagen. Aber sie hat ein gutes Herz. Und sie ist – so geradeaus, weißt du, und davor haben wir Angst. Wir sind nicht an Leute gewöhnt, die so offen sagen, was sie meinen.« Er sah zu einer Amsel hin, die sich über einen Käfer hermachte. »Wir sind nicht mal an Leute gewöhnt, die wirklich wissen, was sie meinen.«

»Ja«, gab Blanche zu. Sie hatte nicht alles verstanden, denn sie war allmählich müde geworden.

»Sie möchte dich gern in ihr Haus nehmen.«

Die Müdigkeit war verflogen. Blanche fuhr auf und starrte ihren Vater erschrocken an. »Du meinst – als Küchenmädchen?«

Er schüttelte den Kopf. »Nein, das hat sie wohl nicht vor. Zur Gesellschaft und als Hilfe im Haushalt, sagte sie.«

»Pa! Was soll das heißen?« Jetzt hatte sie wirklich Angst.

»Den Haushalt übernehmen, das meint sie wohl, während sie sich um den Hof kümmert. Und bei ihr sein, wenn sie mit jemandem reden möchte.«

»Das kann ich nicht, Pa.«

»Ich habe mit deiner Mutter gesprochen, und wir meinen beide, du könntest es und solltest es auch tun. Das glaubt auch Mrs. Musgrove.« Er lachte sie an. »Du bist die einzige, die das nicht glaubt, mein Mädchen.«

Sie schwieg.

»Soll ich dir sagen, was ich glaube, Blanche?«

Sie nickte mit gesenktem Kopf.

»Ich glaube, sie hat dich gern und meint, du hast so viele Möglichkeiten in dir. Sie möchte dir helfen, mehr aus dir zu machen, sagt sie. Wenn Adam dich lieb hat, dann wärst du eine passende Braut für ihn.«

Blanche hielt noch immer den Kopf gesenkt. Sie war tiefrot geworden und sagte unbeholfen: »Wenn Adam mich will, dann muß er mich so nehmen, wie ich bin.«

»Ja sicher, das wird er auch«, sagte Nathan geduldig. »Um so besser, wenn du dann schon seinen Haushalt führen und seine Freunde bewirten kannst, ohne daß er es dir beibringen muß.«

Blanche blickte auf. Sie sagte:

»Ich habe Adam lieb, Vater, und ich glaube, er hat mich auch lieb. Ich dachte immer, das ist alles, worauf es ankommt. Aber ich sehe jetzt, daß ich nie seine Frau sein könnte. Die Unterschiede zwischen uns sind zu groß. Auch Mrs. Musgrove kann aus einem Kieselstein keinen Diamanten machen.«

»Mrs. Musgrove könnte aus dir eine Frau machen, die jeder Mann mit Stolz heiraten würde.«

»Meinst du das wirklich, Pa?«

»Na schön. Ich kann mich auch irren. Vielleicht braucht sie nur eine Hilfe im Haus und ein bißchen Gesellschaft. Wie wäre das?«

»Besser. Das hört sich ganz gut an, wenn Ma mich entbehren kann. Aber woher soll ich wissen, ob es so ist? Ich will nicht wie ein Rauschgoldengel für Adam aufgeputzt werden.«

Nathan seufzte. Er hatte alles verpatzt, und das lag nur daran, daß er Frauen eben doch nicht verstand. Aber es gab einen Menschen, der nicht nur Frauen, sondern auch Männer und noch manches andere verstand, und das war Mrs. Musgrove. Er sagte:

»Also gut, mein Kind. Aber ich finde, höflichkeitshalber

solltest du hingehen und ihr deine Bedenken erklären. Sie hatte sehr gehofft, du würdest ihr Gesellschaft leisten in ihrem leeren Haus.«

»Ja. Dann gehe ich morgen früh hin«, stimmte sie zu.

»Ah, Blanche, wie schön, daß Sie kommen. Ihr Vater hat also mit Ihnen gesprochen?«

»Ja, Mrs. Musgrove, aber ich glaube . . .«

»Ausgezeichnet. Und Ihre Mutter ist auch einverstanden?«

»Ja, aber . . .«

»Sehr gut. Ich hatte nämlich schon Angst, Ihre Eltern würden es nicht erlauben. Und ich wußte einfach nicht, wie ich diesen Winter allein überstehen sollte. Wie ist es, spielen Sie Backgammon?«

»Nein. Und ich . . .«

»Macht nichts, das werde ich Ihnen schon zeigen. Was spielen Sie denn sonst?«

»Dame und Mühle. Aber ich wollte Ihnen sagen –«

»Ich weiß. Daß Sie noch nicht Bescheid wissen mit einem großen Haushalt. Aber das lernen Sie in einer Woche, wenn ich Ihnen helfe. Würden Sie jetzt mal den Frühstückstisch abräumen und das Geschirr spülen? Ich muß nämlich rübergehen und die Melker beaufsichtigen. Wenn ich wiederkomme, machen wir Kaffee und besprechen die Einzelheiten.« Damit war sie schon aus der Tür wie ein Wirbelwind.

Also meinetwegen, dachte Blanche. Kann ja nicht schaden, wenn ich ein bißchen helfe. Sie trug das benutzte Geschirr vom Tisch in die große Küche und machte sich ans Abwaschen. Davon jedenfalls verstand sie etwas. Sie war eben beim letzten Topf angelangt, als Mrs. Musgrove hereinschoß.

»Himmel, was für ein wunderbarer Morgen! Da freut man sich, am Leben zu sein. Sehr schön, das haben Sie gut gemacht, sogar die Teeblätter für den Teppich aufgehoben. So, und nun der Kaffee. Da drüben steht die Kaffeemühle, die Kaffeebohnen sind hier in diesem Schrank und die Tassen in dem da. Ach ja, und das hier ist die Kaffeemaschine. Na, werden Sie damit fertig?«

»Tut mir leid, Mrs. Musgrove«, sagte Blanche. »Ich habe noch nie Kaffee getrunken.«

Lavinia Musgrove versuchte, ihr Erstaunen zu verbergen. »Nein –? Na gut, ich zeig's Ihnen. Also zuerst werden die Bohnen gemahlen – hier, ungefähr soviel. Soo – na, riecht das nicht gut? Dann wärmen wir die Kaffeekanne an.« Sie rückte den mächtigen Kupferkessel einen Augenblick auf die Feuerstelle und goß etwas kochendes Wasser in die Kanne. »Jetzt kommt der Filter und das Kaffeepulver hinein, und wir gießen kochendes Wasser hinzu. Alles klar?«

»Ja, ich – ich glaube schon.«

»Ganz einfach. Alles Gewöhnung. Nun gießen wir eine Tasse noch einmal durch den Filter in die Kanne, dann ist alles fertig. Hier ist die Milch. So. Sie haben noch nie Kaffee getrunken – hoffentlich finden Sie, daß es sich lohnt.«

Blanche trank einen Schluck. Es schmeckte scheußlich. Mrs. Musgrove sagte:

»Meinen Sie, Sie werden morgen früh den Kaffee machen können?«

»Ich fürchte, ich kann morgen . . .«

»Na gut, ist ja auch ein bißchen umständlich. Ich helfe Ihnen morgen noch einmal. Noch eine Tasse?«

»Nein danke.«

»Daran werden Sie sich gewöhnen müssen«, sagte Mrs. Musgrove streng. »Man muß erst auf den Geschmack kommen. Zuerst kann er wohl etwas bitter schmecken.«

Etwas bitter! Blanche faßte Mut und nahm einen neuen Anlauf. »Mrs. Musgrove, ich kann nicht kommen, ich . . .«

»Ach, da fällt mir etwas ein.« Mrs. Musgrove sprang auf, lief aus dem Zimmer und kam mit einem Brief in der Hand zurück. »Adam. In Southampton ist er. Fährt mit der

›Dunnottar Castle‹, und der Kommandeur, Sir Redvers, ist auch mit an Bord. Fabelhaft, was?«

Blanche hatte von Sir Redvers noch nie gehört und wußte auch nicht, was ein Kommandeur war; sie wußte nur, daß »Fahren« Ferne bedeutete. Er fuhr weit weg, fort aus ihrem Leben. Sie merkte schon, daß Mrs. Musgrove keine Antworten auf ihre Fragen erwartete, denn sie hörte sowieso niemals zu. Blanche sagte also nichts, und Lavinia Musgrove stöberte in den Briefseiten wie ein Terrier im Laubhaufen. »Hier – das ist für Sie, Blanche. ›Grüß mir das schüchterne kleine Cranswick-Mädchen, wenn du sie siehst.‹«

»Danke«, sagte Blanche errötend. Sie war sehr enttäuscht, denn sie hatte gehofft, Adam werde ihr schreiben. Jetzt mußte sich »das schüchterne kleine Cranswick-Mädchen« offenbar mit dieser nebensächlichen Bemerkung begnügen.

Mrs. Musgrove stopfte den Brief wieder in den Umschlag und klopfte damit auf die Fingerknöchel. »Also dann. Ihr Lohn. Haben Sie irgendeine Vorstellung? Nein, sicher nicht. Wollen Sie Ihren Vater fragen, ob er vierzig Pfund pro Jahr, plus Kost und Logis, für angemessen hält? Ich möchte Ihnen auf keinen Fall zu wenig zahlen.«

Vierzig Pfund! Das war ein Vermögen. Dina hatte ihr erzählt, sie bekäme fünfzehn. Sekundenlang dachte Blanche an hübsche Kleider, an Geschenke für Pa und Ma und Tom und den kleinsten Bruder. Dann schob sie die Versuchung energisch von sich. Nur fiel es ihr stets leichter, mit sich selber energisch zu sein als mit anderen Leuten. Sie merkte schon, wie ihr Entschluß ins Wanken kam, als Mrs. Musgrove fragte:

»Nun, über die Geldfrage werden wir uns bestimmt einigen. Haben Sie Ihr Nachthemd und ein paar Sachen mitgebracht?«

»Nein, ich . . . nein«, stammelte Blanche.

»Macht nichts, das können Sie morgen mitbringen, wird schon gehen. Wollen Sie Ihr Zimmer sehen? Kommen Sie.« Sie lief die Treppe hinauf und öffnete die Tür zu einem sonnigen, mit buntem Chintz ausgestatteten Zimmer, das Blanche vorkam wie ein Raum für die Königin. »In Ordnung?« fragte Mrs. Musgrove. »Sagen Sie nur, wenn Sie noch was brauchen.«

»Das ist wunderhübsch, Mrs. Musgrove«, sagte Blanche tief atmend, und dann faßte sie Mut. »Es ist nämlich – als Sie mich fragten, ob ich – ob ich Ihren Sohn liebe, hatte das irgendwas damit zu tun, daß Sie – daß Sie mich zu sich ins Haus nehmen wollten?«

»Hier – schauen Sie mal, vom Fenster aus können Sie sogar die Arche Noah sehen. Was meinen Sie – mit Adam?« Mrs. Musgrove sah erstaunt aus. »Nein, Kindchen, eigentlich nicht. Warum?«

»Weil ich dachte, Sie wollten vielleicht . . .« Aber es war zu schwierig und auch zu peinlich. »Ich will gern kommen, vielen Dank«, sagte sie mit scheuem Lächeln.

»Ja, das habe ich angenommen. Ich dachte, deshalb wären Sie hier.« Lavinia Musgrove hatte nicht allzuviel Verständnis für ein Mädchen, das wegen einer Stellung gekommen war, dann das Geschirr spülte, Kaffee machte, ihr Nachthemd vergessen hatte, die Bedingungen mit ihr besprach und dann plötzlich erklärte, sie wolle gern kommen, vielen Dank. Und was hatte Adam mit alledem zu tun? Hoffentlich hatte das Mädchen ihre fünf Sinne beisammen. Ach was, selbst wenn nicht. Lavinia war ein warmherziger Mensch, und sie hatte Blanche gern. Genauso, wie sie die Tante und den Vater gern hatte, auch wenn bei denen nicht alles so war, wie es eigentlich sein sollte.

So nahm also Blanche die Arbeit in der Hall Farm auf, und nach einer Woche freute sie sich nicht nur darauf, den Kaffee zu machen, sondern auch ihn zu trinken.

Mrs. Musgrove machte es Freude, ihn mit ihr zusammen zu trinken. Sie machten dann immer eine kleine Pause in der Arbeit und setzten sich an das Tischchen im

Wohnzimmer. Lavinia betrachtete das stille kleine Wesen, während Blanche dabeisaß und nicht viel mehr als ein scheues Lächeln aufbrachte für die robuste und lautstarke Farmersfrau, die so ganz anders war als alle Menschen, die sie bisher kannte. Und beide waren froh und zufrieden.

Danach ging Lavinia wieder draußen ihrer Arbeit nach, und Blanche hatte oben im Haus zu tun: Eimer und Zinkbadewanne leeren, Seifennäpfe säubern und Betten machen. Das war eine angenehme Arbeit; sie freute sich über ihre Kräfte, wenn sie die schweren Matratzen umkehrte und die massigen Federbetten zurechtschüttelte.

Abends spielten sie oft Backgammon, oder sie redeten miteinander. Fasziniert hörte sich Lavinia die Berichte vom Leben in der Stafford Street an, die bescheidenen Wünsche und Ansichten und Ängste (denn sie verstand es, das liebe junge Ding zum Erzählen zu bringen). Manchmal setzte sich Mrs. Musgrove auch an den Flügel und spielte bei romantischem Kerzenlicht Stücke von jemandem, der Chopin hieß. Nach Tante Täubchens *Thora* und Grandmas *Heinerich der Achte* kam Blanche diese Klaviermusik zuerst fremd und mißtönend vor, doch bald klang es in ihren Ohren wie Wassergeriesel am sommerlichen Brunnen. Und dann, am Tagesende, das tanzende Kerzenlicht über den Chintzbezügen oben in ihrem Zimmer; ein Buch von einem gewissen Thomas Hardy, das ihr Mrs. Musgrove geliehen hatte; und schließlich ein letzter Blick aus dem Fenster, wenn in der Ferne ein Hund unter dem Sternenhimmel bellte und man über dem Hügel die Arche Noah gerade noch sehen konnte – ihr kleines, trauliches, überfülltes und unordentliches Zuhause. Blanche hatte nun beide Welten kennengelernt, und sie liebte ihr Zuhause mit den Eltern und den Brüdern ganz genauso wie zuvor. Doch wenn es dem lieben Gott gefiel, so wünschte sie sich, auch an dem anderen Leben, das nicht ganz so eng war und in dem es ein bißchen mehr Schönheit gab, noch eine Weile teilzuhaben.

26

»Wir müssen was unternehmen wegen der Weihnachtsdekoration«, sagte Mrs. Musgrove.

»Ja«, meinte Blanche etwas unsicher. Ihre Erfahrung mit Weihnachtsdekorationen beschränkte sich auf das kleine Schaufenster beim Krämer in Ingerby: zwei brennende Kerzen, ein paar Stechpalmenzweige, dazwischen an Fäden aufgehängte Watteflöckchen, schön gleichmäßig verteilt, die an Winter und Schnee erinnern sollten.

Deshalb war sie etwas verwirrt, als Mrs. Musgrove gleich darauf mit Mantel, Schal, Hut und Handschuhen erschien und zwei Gartenscheren in der Hand trug. »Kommen Sie, Blanche«, drängte sie. »Ziehen Sie Ihren Mantel an.«

»Oh – ja, Entschuldigung.« Eilig holte Blanche ihre Sachen. Sie gingen nach draußen, wo an der Tür ein schwerer Schlitten stand. »Nehmen Sie den mit«, ordnete Mrs. Musgrove an und ging voran, über den Hof an den Stallungen vorbei und über einen Feldweg in den stillen verhangenen Forst. Blanche folgte und zog den Schlitten hinter sich her. Es war ein kalter grauer Tag, der Atem stieg in Dunstwolken in die Luft.

Im Wald gab es unter den alten narbigen Eichen eine Überfülle an Stechpalmen mit grünschimmernden Blättern und roten Beeren. Sie machten sich an die Arbeit; die starken Scheren schnitten schnell und zuverlässig, und die mit Beeren beladenen Zweige waren ein Anblick zum Freuen. Blanche dachte plötzlich: Ich bin ja glücklich! Ausgerechnet an diesem dunklen nebligen Wintertag bin ich so glücklich wie vielleicht noch nie. Es mochte das erste Mal in ihrem Leben sein, daß Blanche nach innen horchte und dachte: Warum nur – warum?

Weil ich gern bei Mrs. Musgrove bin, dachte sie. Ich finde sie schrecklich nett; es macht Spaß, mit ihr zu arbeiten und – ja, und jemand zu sein, der in dem großen geräumigen Haus wohnt, und – ach was, mit jemandem zu arbeiten, den ich mag und der, glaube ich, auch mich mag.

Aber sie wußte, das war noch nicht alles. Es war auch das Umfangensein von der Natur: unten die Erde, oben die niedrigen Wolken, Bäume und Nebelschwaden. Wenn doch Adam hier wäre, dachte sie und war auf einmal fast beschämt, weil sie so froh war. Aber später wird er ja hier sein, zu künftigen Weihnachtsfesten, die noch in rosig schimmernder Zukunft lagen.

Der Schlitten war nun hoch beladen, und allein das war eine Freude. Überfluß in diesem Ausmaß war für Blanche etwas ganz Neues; bisher hatte sie stets nur ein »Genug« gekannt und oft auch das nicht erreicht.

Mrs. Musgrove hatte sich auf einen Baumstumpf gesetzt. »Schön hier, Blanche. Hier kann man einen Augenblick sitzen, es ist nicht zu kalt.« Sie zog etwas aus der Tasche. »Brief von Mr. Heron, heute morgen. Soll ich Ihnen etwas daraus vorlesen?«

»O ja, bitte, Mrs. Musgrove.«

»Ist auch eine Bestellung für Ihren Vater dabei. Hmm. ›Im Augenblick sieht es hier nicht allzu gut aus. Ich glaube aber doch, daß Weihnachten alles vorüber ist.‹« Blanches Herz tat einen Sprung. »›Fragt sich nur, welches Weihnachten.‹« Blanches Herz sank, und Mrs. Musgrove lachte so laut über den kleinen Scherz, daß die Krähen entrüstet aufflogen.

»›Letzte Woche haben mir die Buren mein Pferd unter dem Sattel weggeschossen. Schießen können sie, das muß man ihnen lassen.‹ Ach so, dies hier interessiert Sie nicht – geht da um jemand, den ich kenne. Aber hier: ›Gestern kam Nachricht über Ihren Sohn, Adam. Soll sehr beliebt sein bei seinem Truppenführer. Vielleicht schon bald Offizierspatent. Übrigens‹ – ach ja, hier ist das für Ihren Vater: ›Wenn Sie Cranswick sehen, sagen Sie ihm, den armen Teufel Guy Clulow hat eine Kugel erwischt, der ist erledigt.‹ Wollen Sie Ihrem Vater das bestellen, Blanche?«

»Ja.« Blanches Mund war ganz trocken. »Erledigt – heißt das, er ist tot, Mrs. Musgrove?«

»Schwer zu sagen. Mal sehen, ob hier noch mehr steht. ›Bißchen hochfahrender, aber vielversprechender Junge, brauchte immer mal eine kalte Dusche. Nun ist er nicht mehr, und das tut mir verdammt leid. Er war doch ein Held, auch wenn ich ihn im Grunde nicht leiden konnte.‹«

Blanche sagte nichts; sie war sehr blaß geworden. Mrs. Musgrove sah sie scharf an. »Nanu – war doch kein Freund von Ihnen?«

»Als wir Kinder waren. Jetzt nicht mehr«, sagte Blanche tonlos.

»Tut mir wirklich leid.«

Etwas mühsam gelang Blanche ein beruhigendes Lächeln. »Das liegt alles schon lange zurück. Armer Guy.«

Sie machten sich auf den Heimweg; den Schlitten zogen sie gemeinsam. Einmal ließ Blanche das Seil los und blieb stehen. Sie blickte hinüber zu den dunklen Stämmen der Eichen, zu der Stelle, wo das Gefühl des Glücklichseins sie wie mit Engelsflügeln gestreift hatte.

27

Nein – bis Weihnachten war der Krieg nicht vorüber; im Gegenteil, da ging er erst richtig los. Dank beispielloser Stümperei verloren die Engländer jede Schlacht (nur die letzte nicht, so hoffte man). Ihre Toten lagen auf den kargen Hügeln Afrikas, die Verwundeten stöhnten in schlecht ausgerüsteten Feldlazaretten, die Ärzte amputierten und operierten und konnten oft nur Flickwerk leisten. Es gab auch Leute, denen der Krieg durchaus gefiel. Der Oberkommandierende saß mit seiner Zinkbadewanne und ausreichenden Weinvorräten im Hauptquartier, wo es ihm nicht schlecht ging. Winston Churchill, Kavallerie-Offizier und Kriegsberichterstatter, fand alles großartig, besonders wenn ihm die Kugeln um die Ohren flogen. Major Robert Heron gefiel der Krieg nicht ganz so gut, wie er erwartet hatte. Zu viele brave Jungen waren schon verwundet worden oder sogar gefallen. Er hatte sich nicht etwa zu Nathan Cranswicks Ansichten bekehrt – nein, das nicht. Eine Welt ohne Krieg war undenkbar. Aber – ja, er mußte zugeben, es war ein verdammt blutiges Geschäft. Zum Beispiel jetzt das mit dem jungen Clulow.

Robert Heron hatte in seinem Zelt gesessen und an Lavinia Musgrove geschrieben, als ihm der junge Clulow einfiel. Die Sturmlaterne warf einen warmen Schein auf die Zeltbahn. Draußen gab es nur Pferdewiehern, ab und zu ein Schuß, die kahlen Hügel, die fremden Sterne am Himmel. »Übrigens – den armen Teufel Guy Clulow hat eine Kugel erwischt, der ist erledigt.«

Die Feder kratzte weiter auf dem grauen Feldpostpapier und berichtete mit ein paar Tropfen stockig-schwarzer

Tinte von der kleinen Tragödie inmitten einer ganzen Welt voller Tragödien.

Weihnachten kam näher, und in der Heimat wuchs der Groll auf die Burenfreunde viel stärker als im Felde der Haß auf die Buren. Ein Bure war natürlich kein Gentleman, das war klar, von Ausländern erwartete man das ja auch nicht. Aber er war ein erfahrener und tapferer Kämpfer. Die Engländer brauchten nicht lange, um den Gegner achten und fürchten zu lernen. Man stelle sich vor, es gab Buren, die in Zylinder und Bratenrock ins Feld zogen! Mit ihnen kamen oft Weiber und Kinder, die die Gewehre putzten und luden und manchmal sogar abfeuerten.

Aber Burenfreunde, das war etwas anderes. Burische Kommandos führten ein hartes Leben und einen harten Kampf, sie ritten unglaublich lange Strecken über kahles Feld und töteten wortlos und schnell. Die Burenfreunde dagegen waren ein Haufen Verräter.

In den Wochen vor Weihnachten erreichte der Haß auf diese Schmarotzer den Siedepunkt. Zwischen dem zehnten und fünfzehnten Dezember verloren die Engländer fast dreitausend Mann. Die Verluste auf der Seite der Buren waren doppelt so hoch. Das Britische Oberkommando brachte diese Katastrophe allein zustande; doch die Menschen in England, vor allem die Zeitungen, meinten zu wissen, wer schuld war an dem Desaster, und behandelten die Burenfreunde entsprechend.

Selbst Nathan spürte den kalten Wind, obgleich er nicht wußte, woher er kam. Bei seinen Besuchen in der Gemeinde empfing man ihn oft zurückhaltend und manchmal deutlich kühl. Zu den Predigten erschienen immer weniger Leute, und nach dem Gottesdienst strebten sie eilig nach Hause. Das freundliche Miteinander vor der Kirchentür gehörte der Vergangenheit an.

Es liegt sicher an der Jahreszeit, dachte Nathan. Die Leute wollen schnell zurück an den warmen Herd, manche würden ihn sicher am liebsten gar nicht verlassen.

Er irrte sich. Die Bauern redeten nicht viel, und nur wenige taten je einen Blick in die Zeitung. Aber sie kannten die Stimmung im Lande. Der Haß machte auch hier nicht halt; und dann fiel manch einem hier und da noch etwas ein. Mr. Cranswick hatte sich damals beim Erntefest doch sehr seltsam benommen. War nicht auch Mr. Heron deswegen aufgebracht gewesen? Vielleicht war Mr. Cranswick gar nicht so weit entfernt von diesen Burenfreunden, von denen man immer wieder hörte.

Dann fiel dem einen oder anderen noch ein bißchen mehr ein. Denn wenn man erst einmal anfängt, einen Mann schlechtzumachen, dann muß er immer mehr Haare lassen. Was den Leuten einfiel, war seine Schwester. Eine ganz schlechte Person sollte das gewesen sein. Mit einem Pfarrer hatte sie was gehabt! Und Mr. Cranswick hatte sie eine Weile sogar in seinem Cottage untergebracht. Eine solche Frau! Nathan Cranswick, den sie zunächst so herzlich aufgenommen hatten, war nahe daran, in den Klatschereien zum Gottseibeiuns zu werden.

Das war nun ganz und gar ungerecht, denn Nathan Cranswick hatte sehr gründlich über Mr. Herons und auch über Mrs. Musgroves Ansichten nachgedacht. Tod und Verwundung der Männer auf dem Schlachtfeld erschienen ihm zwar immer noch als unverzeihliche Verbrechen; trotzdem fühlte auch er sich gepackt und beschwingt von Worten wie Mut, Pflicht und Aufopferung, und diese Worte waren Blut und Leben für die Menschen, die er so bewunderte. Das war ein Widerspruch, der ihm schwer zu schaffen machte, denn seine Intelligenz und sein Wissen reichten zur Lösung des Problems einfach nicht aus. Er konnte nur warten und hoffen, daß sich am Ende die zwei gegensätzlichen Anschauungen doch nicht als völlig unvereinbar herausstellen würden.

Doch am Weihnachtsabend – er war auf dem Weg zu seinem Vater – wurde ihm klargemacht, daß es sich bei seinem Problem nicht um eine theoretische Frage handelte. Es war eine Frage, die seine ganze Zukunft beeinflussen konnte.

Nächstenliebe beginnt zu Hause, hatte er sich mit etwas schlechtem Gewissen gesagt. Er hatte mit der Fürsorge für seine kleine Herde so viel zu tun gehabt, daß er sich erst am Heiligabend zu Vater und Schwester auf den Weg machen konnte.

Der Fluß war nach den letzten Regenfällen stark angeschwollen. Wo er sich sonst höchstens einmal an die Straße drückt, war er heute über die Ufer getreten und hatte den schmalen Weg ein paar Fußbreit überspült. Nathan trat in die Wegmitte und schritt trockenen Fußes weiter. Doch plötzlich hörte er Hufgetrappel und Rufen hinter sich, und als er sich umdrehte, hatten ihn Pferd und Wagen schon fast erreicht.

Der Kutscher wich nicht aus und verlangsamte auch die Fahrt nicht. Nathan hörte die Hufe klappern, die Räder knirschen und die Leute mit wilden Gesten rufen und schreien.

Er sprang zur Seite ins Wasser, das ihm bis an die Knie reichte. Der Wagen schoß vorüber und spritzte ihn naß von oben bis unten. Hinten auf dem Wagen standen zehn oder zwölf Männer, die breit grinsend auf ihn herunterblickten. Ein Dutzend laute Stimmen beschimpften und verhöhnten ihn. Aber Nathan hörte immer wieder nur das eine, bis der Wagen an einer Wegbiegung verschwand: »Cranswick – Burenfreund, Cranswick – Burenfreund – hau ab, Nathan, wir wollen dich nicht!«

Es lag Nathan nicht, bei so etwas gleich die Faust zu ballen. Er antwortete auf Schmähungen nicht mit Schmähungen. Er blieb stehen, wo er stand, knietief im Wasser und ringsum den Modergeruch, und wartete, bis wieder Schweigen über der Landschaft lag. Dann ging er weiter.

Doch innerlich war er aufgewühlt. Das konnten sie doch nicht wirklich von ihm glauben! Auch für ihn waren die Burenfreunde eigentlich etwas Minderwertiges gewesen. Er war gewiß kein Burenfreund; er wußte gar nicht genug von den Buren, um für oder gegen sie zu sein. Für ihn waren sie einfach Menschen, die Säbelhiebe und Bajonettstiche so wenig verdient hatten wie die Engländer. Wären sie eine Großmacht gewesen mit dem Vorsatz, sein Land zu überfallen, dann hätte er sie wohl gehaßt und sogar gegen sie gekämpft. Aber sie waren doch nur ein David, verglichen mit dem britischen Goliath.

Mehrere der Männer auf dem Wagen hatte er erkannt, sie waren jung und töricht, aber gerade wegen ihrer Dummheit waren sie gefährlich. (Nach Nathans Meinung verursachten Dummheit und Beschränktheit mehr Elend in der Welt als blanke Schlechtigkeit.) Sie konnten seine Position in der Gemeinde so leichtfertig vernichten wie Kinder, die ein Kaninchen totschlagen.

Doch was ihm am meisten zu schaffen machte, war die Feindseligkeit der Leute. So etwas kannte er nicht. Er war ein beliebter und geachteter Mann, und er wollte auch gern, daß die Leute ihn mochten, das war seine Schwäche. Natürlich benahmen sich so ein paar Rüpel, die nach Ingerby zur Weihnachtsfeier fuhren, immer laut und flegelhaft. Aber ganz überzeugt war er nicht. Als er jetzt weiterstapfte, um seinem Vater den Pflichtbesuch abzustatten, war das Herz ihm so schwer.

Der Tag ging zur Neige, als er bei seinem Vater an die Tür klopfte. Der Schlüssel wurde im Schloß gedreht, man hörte das Ächzen des alten Mannes, der sich bückte, um den Riegel beiseite zu schieben, und das Kreischen von Metall auf Metall. Täubchen ist also nicht da, dachte Nathan unglücklich. Er merkte, wie sich die vergessenen Ängste seiner Kindheit leise rührten.

Die Tür ging auf. Da war er wieder, der alte mißtrauische Blick. »Ach, du bist es.« Der alte Mann drehte sich auf dem Absatz um und schlurfte zurück in die Küche. Nathan schloß die Haustür und folgte. Der Vater saß in seinem Korbsessel, blickte ihn unter gerunzelten Brauen von unten her an und sagte mürrisch: »Muß wohl erst Weihnachten werden, damit du dich auch mal bei uns sehen läßt.«

»Frohes Fest, Dad. Hier, ich habe dir zwei Kaninchen

mitgebracht, ich leg sie in den Ausguß. Ist Edith ausgegangen?« fragte er so lässig wie möglich.

»Die ist immer weg, wegen irgendwas. Meist isses ihre Kirche. Ich hab ihr schon gesagt, sie soll ihr Bett mitnehmen.«

»Aber Dad, sie sorgt doch bestimmt sehr gut für dich.«

Der Laut, den der Alte von sich gab, hörte sich an wie das Klagen eines Katers. Nathan wußte, das machte er immer, wenn er jemanden anerkennen mußte und dazu unter keinen Umständen bereit war. Nathan ließ nicht locker. »Hier sieht jedenfalls alles sehr hübsch aus.«

»Na ja, sie tut, was sie kann«, gab der Alte widerwillig zu. »Is ja auch das wenigste.«

»Ich werd dir eine Tasse Tee machen«, schlug Nathan etwas verzagt vor.

»Tee hab ich schon gehabt.«

»Zilla läßt vielmals grüßen. Und die Kinder auch.«

»Hmm.«

Zehn Minuten hielt Nathan das aus, dann sagte er: »Nun will ich mal wieder gehen, Dad. Ich werde mal sehen, ob ich Edith noch treffe vor ihrer Kirche.«

»Na ja.« Der alte Mann lächelte verschlagen. »Wußt ich ja, daß du nicht mich besuchen wolltest.«

»Natürlich wollte ich dich besuchen, Dad. Kann ich jetzt noch irgendwas für dich tun? Das Feuer anfachen oder Kohlen raufholen?«

»Das macht sie schon.«

Das Feuer war gut mit Kohlen versehen. Der Kohleneimer war gefüllt, auch vor dem Herd lag noch eine Schaufel voller Kohlen. Nathan hätte gern noch irgend etwas getan, um seine Schwester zu entlasten, aber er wußte nicht was. »Lebwohl, Dad«, sagte er sanft. Jetzt, da er schon beinahe wieder draußen war, konnte er seine Beklemmungen von sich schieben und Mitleid, ja selbst Liebe für den starren alten Mann aufbringen, der da in seiner kargen Küche saß und nichts Erfreuliches mehr vor sich hatte bis zum Tode.

»Na dann«, sagte der Alte und starrte blicklos ins Feuer.

Immer noch bedrückt und schuldbeladen verließ Nathan das Haus. Er erkannte nicht, daß sein Vater zu stark für ihn war, daß er, der Sohn – was immer er tat, wie sehr er sich auch bemühte – das schlechte Gewissen nie loswerden würde, das (auf seiner Seite) die Grundlage ihrer Beziehungen war und blieb.

In der Kirche von St. Lukas war Nathan noch nie gewesen. Er war entsetzt. Überall Weiß und Gold, Statuen, Schreine, Kerzen! Beteten sie hier wirklich zu dem gleichen Gott wie er und Zilla?

Er war kaum eingetreten, als Edith ihn entdeckte. Sie sprang von einer kleinen Treppe auf und lief mit ausgestreckten Armen auf ihn zu. »Nathan – wie schön!« strahlte sie. Es war eine herzerwärmende Begrüßung, und er hatte sie nötig.

Edith führte ihn zu einem Kirchenstuhl und setzte sich. »Nathan, wir halten hier heute abend eine Wache für den Frieden, draußen vor der Kirche. Du hast wohl nicht eine Stunde Zeit dafür?«

Er schüttelte den Kopf. Er mußte zurück zu Zilla, es war doch Weihnachtsabend. Aber er hatte noch einen anderen und dringenderen Grund; und ehrlich wie er war, mußte er ihn nennen. »Nein, Täubchen, das tut mir leid. Ich bin in dieser Sache nicht ganz einer Meinung mit dir.«

Erstaunt und enttäuscht sah sie ihn an. »Aber du willst doch auch den Frieden, Bruder?«

»Na, natürlich. Nur – ich kenne ein paar anständige und aufrechte Leute, die anders darüber denken. Sie haben ihre Ideale genau wie du: Loyalität zum Beispiel und Opferbereitschaft. Das sind keine geringen Eigenschaften. Und heute wird man allzu leicht für einen Burenfreund gehalten.«

Hatte er sie verletzt? Doch jetzt ging plötzlich ein

glückliches Leuchten über ihr Gesicht. »Da kommt Mark«, sagte sie leise.

Nathan warf ihr einen Seitenblick zu. Früher, vor der Tragödie, war sie immer heiter gewesen; was er heute an ihr bemerkte, war eine hektische Erregung, die neu an ihr war und die ihn besorgt machte. Er hatte eine Zeitlang gefürchtet, Edith werde an ihrem Kummer und ihrer Schuld ein Leben lang zu tragen haben. Ein hartes Los. Doch auch dieser Überschwang war nicht das, was er ihr gewünscht hätte. Er war zu plötzlich und zu sehr verschieden von Ediths früherer stiller Gelassenheit.

Eine schlanke Gestalt kam durch das Mittelschiff auf sie zu: ein hochgewachsener Priester, dessen schwarzer Talar am Boden schleppte. Das blasse Gesicht war eingerahmt von schwarzem Haar und einem kurzgeschnittenen kohlschwarzen Bart, wie ihn ein römischer Edelmann oder ein Höfling der Renaissancezeit getragen haben mochte.

Edith sprang auf. »Mark – ich möchte Sie gern mit meinem Bruder bekannt machen. Nathan, dies ist Reverend Mark Forrest, Vikar von St. Lukas.« Sie sprach mit fieberhafter Lebhaftigkeit.

Nathan erhob sich, und die beiden Männer schüttelten einander die Hand. Mark Forrests Lächeln war ungewöhnlich: die straffe Autorität seiner Erscheinung wurde beherrscht von großer Milde und Verständnisbereitschaft. Er blickte Nathan offen an, und Edith sagte:

»Ich dachte, wir hätten einen Helfer für die Wache gewonnen, aber mein Bruder muß leider nach Hause.«

»Wie schade«, sagte Mark Forrest. »Einen starken Mann, der für uns den Frieden verteidigt, hätten wir vielleicht brauchen können.«

»Ehrlich gesagt, Mr. Forrest, mit ganz reinem Gewissen könnte ich bei Ihnen nicht mitmachen. Ich habe die Argumente beider Seiten kennengelernt.«

Sie standen jetzt auf dem Gehweg vor der Kirche. Edith und Mark Forrest trugen Kerzen. Draußen brannten schon einige Fackeln. Stapel mit Pamphleten lagen bereit, ein großes Plakat mit der Aufschrift BUND FÜR VERSÖHNUNG MIT SÜDAFRIKA war aufgestellt, ebenso ein Transparent, auf dem SCHLUSS MIT DIESEM KRIEG zu lesen war.

Ein paar Leute mit Einkaufskörben gingen eilig vorbei mit abgewendeten Augen, um niemanden sehen zu müssen, der vielleicht um Geld bat. Auch einige Kinder lungerten herum; sie hofften wohl, den Weihnachtsmann zu sehen. Im ganzen sah es nicht so aus, als werde die Nachtwache großen Eindruck machen.

»Natürlich gibt es zwei Seiten, Mr. Cranswick«, sagte Mark Forrest. »Ich will auch niemanden überreden. Ich will nur Zeugnis ablegen für die leidende Menschheit.«

»Darin stimme ich ganz mit Ihnen überein«, sagte Nathan ernst. In diesem Augenblick krachte ein Stein gegen das Transparent, es fiel um, und ein paar grölende Jugendliche in der Nähe waren einen Augenblick still und starrten die Nachtwache an.

»Verdammte Burenfreunde«, sagte einer, und ein anderer rief: »Mensch, da ist ja Cranswick!« Nathan erkannte ihn, er hatte mit auf dem Wagen gestanden und Schimpfworte gerufen. Seine Freunde waren jetzt neugierig geworden. »Wer is 'n das?« wollten sie wissen.

»Weiß nich. Er kommt zu uns ins Haus und betet mit meiner Oma.« Lachen ringsum. »Und seine Schwester is 'ne Hure.«

Damit hatte er seine Freunde offenbar beeindruckt. »Kann man die nich mal kennenlernen?« Mit lautem Gelächter trollten sie sich und ließen Nathan besorgt zurück. Wieder hatte man ihn zu den Burenfreunden gezählt! Wie konnte er in Moreland segensreiche Arbeit verrichten, wenn ihn die Menschen fast für einen Verräter hielten?

Er überließ Mark Forrest und Edith ihrer einsamen Friedenswache. »Sei vorsichtig«, sagte er und umarmte seine Schwester zärtlich. »Die Leute sind überreizt, weißt du.« Und zu Mark Forrest gewandt: »Sie auch, Sir. Wenn heute einer für den Frieden eintritt, gilt er schnell als Verräter.«

»Ich bin kein Verräter, Freund«, gab Mark Forrest lächelnd zur Antwort. »Aber ich liebe den Frieden so wie mein Leben.«

Nathan war tief bewegt. »Gott segne euch beide«, sagte er mit schwankender Stimme, schüttelte dem Priester die Hand und ging heim.

Edith hatte keinerlei Erfahrung mit Rechtsanwälten und ihren Methoden. Im Grunde hatte sie angenommen, der Bankscheck werde am nächsten Morgen auf der Fußmatte liegen. Sie hatte Angst davor – sie wollte den Scheck nicht und würde ihn ihrem Vater zeigen müssen –, das alles war abscheulich.

Als der Scheck dann kam, am Ende des Jahres, hatte sie überhaupt nicht mehr damit gerechnet und war deshalb auch nicht auf der Hut.

»Was hast du da?« verlangte ihr Vater zu wissen, als er sie hochrot mit einem Briefumschlag in der Hand an der Tür stehen sah.

Sie zog den knisternden Schein heraus: ein Scheck über einhundert Pfund Sterling. »Es ist – das Geld, Pa«, sagte sie stockend.

»Aha. Na, du hast es ja wohl verdient – auf deine Art«, sagte er genußvoll.

Wortlos ging Edith nach oben, schloß sich in ihr Zimmer ein und blickte unglücklich auf den Scheck. Das war nun alles, was ihr von ihm geblieben war: ein freundliches Geschenk, ein Beweis seiner Liebe. Für ihren Vater – und sicher auch für die Umwelt – war es etwas Unsauberes. Dirnenlohn. Es verbrannte ihr die Finger – und doch war es ein Gedenken seiner Liebe, es war seine letzte Botschaft.

Ein sehr zweischneidiges Gefühl, doch eins wußte

sie: Für sich selber konnte sie das Geld niemals ausgeben. Aber wenn sie den Scheck zerriß, so war das eine Kränkung für das Andenken des lieben Menschen, dem sie ihn verdankte.

Jetzt fiel ihr etwas ein. Sie setzte sich hin und schrieb an ihren Bruder.

>Lieber Nathan, Martin Clulow hat mir hundert Pfund hinterlassen – das war wirklich sehr gütig. Da ich für das Geld keine Verwendung habe, eröffne ich ein Bankkonto in Deinem Namen, dann kannst Du den Bedürftigen Deiner Gemeinde damit helfen.

In Liebe Deine Edith.«

Sie adressierte einen Umschlag, verschloß ihn, klebte eine Briefmarke darauf und ging damit zur Post.

28

Am letzten Abend in jedem Jahr wandeln die Geister: die grauen Geister der Toten und die Kindergeister der Ungeborenen. Doch an diesem Altjahrsabend wandelten sie nicht nur, sie marschierten in endlosen Reihen auf einer Straße, die ins Nirgendwo führt. Denn heute ging ein Jahrhundert zu Ende. Morgen schrieb man das Jahr neunzehnhundert. Vergangen waren Trafalgar und Waterloo und das lange Viktorianische Zeitalter; man stand an der Schwelle eines Jahrhunderts der Brüderlichkeit, der Bekehrung wilder Völker, der reichen Ernten, an denen alle Menschen teilhaben sollten. Entdecker und Forscher würden das Ihre tun, um ein segensreiches Zeitalter zu schaffen.

Doch Nathan in seiner bedrückten Stimmung war dessen nicht mehr so sicher. Weihnachten hatte ihm Blanche erzählt, was sie über Guy Clulow erfahren hatte; das hatte ihn tief getroffen, vielleicht gerade weil er sich nie viel aus dem Jungen gemacht hatte. Jetzt personifizierte Guy für ihn die Opfer. Dreitausend Tote, das war keine Statistik, das waren dreitausend Guy Clulows, tapfere Jungen, die es weiß Gott nicht verdient hatten, beim Anbruch des neuen Jahrhunderts verstümmelt oder tot vom Schlachtfeld getragen zu werden.

Tom saß am Tisch und spielte beim weichgelben Lampenlicht mit seinen Zinnsoldaten. War es denkbar, daß für diesen kleinen empfindsamen Menschen mit dem neuen Jahrhundert ein friedliches und freundliches Leben anbrach? Oder würde auch Tom leiden und kämpfen müssen, wie bisher alle Menschen hatten leiden und kämpfen müssen? Nathan seufzte. Er argwöhnte, daß die Menschheit, die den Himmel auf Erden fast mit den Händen greifen konnte, sich am Ende doch für die Hölle entscheiden würde.

Er erhob sich und legte dem Jungen eine Hand auf die Schulter. »In ein paar Stunden haben wir das zwanzigste Jahrhundert, mein Junge. Was werden wir wohl mit den neuen hundert Jahren anfangen?«

Das ahnte Tom nicht. Er stellte einen Soldaten mit gezogenem Säbel an die Spitze seiner Truppen und sagte nichts.

Nathan starrte in das warme Licht. »Vielleicht gibt es in hundert Jahren überhaupt keine Soldaten mehr. Ich weiß auch gar nicht, warum es noch welche geben sollte. Die Menschen *müssen* doch einmal lernen, wie töricht es ist, sich zu bekämpfen.«

Das fand Tom sehr schade. Wenn es keine Soldaten mehr gab, dann gab es auch keine Zinnsoldaten mehr. Er ließ ein Dutzend Infanteristen umfallen und sagte: »Die sind jetzt tot.«

Nathan schauerte zusammen. Er ging wieder zu seinem Stuhl und setzte sich. Für halb zwölf Uhr heute abend hatte er einen Nachtgottesdienst angesagt, und es war nun an der Zeit, sich zu überlegen, was er sagen wollte.

Um elf Uhr schritt er den Hügel hinunter zu der kleinen Kapelle. Ein paar Zettel mit Notizen steckten in seiner Tasche.

Über seinem Kopf funkelten die Sterne, auf den Schultern lag die Last der Jahre, unter den Füßen fühlte er die schwere Erde. Er hatte Angst. Er hatte dem neuen Jahrhundert seine drei Kinder überlassen, Blanche, Tom und Jack. Was konnten diese kleinen Wesen ausrichten gegen den Zorn der Jahre? Was konnte er selber tun, um die Herzen der Menschen für das Gute zu öffnen? Er blickte hinauf zu den Sternen. Sie starrten zurück – scharf und feindselig. War es möglich, daß der Allmächtige in dieser Eiseskälte wohnte und nicht in dem hellen goldgeschmückten

Himmel, den sich Nathan immer vorgestellt hatte? Das würde manches erklären, dachte er mit ungewohnter Bitterkeit.

In der Kapelle mußte er feststellen, daß nur die Armen und Alten zum Gottesdienst erschienen waren. Es waren Gesichter, die dem Tode näher waren als der Jugend. Nathans Herz floß über vor Mitgefühl. Wenige von ihnen würden vom neuen Jahrhundert viel zu sehen bekommen. Doch sie hatten ihr Leben gehabt und hatten damit schalten und walten können, wie sie wollten – anders als die vielen Guy Clulows von heute.

Er ließ seine Notizen in der Tasche stecken und sprach frei und einfach und sehr ernst. Er sprach von getaner Arbeit, von abendlicher Ruhe, vom freudigen Willkommen für alle Redlichen. Einmal hörte er in einer Pause den Schlag der Glocke auf den Stallungen am Herrenhaus, dann folgte weit entfernt ein seltsames fröhliches Pfeifen. Das waren die Lokomotivführer in Ingerby, die auf dem Abstellgleis bei ihren Maschinen den Dampf abließen. Er stand schweigend da, bis alles wieder still war, und sagte dann feierlich:

»Dies ist der erste Januar des Jahres neunzehnhundert. Gott in seiner Weisheit hat für uns ein neues Jahrhundert geschaffen. Meine Freunde, laßt es uns beginnen mit Glauben und frohem Mut. Amen.«

Er wußte nicht, welche Wirkung seine Worte auf die Gemeinde ausübten. Ihm jedenfalls taten sie wohl, und er machte sich leichteren Herzens auf den Heimweg. Das zwanzigste Jahrhundert war angebrochen – ein aufregender Gedanke. Was mochte alles geschehen bis zum Ende dieses neuen Jahrhunderts? Das Automobil war dann vielleicht so alltäglich wie heute das Pferd. Die Menschen konnten womöglich sogar fliegen, doch hielt Nathan das nicht für sehr wahrscheinlich. Wenn Gott so etwas im Sinn gehabt hätte, dann hätte er den Menschen wohl Flügel gegeben. Aber es war schon ein interessanter Gedanke. Als Nathan die Gartenpforte hinter sich schloß und über das weite Tal hinausblickte, sah er sich im Geist über das schlafende Land fliegen, langsam und mit schweren Flügelschlägen wie ein Reiher. Wäre das nicht wundervoll...

Das Land schlief, überall war es dunkel. Das einzige Licht war hinter ihm, das vom Kerzenlicht matt erhellte kleine Fenster, wo seine liebe getreue Zilla auf ihn wartete.

Überall Dunkelheit... und dann schoß weit unter ihm eine flammende Blüte in die Höhe und wurde zu einer riesigen Blume, die rote Knospen sprühte, mehr und immer mehr.

Nathan rannte. In der nächtlichen Stille hörte er deutlich das böse Knistern und Zischen und Prasseln des Feuers. Als er die kleine Kapelle erreichte, hatten die Flammen schon die Fensterscheiben gesprengt.

Einige Dorfbewohner waren bereits da und bildeten mit Wassereimern eine Kette. Nathan reihte sich ein. Er war nicht imstande zu fühlen oder zu denken; es gab nur das rhythmische Weiterreichen der schweren Eimer, das Zischen, wenn Feuer und Wasser wie im Kampf aufeinander prallten, und die einzige Frage: Warum? Warum? Hatte er eine der Öllampen brennen lassen? Hatte die Kerze in der kleinen Sakristei ein Tischtuch oder einen Vorhang in Brand gesetzt?

Endlich, als nichts mehr da war zum Brennen, erlosch das Feuer. Nur die Mauern waren stehengeblieben. Ein Mann nach dem anderen stellte seinen Eimer nieder und blieb erschöpft vor den rauchenden Trümmern stehen.

Nathan war zumute, als habe ihm jemand einen Schlag auf den Kopf versetzt. Er ging hinüber zu der kleinen Gruppe rauchgeschwärzter Männer, die ihr möglichstes getan hatten, um seine Kapelle zu retten. »Ich danke euch allen«, sagte er noch atemlos.

»Schon recht«, murmelten sie abwehrend und scharrten mit den Füßen. Wozu bedankte sich Mr. Cranswick? War ja nicht seine Kapelle, sie gehörte Mr. Heron. Wenn der mit seinen Orden nach Hause kam, würde er nicht gerade jubeln, wenn er die Bescherung sah.

Eine resolute Frauenstimme wurde jetzt hörbar. »Schöner Anfang für das neue Jahrhundert, das muß ich schon sagen. Hoffentlich geht's nicht so weiter.«

Nathan ging auf die Stimme zu und fand Mrs. Musgrove, die sich gerade die Hände säuberte. »Ist es nicht furchtbar, Mrs. Musgrove? Ist Blanche bei Ihnen?«

»Ja, furchtbar. Nein, Sie wissen doch, wie junge Menschen sind – die hören nicht mal die Trompeten beim Jüngsten Gericht. Aber ich hatte noch nicht geschlafen, zog mir schnell Mantel und Stiefel an und kam her. Robert wird das hart treffen, meinen Sie nicht?«

»Nicht härter als mich«, sagte Nathan.

»Ich weiß nicht«, sagte Lavinia nachdenklich und fuhr dann mit leiserer Stimme fort: »Hier – lesen Sie das, wenn Sie nach Hause kommen, und dann verbrennen Sie es.«

»Was ist das denn?« fragte er, immer noch benommen vor Sorge und Schock.

»Es war an der Tür angeheftet, da hab ich's gefunden. Ich glaube nicht, daß es sonst jemand gesehen hat. Lassen Sie es auch niemanden sehen.«

Als Nathan nach Hause kam, stand die Kerze noch auf dem Tisch, weit heruntergebrannt. Er zog das Papier aus der Tasche und las, was darauf stand. RAUS MIT DIR, BURENFREUND stand da. Nathan schrak zusammen. Er ballte das Papier zu einem Knäuel und ließ es auf die Aschenreste im Kamin fallen, wo es einen Augenblick reglos liegenblieb. Dann krümmte es sich wie unter Qualen und flammte auf.

So begann das neue Jahrhundert.

29

Auch in der Kirche von St. Lukas gab es am letzten Tag des Jahres eine Mitternachtsmesse. Als sie vorüber war und Edith noch die Kollekte zählte, sagte Mark Forrest zu ihr:

»Ich bringe Sie nach Hause. Nicht alle, die jetzt unterwegs sind, kommen gerade von unserer Messe.«

»Sie meinen, ich könnte Betrunkenen begegnen?«

»Das ist in der Neujahrsnacht durchaus möglich.«

Sie lachte. »Danke schön, Mark.«

Sie machten sich auf den Weg. Nach einer Weile blieb er stehen und fragte:

»Edith, hätten Sie Lust, die Stelle eines unbezahlten Hilfspfarrers anzunehmen?«

»Das heißt...?«

»Als Frau eines Vikars.«

»Das käme auf den Vikar an«, sagte sie leichthin. Dann fügte sie traurig hinzu: »Nein, Mark, ich könnte Sie nicht heiraten.«

Klang da etwas anderes durch in ihrer Stimme? »Das hört sich an, als bedauerten Sie das«, sagte er.

»Darauf kommt es hier nicht an. Ich kann Sie nicht heiraten, Mark. Bitte sprechen Sie nicht mehr davon, es bedrückt mich.« Ihre Stimme klang so hart, wie er sie noch nie gehört hatte.

Schweigend gingen sie weiter. »Es stimmt also«, sagte er endlich.

»Sie wissen davon?« fragte sie fast atemlos.

»Aber ja, natürlich. So eine Klatscherei wird man doch dem Vikar nicht vorenthalten.« Er faßte sie am Oberarm.

»Aber ich würde nun gern auch die autorisierte Fassung hören.«

Sie schwieg einen Augenblick; dann schluckte sie und sagte: »Er war methodistischer Pfarrer, und seine Frau war meine beste Freundin. Sie lag im Sterben. Als sie gestorben war, da – kamen wir einander näher.«

»Aber nicht vorher.«

»Nein, ganz bestimmt nicht vorher.«

Jetzt schwieg er eine Weile und sagte dann:

»Liebe Edith« und blieb dabei stehen. Sie fühlte, wie der krause schwarze Bart ihr Gesicht berührte, und sah die Augen, die sie ernst ansahen. Liebevoll küßte er sie auf die Wange.

Sie schob ihn heftig von sich. »Nein, Mark.« Im Weitergehen fuhr sie fort: »Jetzt hören Sie mir zu, bitte. Ich habe mir genommen, was ich haben wollte, und nun muß ich dafür bezahlen. Und ich bezahle auch, denn ich sorge für meinen alten Vater, den ich nicht lieben kann und der mich nicht liebt. Das ist der Preis, den Gott von mir verlangt.« Nachdenklich hielt sie inne. »Oder es ist der Preis, den ich ihm angeboten habe. Ganz gleich, bezahlt muß werden, Mark.«

»Es gibt viel zu viele alte Männer, die ihre unverheirateten Töchter nach Strich und Faden ausnutzen«, entgegnete er zornig. »Eine Tochter hat nicht die Pflicht, den egoistischen Eltern Jugend und Glück zu opfern.«

»Aber meine Pflicht *ist* es«, erwiderte sie einfach. »Außerdem könnten Sie *mich* doch nicht heiraten – es wäre eine Katastrophe, für die Gemeinde und für Sie selbst.«

»Edith – ich habe mir ein bißchen die Zukunft betrachtet. Dieses neue Jahrhundert.« Er lachte leicht auf. »Und ich glaube nicht, daß ich es ohne Sie schaffen kann.«

»Unsinn. Sie können alles schaffen.« Und dann: »Hier wohne ich.« Sie hielt ihm die Hand entgegen. »Danke fürs Nachhausebringen, Lieber. Und ein frohes neues Jahr.«

Er betrachtete das schäbige kleine Haus. »Sie verdienen etwas Besseres als dies hier, Edith.«

»Ich verdiene gar nichts.« Wieder klang die Stimme hart. »Auf Wiedersehen, Mark.« Sie schloß die Tür auf und trat ins Haus, und Mark Forrest wandte sich um und ging bedrückt davon. Er ahnte nicht, daß hinter der Haustür seine kühle Edith in Tränen ausbrach.

Noch vor der Morgendämmerung war Nathan angezogen und schritt den Weg zum Dorf hinunter. Im Sternenlicht lag die Erde geisterhaft weiß vor ihm. Daß Frost in der Luft war, hätte Nathan auch ohne hinzusehen erkannt: an den Fingerspitzen, an der leise knisternden Eisschicht unter seinen Stiefeln und an der seltsamen Stille aller lebenden Dinge ringsum. Er hätte auch blind den Weg zur Kapelle gefunden. Der Gestank des verbrannten Holzes, der Wachskerzen und des Farbanstrichs hätte ihm den Weg gezeigt. Das Knistern des immer noch qualmenden Gestühls war der einzige Laut in der eiskalten Umgebung.

Jetzt legte sich eine schwache Helle über Felder und Bäume; sie kam nicht vom Himmel, sondern schien aus der Erde aufzusteigen. Bald stand die Kapelle kahl und schwarz vor einer Landschaft, in der alles weißbestäubt dalag.

Ein wortloser Schrei entrang sich Nathans Kehle, verzweifelt und vorwurfsvoll. Er hatte versagt. Vor Robert Heron und vor sich selbst und seinem Gott hatte er versagt. Er machte sich bittere Vorwürfe, weil er seine Zunge nicht gehütet und sich Feinde gemacht hatte und nicht aller Menschen Freund geblieben war.

Mit dem Fuß trat er die glosenden Aschenreste der Tür aus und ging hinein. Das Dach war eingestürzt, qualmende Balken lagen über den Trümmern des Gestühls. Alle Mauern waren rauchgeschwärzt, sahen aber noch heil aus. Mehr war nicht geblieben von Robert Herons Kapelle, und er – Nathan – war schuld daran. Aber wieso? Durch offene Worte, wie es sich für einen Mann gehörte. Durch den Zufall, daß man ihn im Gespräch mit Mitgliedern der Friedensnachtwache gesehen hatte. Beides würde bei Mr. Heron nicht gerade für ihn sprechen, im Gegenteil. Mit den guten Werken, die er für Mr. Heron (und den Allmächtigen) zu tun begonnen hatte, war es nun vorbei.

Doch zunächst beschäftigte Nathan etwas anderes: der Gedanke an den Wiederaufbau. Es mußte schnell gehen, bevor die Menschen das Haus ihres Gottes vergaßen. Er konnte es schaffen, ein paar Werkzeuge hatte er behalten. Alles, was er brauchte, waren Holz und Dachziegel und Farben und – ja, und Öllampen und ein neues Harmonium und Gesangbücher. Alles, was er also brauchte, war Geld zum Kauf dieser Sachen. Und Geld hatte er nicht.

Es wurde heller an diesem ersten Tag des neuen Jahrhunderts. Nathan ging noch lange in der zerstörten Kapelle umher und trat die Reste der Gluthäufchen aus, die funkensprühend erloschen. Die warme Asche blieb auf dem Boden liegen und wurde grau und kalt.

Für Blanche begann das Jahrhundert damit, daß sie die Haustür öffnete und einen Mann mit grauem Gesicht vor sich sah. Mit gepreßter Stimme sagte er: »Tag, mein Kleines. Ist Mrs. Musgrove schon auf?«

»Pa!« Sie schlang ihm die Arme um den Hals. »Ein frohes neues Jahr, Pa«, sagte sie mit leuchtenden Augen. Sie hat sich verändert, dachte Nathan. So schnell. Meine kleine Maus ist nicht mehr so scheu. Es machte ihn seltsam traurig.

Wie alte Freunde lächelten sie einander an. »Na, ist sie auf?« fragte er.

»Sie ist beim Frühstück. Ich will mal . . .« Dann fiel ihr etwas ein. »Ach Pa, es tut mir so leid! Die Kapelle.«

»Ja. Danke dir.« Er trat ins Haus, und Blanche eilte fort. Einen Augenblick später erschien Lavinia, eine Serviette in der Hand. »Nathan. Kommen Sie herein und frühstücken Sie mit mir. Blanche, machen Sie noch eine Kanne Tee.«

Sie führte Nathan ins Frühstückszimmer. »Sie haben bestimmt noch nichts gegessen, was?«

»Nein, keinen Bissen.«

»Also dann setzen Sie sich, ich hole Ihnen etwas von der Anrichte. Eier mit Schinken und Nieren, ja?«

»Danke, nein. Ich – danach ist mir jetzt nicht. Ich bin gekommen, um Sie um Rat zu bitten.«

»Schön. Warten Sie nur, bis der Tee kommt. Ja – ich wollte Ihnen noch sagen, es ist mir eine Freude, Blanche hier zu haben. So ein liebes stilles Ding. Sie hilft gern und ist auch noch dankbar für alles.«

»Ja, ich hab's auch bemerkt. Sie haben sie schon weitergebracht.«

Sie sah ihn mit ihrem alten scharfen Blick an. »Sie haben doch nichts dagegen?«

Er schüttelte nachdenklich den Kopf. »Ich werde sie vielleicht verlieren, das ist mir klar. Aber um ihretwillen freue ich mich.«

»Mein lieber Nathan, warum sollten Sie sie verlieren. Sie ist ein prächtiger Mensch und wird ihre Eltern nicht vergessen, wenn Sie das meinen.«

Blanche erschien mit dem Tee. Sie knickste vor Mrs. Musgrove, lächelte ihrem Vater zu und zog sich zurück. Mrs. Musgrove schenkte den Tee ein. »Nun also, mein Freund. Ein Rat . . .?«

»Soll ich an Mrs. Heron nach London schreiben und es ihr sagen?«

»Wegen der Kapelle? Nein. Sie würde mächtig viel Gezeter machen mit Briefen und Telegrammen.«

»Soll ich dann an Mr. Heron schreiben?«

»Nein. Robert ist im Krieg, der Arme. Da darf man ihm nicht auch noch so was zumuten.«

»Es wird aber ein schwerer Schlag für ihn sein, wenn er heimkommt.«

»Ach, das weiß ich gar nicht. Er wird mit ein paar Orden zurückkommen, und ein paar Buren wird er auch umgebracht haben. Wenn Sie mich fragen: Der wird in Hochstimmung heimkehren.«

»Trotzdem wird es ein Schock für ihn sein. Er hat die Kapelle gebaut und ist sehr stolz auf sie. Außerdem – jetzt haben die Leute kein Gotteshaus. Ich muß sie wieder aufbauen. Das ist das wichtigste.«

Sie sah ihm gerade in die Augen. »Und womit?«

»Der Herrgott wird's geben«, sagte er.

Doch auf dem Heimweg stellte er im Kopf eine Rechnung an, und das Ergebnis erschreckte ihn. Selbst für den Herrgott würde es schwierig sein, eine solche Summe in bar aufzubringen.

Zilla erwartete ihn voller Sorge. Er hatte ihr heute früh im Morgengrauen, als er sich müde unter der rauhen Decke zur Ruhe legte, von dem Unglück berichtet. Nun hatte sie alles bereit gemacht, hatte schon Milch und Zucker in die Tasse und zwei Löffel Tee in die vorgewärmte Kanne getan, der Kessel summte, und alles war fertig für die gute Tasse Tee, die in einer bösen Welt das Gleichgewicht wieder herstellen sollte.

»Wo warst du denn, Nathan? Ich war schon ganz unruhig.«

Sie brachte den Kessel noch einmal zum Kochen.

»Ich war bei Mrs. Musgrove. Sie ist sehr froh, daß Blanche bei ihr ist.«

»Oh – das ist schön. Und die – was ist mit der Kapelle?«

»Ich muß sie wieder aufbauen, bevor Mr. Heron zurückkommt. Es ist seine Kirche. Und ich bin schuld.«

Sie goß das kochende Wasser auf die Teeblätter. »Wieso bist du schuld, Lieber?«

»Ich habe mir Feinde gemacht.«

Tom spielte mit seinem kleinen Bruder und half ihm mit den Bausteinen. Jetzt blickte er erschrocken auf. Feinde? Männer mit Keulen und Schwertern und schwarzen Masken? Sein Vater hatte Feinde? Das war ein schrecklicher Gedanke. Er hatte die Unterhaltung der Eltern bisher nicht weiter beachtet; jetzt horchte er auf jedes Wort.

»Du meinst – das hat jemand mit Absicht getan?« Zilla

ließ fast die Teekanne fallen. Soviel Bosheit war unvorstellbar.

»Ja.« Erst jetzt sah er, womit sie beschäftigt war. »Ich möchte keinen Tee, Zill, ich habe gerade eine Tasse bei Mrs. Musgrove getrunken. Und Hunger habe ich auch nicht.«

Zilla sah ihn bekümmert an. Eine Tasse Tee abzulehnen, das war für sie so, als lehne jemand die Errettung des Seelenheils ab. Aber sie war erfahren genug, um jetzt nicht viel Aufhebens darum zu machen. Nun sah sie sich einem anderen Problem gegenüber. »Du sagst ›wieder aufbauen‹ – wird das nicht viel kosten?«

»Ja.«

»Hast du denn das Geld?«

»Nein.«

Der arme Nathan – Tee wollte er nicht, und nun kam auch noch dieses Problem. Und dabei konnte sie ihm nicht helfen; intellektuelle und praktische Gaben besaß sie nicht. Was sie ihm geben konnte, waren nur Trost und Liebe. So stellte sie sich hinter seinen Stuhl, legte ihm die rundlichen Arme um den Hals, rieb ihre warme Wange gegen die seine und sagte: »Wenn ich doch tausend Pfund hätte. Du, ich würde dir jeden Penny geben.«

Er hob ihre verarbeiteten Hände an die Lippen und küßte sie. »Ja, das weiß ich, Zill. Aber tausend brauche ich gar nicht, hundert wären schon genug.«

Doch hundert Pfund waren genauso unerreichbar wie tausend oder eine Million oder die Kronjuwelen. Er bog den Kopf zurück und blickte sie traurig an. Ihr fiel jetzt etwas anderes ein, und sie sagte: »Ich hab ganz vergessen bei all der Aufregung – da ist ein Brief für dich.« Sie gab ihm den Umschlag und sagte etwas kläglich scherzend: »Vielleicht sind hundert Pfund drin.«

»Ja, manchmal schießt ein Besen«, ging er auf den Scherz ein. Er riß den Umschlag auf und las den Brief seiner Schwester. Dann legte er den Kopf auf den Tisch und weinte.

Zilla hielt zärtlich seine Schultern fest. »Was ist denn, Nathan?« flüsterte sie und beugte sich über ihn.

Er schluckte, räusperte sich und rang nach Fassung. »Hundert Pfund«, sagte er mit fast kindischem Lachen.

»Ach was, nein.« Sie nahm den Brief und las ihn laut, mit stockender Stimme.

Er sagte, und in der Stimme klang immer noch das etwas alberne Lachen: »Ich hab zu Mrs. Musgrove gesagt, der Herrgott wird's geben.«

»Nein, nicht der Herrgott«, widersprach sie streng. »Das kommt von Täubchen, und Gott segne sie. Und auch diesen Mr. Clulow, trotz seiner Fehler. Noch aus dem Grab heraus tut er Gutes, das muß man ihm lassen.«

»Ja. Aber wenn ich nicht glaubte, daß der Herrgott dahintersteht, dann würde ich nicht einen Penny annehmen. Aber so . . .« Er hatte seine Pläne plötzlich geändert. Er trat an den Ausguß und wusch sich gründlich, zog seinen Anzug an, küßte Zilla und die Kinder und machte sich wieder auf den Weg nach Ingerby.

Er hatte Tom etwas abwesend geküßt und ahnte nicht, was für einen verwirrten kleinen Sohn er zurückließ. Dad hatte Feinde? Das war schon schlimm genug. Aber was hatte Ma dann noch gesagt: ›Dieser Mr. Clulow, noch aus dem Grab heraus tut er Gutes.‹ Mr. Clulow in Tante Täubchens Bett, das Bild hatte Tom noch eine ganze Weile im Traum verfolgt. Aber der tote Mr. Clulow, der eine Hand aus dem Grab herausstreckt und mit den Knochenfingern ein Bündel Geldscheine faßt: das Bild reichte auf lange Zeit für Alpträume.

Nathan ging also zu seiner Schwester und dankte ihr aus tiefstem Herzen. Dann gingen sie zusammen zur Bank und ließen sich zwanzig neue weiße Fünfpfundnoten aushändigen. Der nächste Weg führte zum Maurer, und danach suchten sie einen Gebrauchtwarenladen auf und fanden, o Wunder, ein etwas mitgenommenes Harmonium und mehrere Öllampen. (Hier hatte doch ganz sicher der Herrgott seine Hand im Spiel!) Nun war es Zeit zum Abschied, doch vorher fragte Nathan noch: »Wie geht es mit Pa?«

Sie lächelte fröhlich. »Er ist schon in Ordnung. Ich tue, was ich kann. Aber für ihn ist es ein recht kümmerliches Leben, meine ich.«

»Na, für dich ist es doch auch wohl ziemlich kümmerlich.«

»Für mich? Das spielt keine Rolle«, sagte sie hastig.

»Natürlich spielt das eine Rolle.« Ein Gedanke, den er schon seit Weihnachten im Kopf hatte, fiel ihm jetzt wieder ein: Ediths Lebhaftigkeit in ihrer Kirche, als sie ihn mit Mr. Forrest bekannt machte, ihre ungewöhnliche Erregung und Intensität. Es hatte ihn beunruhigt; es war, als habe er in Edith zum erstenmal die unverheiratete Frau gesehen. Heute wurde dieser Eindruck noch verstärkt. Ihre Kleidung war ein wenig zu bieder. Die Gesichtszüge waren schärfer geworden, die Augen aufmerksamer, das Lachen kam häufiger und war schrill. Noch ein paar Monate, dachte Nathan, dann sieht sie aus wie alle, die im Leben zu kurz gekommen sind. Er sagte: »Der Vikar. Das war ein netter Mann.«

»Ja, sehr.«

»Er hatte dich gern, schien mir.«

Zu seinem Erstaunen erwiderte sie: »Er hat mich gebeten, ihn zu heiraten.«

»Edith! Mein Gott, wie freue ich mich für dich! Wann . . .«

Sie drehte sich um und sah ihn zornig an. »Nathan – glaubst du denn wirklich, ich würde es zulassen, daß ein so guter Mensch sich mit mir belastet?« Sie wandte sich ab und ging so eilig fort, wie es ihr enger knöchellanger Rock zuließ.

Besorgt und verstört ging Nathan nach Hause. Noch an diesem Abend begann er, beim Licht einer Sturmlaterne an der Kapelle den immer noch qualmenden Schutt wegzuräumen. Früh am nächsten Morgen war er wieder da, schleppte Balken und Stühle und das Gehäuse des Harmoniums auf einen Haufen. Als später das winterliche Tageslicht verblaßte, zündete er die Laternen wieder an und arbeitete weiter mit zerschundenen und versengten Händen. Jeder Muskel schmerzte, jedes Glied war bleischwer – er wollte mit der körperlichen Arbeit die Lasten, die ihm auf der Seele lagen, abtragen. Zwei Gedanken beherrschten ihn: Eines Tages wird die Kapelle fertig sein, vielleicht noch schöner als zuvor. Dann habe ich meine Schuld abgetragen. Doch der zweite Gedanke war: Was ich hier in Wochen und Monaten aufbaue, das können die Zerstörer mit einer Kanne Petroleum und einem einzigen Zündholz wieder zunichte machen.

Manchmal fragte sich sogar Nathan, auf wessen Seite der Herrgott eigentlich stand.

30

So kam das neue Jahrhundert herauf, hell wie die Sonne hinter den Hügeln, dunkel wie eine Gewitterwolke, unter der sich die Landschaft duckt.

Im Januar glich es einer schwarzen Wolke, denn in der Eintagesschlacht um den Spion Kop, einen unbedeutenden kleinen Berg in Südafrika, hatten die Engländer tausend Gefallene und Verwundete zu beklagen. Als die Nacht sank, waren beide Heere am Ende ihrer Kräfte; und ohne daß es der Gegner erfuhr, zogen sich beide zurück in die Dunkelheit und überließen Tote und Verwundete dem kühlen Trost der fremden Sterne.

Unter den Toten war auch der Achtzehnjährige aus Moreland, dessen Vater sich an jenem Spätsommermorgen nur wenig Zeit für den Abschied genommen hatte.

Als Nathan das erfuhr, ließ er die drängende Arbeit an der Kapelle liegen und suchte die Eltern des Toten auf. Das Haus lag etwas entfernt, ein kleines Pächterhaus, das an diesem Januartag trübe und verlassen wirkte und dabei den Eindruck machte, als sähe es auch im sommerlichen Sonnenlicht nicht anders aus. Der Hof war verschlammt, die Mauern dünn und baufällig, der dürftige Vorgarten überwachsen mit Quecken und alten Kohlstrünken.

Der Vater des Jungen stand im Hof, ein hagerer unfreundlicher Mann, der Nathan feindselig musterte und sagte: »Sie wollen uns wohl Ihr Beileid sagen, was?« Die Stimme war so hart wie die Gesichtszüge.

»Ja, wenn Sie erlauben«, sagte Nathan ruhig.

»Nein, wir erlauben es nicht. Wir brauchen keine Krokodilstränen von Burenfreunden.«

»Ich bin kein Burenfreund, Mr. Watson. Warum glauben Sie das?«

»Na, ich hab Sie doch gehört beim Erntefest damals. Sie haben versucht, unseren Arthur zurückzuhalten.«

»Und wünschen Sie jetzt nicht, daß es mir gelungen wäre?«

Der Mann blickte ihn durchdringend an. »Machen Sie, daß Sie rauskommen«, sagte er barsch.

»Kann ich nicht wenigstens ein paar Worte mit Ihrer Frau sprechen? Es ist doch wohl meine Pflicht, ihr Trost zu bringen, wenn ich das kann.«

Watsons Augen verengten sich drohend. »Jetzt will ich Ihnen mal was sagen. Sie haben unseren Arthur umgebracht – so sicher, als wenn Sie die Kugel selber abgeschossen hätten, das steht fest für mich und meine Frau. Mit dem Feind haben Sie's gehalten, Sie.« Er schnaubte. »Uns brauchen Sie nicht zu trösten.« Er wandte sich zur Haustür. »Und das mit der Kapelle können Sie auch gleich lassen. Die brauchen Sie nicht wieder aufzubauen – da geht doch keiner hin, solange Sie hier sind.«

Nathan kehrte auf dem schlammigen Weg nach Hause zurück. Wieder war er heute an die Schranke der Dummheit gestoßen, die stärker und unnachgiebiger war als steinerne Mauern. Ja, er hatte versagt. Aber wie kam es, daß er versagt hatte? Er war doch hergekommen mit einem einzigen Gedanken: Er wollte diesen braven einfachen Menschen helfen, wollte ihnen Gott und die ewigen Werte nahebringen. Eine leichte und freudvolle Aufgabe hätte es sein sollen, doch so war es nicht gekommen. Er hatte alles verpatzt, und er machte sich bittere Vorwürfe. Auf den Gedanken, daß vielleicht nicht er allein daran schuld war, kam er gar nicht.

Später dann, im Frühling, glich das neue Jahrhundert mehr der aufgehenden Sonne als einer Gewitterwolke. Die englischen Heere hatten wieder Mut gefaßt, und die tiefe Depression nach der Niederlage wich mit der Befreiung von Mafeking einem stürmischen Siegesbewußtsein.

Die Inselbewohner vergaßen ganz, daß sie Briten waren, sie tanzten wie Ausländer auf dem Trafalgar Square, sangen in den Straßen und fielen sogar Fremden um den Hals. Die Woge von Gefühlsausbrüchen wurde dann später nur noch leicht geniert erwähnt.

Die Euphorie dauerte nicht lange. Gleich zu Anfang des nächsten Jahres geschah das Unfaßbare: Königin Viktoria starb. Das war ein neuer Grund zur Angst für Tom Cranswick. Jemand, der so berühmt war, dessen Bild in jedem Haus, in jeder Schule und auf Tausenden von Keksdosen zu finden war, konnte doch nicht einfach vom Erdboden verschwinden! Ihr Geist würde ganz bestimmt die Untertanen – und darunter Tom Cranswick – noch weiterhin heimsuchen. Immer größer wurde die Zahl der Nachtgeister, die Tom keine Ruhe gaben: Mr. Clulow, Grandma Cranswick und nun die strenge alte Königin.

Nicht nur Tom – die ganze Nation war tief erschüttert. In der Erinnerung aller unter siebzig war sie immer Königin gewesen, und man hatte selbstverständlich angenommen, daß sie es auch in Zukunft blieb.

Der Krieg schleppte sich weiter, und die Hoffnung auf den Sieg sank. Verstört und verzweifelt richteten die Engländer Konzentrationslager für die Frauen der Buren ein; sie spannten Stacheldraht und begannen mit einer erbarmungslosen Politik der verbrannten Erde, zum Schmerz und Zorn der Burenfreunde in England. Doch trotz der brutalen Maßnahmen blieb England der Sieg, den es im Sommer 1900 schon fast in den Händen hielt, versagt bis zum Frühjahr 1902.

Der Hader zwischen den Briten und ihren Burenfreunden im eigenen Land war bitterer als der Streit zwischen den Briten und den besiegten Feinden. Englands Friedensbedingungen waren großzügig und ehrenhaft. Großmut für die Burenfreunde, diese elenden Verräter, kannten die Engländer nicht; denn wenn die ihnen nicht in den Rükken gefallen wären, hieß es allgemein, dann wäre der Krieg schon zwei Jahre früher zu Ende gewesen.

Nun war der Krieg also aus. Er war doch eigentlich recht eintönig gewesen. Man vergaß ihn schnell – ausgenommen die Kriegerwitwen und die Kriegsblinden und die Versehrten und die, denen er Körper und Geist gebrochen hatte. Als alles vorüber war, verhielten sich auch die Gegner anständig zueinander. Man konnte mal wieder stolz sein auf das Britische Empire.

Langsam kamen die Männer heim. Und eines Tages läutete an der Haustür der Hall Farm die Glocke laut und schrill, immer wieder und immer lauter, bis Blanche herbeigelaufen kam und die Tür aufriß.

Ein Soldat stand auf der Schwelle, die eine Hand hoch an der Glocke, die andere in Bandagen verpackt und mit dem Arm fest an die Brust gebunden. Doch das vergaß man beim Anblick des lachenden sonnenbraunen Gesichts.

»Adam!« rief Blanche. »Mr. Musgrove – ich . . .«

Er trat ins Haus und beugte sich vor, als wollte er sie küssen, besann sich dann und fragte: »Mutter zu Hause?«

»Ja.« Blanche flog vor Aufregung. »Aber – vielleicht sollte ich sie warnen . . .?«

»Mutter braucht keine Warnung, die schmeißt so leicht nichts um. Na, da ist sie ja! Tag, Ma.«

Lavinia war in die Diele gekommen. »Adam! Was hast du gemacht?« Es klang, als habe sie einen kleinen Jungen vor sich, der mit zerrissener Hose nach Hause kam.

»*Ich* habe gar nichts gemacht, das waren die Buren. Glatt durch die Kampfhand. Heilt aber schon.«

»Mein Junge, ich freue mich so!« Sie umarmte ihn warm. »Du kennst doch Blanche noch?«

»Hab sie nie vergessen.« Er lächelte Blanche an, und ihr wurde schwach. »Mutter hat mir gesagt, daß du hier aushilfst. Willkommen, Blanche.« Und diesmal küßte er sie wirklich, zu ihrer größten Verlegenheit.

»Aha«, sagte Lavinia trocken. »Ich sehe, du kennst sie noch recht gut.«

Blanche wurde immer verwirrter. »Ich werde jetzt Tee machen, damit Sie und Mr. Musgrove sich unterhalten können. Bitte klingeln Sie, wenn Sie mich brauchen, Mrs. Musgrove.«

»Schön, mein Kind.« Sie hängte sich bei ihrem Sohn ein. »Komm, wir gehen ins Wohnzimmer.«

Als sie im Wohnzimmer saßen, fragte Adam: »Kuppelpelz, Mutter?«

»Das würde ich wohl nicht ganz so deutlich machen. Nein, ich brauchte Gesellschaft und auch Hilfe. Sie ist ein reizendes Ding, ich habe sie sehr gern um mich. Das Problem bist nur du, mein lieber Junge.«

»Ich . . .?«

»Ja, du. Verstehst du denn nicht? Wenn ich sie jetzt nicht wegschicke, dann treibe ich sie dir geradezu in die Arme.«

»Ja, und . . .?«

»Adam! Sie ist ein liebes einfaches Mädchen. Und du« – sie musterte ihn liebevoll –, »du bist auch mit dem Verband da ein verdammt gutaussehender junger Mann.«

»Danke.«

»Außerdem gibt es da vielleicht noch einen anderen. Gleich zu Anfang des Krieges schrieb Robert Heron einmal, daß irgend jemand von hier gefallen sei oder verwundet, und mir schien damals, als ob sie das sehr getroffen hätte.«

Adam sagte ernst: »Hoffentlich ist er gefallen. Ich will sie nämlich heiraten, Mutter.«

Lavinia sah ihn lange an und sagte dann: »Sie hat hier bei mir eine Menge gelernt. Ich würde mich ihrer nicht schämen.« Wieder schwieg sie einen Augenblick. »Für mich wäre sie eine reizende Schwiegertochter.« Und streng fügte sie hinzu: »Wenn du wirklich vom Heiraten sprichst, Adam.«

»Ich spreche vom Heiraten«, sagte er einfach.

In der Küche stellte Blanche fest, daß sie zitterte. Adam hatte sie tief beeindruckt. Die plötzliche Ankunft, die männlich-harte Kraft, das militärische Auftreten: das alles konnte seinen Eindruck auf ein junges Mädchen, das in einer vorwiegend weiblichen Umgebung lebte, nicht verfehlen. Doch für Blanche besaß dieser Krieger noch eine stärkere Waffe, das war seine versehrte Hand. Die Verwundung war der Schlüssel zu ihrem Herzen. Der Schmerz in seinen Muskeln und Sehnen pulsierte auch in ihr, und Mitgefühl war für Blanche gleichbedeutend mit Liebe.

Sie machte ein Tablett mit Tee und zwei Tassen zurecht und brachte es ins Wohnzimmer, wo Lavinia es musterte und sagte:

»Eine Tasse fehlt, Blanche.«

»Ich dachte – Sie und Mr. Musgrove...«

»Unsinn. Holen Sie noch eine Tasse und setzen Sie sich zu uns.«

»Ja, bitte tu das«, sagte Adam, der aufgestanden war. »Ein Held aus dem Burenkrieg braucht mindestens zwei Zuhörer.«

Blanche holte eine weitere Tasse, setzte sich und lauschte verzaubert, während ihr Held leichthin von gewonnenen und verlorenen Schlachten erzählte. Endlich sagte er:

»Mutter, meine Hand muß frisch verbunden werden. Willst du das tun oder soll Blanche es machen?«

Lavinia war ausnahmsweise nicht ganz so selbstsicher wie sonst. »Natürlich würde ich es tun, wenn du ein Pferd oder ein Ochse wärst, aber mit Menschen habe ich nicht viel Erfahrung.« Fragend sah sie zu Blanche hinüber. »Wie ist es mit Ihnen, Blanche?«

»Ich will's versuchen.« An blutende Schnittwunden war Blanche gewöhnt, denn in der Küche schnitt sich ihre Mutter öfter mal ein Stück aus dem Finger. Sie ging mit Adam ins Badezimmer. Er grinste sie an und sagte:

»Sieht nicht gerade hübsch aus, weißt du. Aber wenn du ohnmächtig wirst, halte ich dich fest.«

»Ich werde nicht ohnmächtig«, behauptete sie tapfer.

Und obgleich sie leicht zusammenfuhr, als sie den Verband abgenommen hatte, ließ sie sich nichts anmerken. »Ziemlich bös«, sagte sie nur. Sie erneuerte schnell und geschickt den Verband. »So – das wird jetzt gehen, Mr. Musgrove.«

»Danke. Vielen Dank, Blanche. Aber wieso ›Mr. Musgrove‹? Bevor ich fortging, hast du Adam gesagt.«

»Da habe ich auch noch nicht für Ihre Mutter gearbeitet. Ich finde, es wäre dreist von mir, wenn ich Sie mit – mit dem Vornamen anreden wollte.«

»Blödsinn! Es heißt ›Adam‹, hörst du? Nicht vergessen.«

Sie machte einen kleinen Knicks, versprach aber nichts. Dann stand sie da mit gesenktem Kopf, aber sie merkte, daß er sie lange und nachdenklich ansah, bis er endlich mit Inbrunst sagte:

»Herrgott – ich hab ja gar nicht mehr gewußt, daß es Wesen wie dich überhaupt noch gibt.«

Der blasphemische Ausruf erschreckte sie, und der Rest des Satzes mochte billige Schmeichelei sein. Sie fühlte, wie ihr brennende Röte ins Gesicht stieg, und hob ganz langsam den Blick. Der Mann, den sie vor sich sah, war nicht der Sohn des Hauses, der bei einem Mädchen ungehörige Annäherungsversuche machte; es war ein gemarterter Mensch, der der Hölle entkommen war und einen Engel vor sich sah. »Du kannst dir gar nicht vorstellen, wie es da draußen war«, sagte er langsam. »Hitze und Staub und Blut und Fliegen und Schmerzen. Männer und Pferde und Gewehrkugeln. Alles war hart, häßlich, böse. Und plötzlich bist du da, weich und weiblich und still und lieb und schön. Ach, Blanche, es ist zuviel.« Er legte ihr den linken Arm um die Schulter, nahm ihren dunklen Kopf in seine Hand, preßte ihn an sich und küßte ihre Augen. »Du süßes geliebtes Ding«, sagte er innig. »Du mein ganz Liebes.«

Blanche stand ruhig da und fühlte seine Küsse wie warme Aprilschauer auf Wangen und Stirn und Haar. Sie blieb passiv, obgleich ihr das Herz schwer wurde vor Liebe. Es drängte sie, ihn in die Arme zu nehmen und zu trösten, um ihn die Schrecken vergessen zu lassen, die er erlebt hatte. Doch das wagte sie nicht. Er war der Sohn ihrer Herrin. Wie sehr sie ihn auch liebte, sie durfte ihn nicht ermutigen; jeder Schritt mußte von ihm kommen. Sanft löste sie sich aus seinem Arm, bevor sie sagte: »So schrecklich war es?«

»Furchtbar. Nachts blieben die Verwundeten auf den Hügeln liegen. Unmenschlich. Niemand konnte etwas tun.«

Sie sagte tröstend: »Aber nun ist alles vorüber«, und lächelte ihn liebevoll an. Viel lieber hätte sie ihn umarmt, warm und zärtlich, doch das kam ihr nicht zu. Sie wandte sich zur Tür, er sprang vor und öffnete sie, und als sie hinausging, sagte er mit der alten mutwilligen Leichtigkeit: »Ich werde dich heiraten, Blanche.«

Sie sah ihn nicht an. Seufzend schüttelte sie leicht den Kopf und ging mit dem blutigen Verbandszeug nach unten.

Wenn Blanche später zurückblickte, fand sie stets, der Frühling des Jahres 1902 sei die glücklichste Zeit ihres Lebens gewesen. Adam merkte bald, daß allzu stürmisches Werben sie erschreckte, und er behandelte sie mit sanfter Zärtlichkeit, die der ihren gleichkam. Sie gingen zusammen über die Wiesen, sahen dem Wirbeln des Flusses zu, spürten beglückt die Entfaltung ihrer Liebe und freuten sich, daß Adams verwundete Hand langsam heilte.

Auch die Arbeit verrichteten sie zusammen, angestrengt und umsichtig, mit Lachen und Scherzen, und die Arbeitstage waren von Glück und Segen erfüllt wie nichts sonst. Adam war, streng korrekt, in einem besten Tweedanzug bei Nathan erschienen und hatte um die Erlaubnis gebeten, sich um seine Tochter zu bewerben. Es war eine Geste, die Nathan stolz und froh machte: Ein Herrenfarmer machte offiziell Besuch bei ihm, dem ehemaligen

Handwerker, und erklärte seine ehrlichen Absichten in bezug auf Blanche!

Trotzdem wollte er es ihm nicht allzu leicht machen. Er ließ den jungen Mann im Wohnzimmer Platz nehmen, sah ihm ernst in die Augen und sagte: »Ist sie nicht noch reichlich jung, Mr. Musgrove?«

Adam sah etwas unsicher aus, als er zugab: »Ja, das ist sie wohl. Aber – ich werde sie beschützen, Sir.« Nach einem Augenblick des Zauderns fügte er ernst hinzu: »Sie ist so – lieb, Mr. Cranswick. Und manchmal so traurig. Ich – bitte verzeihen Sie mir, wenn das dumm klingt –, ich würde mein Leben hingeben, um sie glücklich zu machen.«

Nathan sah dem ehrlichen jungen Menschen, der es offensichtlich so ernst meinte, lange in die Augen, und dann mußte er, ob er wollte oder nicht, ganz leicht blinzeln. Er nickte. »Ich habe noch nie etwas gehört, das weniger dumm klingt, Mr. Musgrove. Und offen gesagt, es gibt niemand, der mir mit dieser Bitte willkommener wäre.« Er erhob sich. Die beiden Männer schüttelten einander warm die Hände. Adam war rot geworden vor Freude. »Ich danke Ihnen sehr, Sir. Ich werde alles tun, um Ihr Vertrauen zu rechtfertigen. Noch eine Bitte habe ich: Meine Mutter und ich wollen an dem Siegerfest in Ingerby teilnehmen, und mit Ihrer Erlaubnis würden wir Blanche gerne mitnehmen.«

»Es täte mir leid, wenn Sie das nicht wollten«, sagte Nathan. Als sein Besucher sich dann verabschiedet hatte, ging er in die Küche zu Zilla und sagte einfach: »Der junge Musgrove will um unsere Blanche freien.«

Die Eheleute blickten einander an. »Sie könnte schlechter fahren«, meinte Zilla.

»Und er ebenfalls«, gab Nathan mit fester Stimme zurück. Er nahm seine rundliche Frau in den Arm, gab ihr einen Kuß und meinte scherzhaft: »Wenn's dazu kommt und sie werden so glücklich wie wir zwei, dann können sie sich nicht beklagen.«

»Ja, Lieber, da hast du recht«, sagte Zilla, warm und zufrieden mit ihrer behaglichen Küche und ihrem klugen Mann, dem sie alles überlassen konnte.

Auf der Hall Farm wurden große Vorbereitungen getroffen für den eilig ins Leben gerufenen Siegerball. Blanche mußte tanzen lernen – richtig tanzen, denn Herumstampfen auf dem Erdboden gab es diesmal nicht. Die Creme der Gesellschaft von Ingerby nahm an dem Fest teil; Blanche mußte zumindest die Grundschritte von Walzer und Polka beherrschen, sie mußte lernen, was man mit einer Tanzkarte machte und wie man sich beim Vorstellen richtig verhielt. So kam es zu fröhlichen Abenden im kerzenerhellten Wohnzimmer: Mrs. Musgrove saß am Klavier, und Blanche tanzte in Adams Armen und lernte mit großem Eifer. Auch die Kleiderfrage war wichtig. Mrs. Musgrove fuhr mit ihr zum Einkaufen.

Abends in ihrem Zimmer war Blanche oft angespannt und ängstlich und dabei so beschwingt wie nie zuvor. Der Ball in der Provinzstadt war für sie der gesellschaftliche Höhepunkt, etwas Größeres, Herrlicheres konnte es nicht geben. Und als Adam dann erst seiner Mutter und dann Blanche in den Mietwagen half, kam sie sich vor wie eine Königin. Vor allem weil er ihre Hand nicht losließ und flüsterte: »Ich habe noch nie so was Schönes gesehen wie dich«, und als auch Mrs. Musgrove ihr die andere Hand drückte und laut und deutlich sagte: »Wir sind sehr stolz auf Sie, Blanche.«

Sie hatten Grund, stolz zu sein. Mit ihrem dunklen Haar, dem ernsten Gesicht, dem schlichten weißen Kleid mit den langen Handschuhen besaß Blanche den ganzen Liebreiz eines Mädchens und einer eben erblühenden Frau – einen Charme, der junge und oft auch altgewordene Herzen im Sturm gewinnt.

31

Es war ein großer Augenblick, in dem Blanche – am Arm des strahlenden Adam Musgrove in schwarzem Frack und weißem Binder – den schönen Festsaal betrat, der noch aus dem achtzehnten Jahrhundert stammte.

Plötzlich erschien ihr das bisherige Leben wie ein Traum: das Leben in einer trüben Straße und einer überfüllten Küche, in dunkelgrauem Kattunkleid und schwarzen Baumwollstrümpfen. Und doch war es ein zufriedenes und anspruchsloses Leben, nach dem sie mitten in der glanzvollen Umgebung auf einmal heftige Sehnsucht überfiel.

Man begrüßte sie, stellte sie vor, sagte ihr freundliche Worte, aber sie spürte auch die unverhüllt kritischen Blicke, das laute schrille Reden und das mitleidlose Lachen der feinen Leute. Sie war erleichtert, als Adam sie zum Tanz in die Arme nahm und sagte:

»Walzer – eins-zwei-drei, eins-zwei-drei . . .«

Sie paßte sich dem Rhythmus leicht an.

»Sehr gut«, sagte er ernsthaft. »Hast du mich eigentlich lieb, Blanche Cranswick?«

Sie mußte sich sehr auf den Tanz konzentrieren und erschrak deshalb bei der plötzlichen Frage. Sie schob ihn ein wenig von sich fort, blickte ihn an und nickte dann. »Ja, ach ja«, flüsterte sie und zog ihn an sich.

»Dann wirst du mich also heiraten?« fragte er leichthin und drückte ihre Hand. Der Arm, der um ihre Taille lag, hielt sie fester.

Sie senkte den Kopf. »Ich – ich weiß es nicht.«

Er legte ihr die Hand unter das Kinn und hob ihren

Kopf, damit die grauen Augen in die seinen blickten. Sanft sagte er: »Aber wenn du mich doch liebst . . .?«

»Ich weiß es nicht, Adam«, sagte sie verzagt. »Es ist – ich glaube, es ist deine andere Welt, die mir Angst macht. Sogar deine Mutter – sie ist sehr freundlich und gut zu mir. Aber ich habe einfach Angst vor ihr.«

»Angst vor Mutter?« Er war überrascht. »Warum denn?«

Eine Analyse war zuviel für die arme Blanche. »Weil – ich weiß nie, was sie als nächstes sagen wird«, brachte sie heraus.

Adam mußte laut lachen. »Ach – die gute Ma!« Dann wurde er ernst. »Aber dafür ist sie doch bekannt, Blanche. Das gehört zu ihrem Charme. Und außerdem – du sollst ja nicht meine Mutter heiraten. Mich sollst du heiraten.«

Die Frau eines Gutsherrn! Ein anspruchsvolles Leben, dem sie sich nicht gewachsen fühlte; es war so völlig anders als die kleine behagliche Welt, an die sie gewöhnt war. Sie hatte einfach nicht den Mut. »Ich kann's nicht, Adam«, brachte sie stockend hervor.

Er sah sie mit fast geringschätzigem Mitleid an. »Du hast Angst. Du liebst mich, du weißt, wir könnten ein herrliches Leben zusammen haben. Aber du wagst es nicht.«

In Blanche rührte sich etwas – vielleicht etwas vom Geist ihres Vaters, das ihre Furcht beiseite schob. Adam und seine Mutter hatten ihr seit Wochen gesagt, wie schnell und intelligent sie alles Neue auffaßte. Adam würde ihr beistehen, sie führen und liebhaben, daran zweifelte sie nicht. Sie hob den Kopf und blickte ihn an, dann lächelte sie strahlend mit tränenschimmernden Augen. »Ja, Adam, ich will dich heiraten«, sagte sie mit leicht schwankender Stimme.

Knapp eine Stunde später traf sie Guy Clulow.

Adam führte Blanche stolz zurück an den Tisch seiner Mutter. »Mutter, ich habe um Blanche angehalten, und sie hat ja gesagt.«

»Oh – wunderbar.« Lavinia Musgrove sprang von ihrem vergoldeten Sessel auf und umarmte Blanche liebevoll. »Mein Kind, ich bin überglücklich. Das ist für mich die schönste Nachricht!« Sie wandte sich zu Adam um und fragte: »Wo ist der Champagner?«

»Kommt schon, Mutter.«

Blanche hatte sich noch nicht aus Lavinias Umarmung gelöst. Jetzt sagte sie: »Vielen Dank, daß Sie so lieb zu mir sind, Mrs. Musgrove. Ich dachte, Sie würden vielleicht meinen, ich wäre – ich wäre nicht gut genug für Adam. Und das stimmt ja auch«, schloß sie etwas betrübt.

Mrs. Musgrove ließ sie los. »Was redest du nur für einen Unsinn, Mädchen«, sagte sie heiter. »Du wirst ihm eine großartige Frau sein, und ich kann's kaum erwarten, daß du meine Schwiegertochter wirst. So, und nun trink deinen Champagner. Und, zum Henker, dann mach ein Gesicht, als ob du dich freust, meinen Sohn zu heiraten!«

Blanche trank ihren Champagner und dachte dabei mit Heimweh an die große Brauseflasche zu Hause, obgleich sie zugeben mußte, daß ihr das elegante Glas lieber war als die Becher in der elterlichen Küche. Dann folgten Walzer und Polka, und sie tanzte mit Adam nicht auf festem Boden, sondern auf einer rosigen Wolke aus Liebe und Glück und einer Euphorie, die nur Champagner zustande bringt.

Beim zweiten Walzer war es, daß Blanche ein Tisch auffiel, an dem merkwürdigerweise nur Männer saßen. Und noch merkwürdiger war es, daß keiner dieser Männer am Tanz teilnahm. Sie tranken ihren Wein, rauchten ihre Zigarren, sprachen ab und zu miteinander; in festlicher Stimmung schienen sie nicht zu sein. Sie wirkten wie ein schwerfälliger schwarz-und-weißer Fremdkörper inmitten der Fröhlichkeit und der bunten Farben ringsum.

Und während sie glücklich mit Adam im Walzertakt durch den schönen Festsaal wirbelte, kam es ihr vor, als folgten ihr die Augen eines der jungen Männer durch den

ganzen Saal, nicht bewundernd, sondern mit kühl-spötti-
schem Interesse. Sie sah es nicht deutlich, es war eher ein
Gefühl. Natürlich konnte sie ihn als wohlerzogenes Mädchen nicht anblicken und ihm etwa zeigen, daß sie ihn
wahrgenommen hatte. Sein Gesicht konnte sie deshalb
nicht prüfen. Dann erhob sich in der Pause der Bürgermei-
ster von Ingerby und hielt eine Rede auf den großen Sieg
der Briten und auf die Helden, die ihr Leben gelassen hatten. Zum Schluß sagte er:

»Wir haben heute abend einige tapfere Männer bei uns,
die zwar nicht ihr Leben opfern mußten, wohl aber das
Kostbarste, das ihnen geblieben war: ihre unversehrte Jugend und ein Leben frei von Schmerzen, wie wir es uns
alle wünschen. Meine Damen und Herren, ich habe die
Ehre, Ihnen Major Scott, Captain Browning, Leutnant
Smith und Leutnant Clulow vorzustellen.« Und er winkte
mit der Hand zu dem Männertisch hinüber.

Blanches Augen waren liebevoll auf Adam gerichtet, sie
hatte auf die Rede kaum geachtet. Doch als der Name Clulow fiel, fuhr sie auf und starrte erschrocken den einen
Mann an. Sie sah nun, das mußte Guy sein – Guy, von
den Toten auferstanden. Er war es, der sie die ganze Zeit
angeschaut hatte und das auch gar nicht verbarg. Er starrte
noch immer zu ihr herüber, während sein Mund unter
dem schmalen Schnurrbart sich einen Moment belustigt
und – wie ihr schien – geringschätzig verzog.

Sie senkte den Blick und zog fast beschämt ihre Finger
aus Adams Hand. Als sie wieder an ihrem Tisch saß,
zwang sie sich, Guy zuzulächeln. Sie winkte leicht mit der
Hand und machte mit dem Kopf eine Bewegung, die ihn
an ihren Tisch bat.

Überrascht sah sie, daß er nicht aufstand und zu ihr
kam. Statt dessen spreizte er die Hände mit einer spöttischen Geste der Hilflosigkeit.

Da sie der Rede des Bürgermeisters nicht zugehört
hatte, verstand sie nicht gleich; doch als es ihr dann klar
wurde, stand sie auf, sagte: »Entschuldigung« und machte

einen Schritt auf Guys Tisch zu. Sie wollte gar nicht gehen – sie ging wie im Schlaf.

»Blanche, wo willst du hin?« fragte Adam. Seine Stimme klang laut und entrüstet.

Blanche merkte erst jetzt, daß sie im Begriff war, gegen eins der Gesetze ihrer neuen Welt zu verstoßen. Sie wandte sich um und bat: »Adam, würdest du mich zu dem Tisch der Herren dort drüben begleiten?«

»Kluges Kind«, murmelte Lavinia Musgrove anerkennend. Adam trat an Blanches Seite und reichte ihr galant den Arm.

Die vier Offiziere erhoben sich so unbeholfen, daß man ihnen die Qual ansah. Blanche streckte die Hand im weißen Handschuh aus und sagte: »Guy! Wie schön. Ich habe dich gar nicht erkannt zuerst.« Es war keine Wärme in ihrer Stimme, sie spielte die Rolle, die sie in der neuen Umgebung gelernt hatte.

»Wie konntest du? Seit wir uns zuletzt sahen, bin ich zerfetzt und wieder neu zusammengesetzt worden. Da sieht man nicht mehr so aus wie früher.«

Sein Ton war bitter, und Blanche war zumute, als habe man sie ins Gesicht geschlagen. Es gab wohl nichts mehr zu sagen, aber sie redete verzweifelt weiter. »Adam, dies ist Mr. Guy Clulow – wir waren schon als Kinder Freunde. Viele Kinderfeste haben wir zusammen erlebt, nicht wahr, Guy?«

»Ja, das weiß Gott«, sagte Guy.

»Und dies ist Mr. Adam Musgrove.« Sie hatte sagen wollen: ›Mein Verlobter‹, doch die Worte wollten nicht kommen.

Man wechselte ein paar höfliche Redensarten. Guy half Blanche mit keinem Wort, aber sie konnte noch nicht gehen. »Wo wohnst du, Guy?« fragte sie unruhig.

»Im Allgemeinen Krankenhaus. Wenn man von Wohnen reden kann. Heute abend haben sie uns mal rausgelassen, damit wir uns amüsieren. ›Tanz und Freuden ohne Zahl‹, so ungefähr.«

»Ja – schön«, sagte Blanche. Sie kam sich töricht vor.

»Blanche«, sagte Adam halblaut, »ich glaube, wir müssen zurück an unseren Tisch.«

»Ja, natürlich«, stimmte sie eilig zu.

«Natürlich«, sagte Guy.

Die drei anderen Offiziere verneigten sich und lächelten höflich. Blanche ließ sich nicht beirren. »Darfst du Besuch haben, Guy?«

»Aber ja, selbstverständlich. Auch die Tiere im Zoo dürfen ja Besuch haben.«

Wieder war es, als habe er sie geschlagen. Aber sie durfte ihm seinen bitteren Sarkasmus nicht zum Vorwurf machen. Hierher gebracht zu werden und anderen Männern zuzuschauen, die mit hübschen Mädchen tanzten – Männern, die entweder noch nie eine Schlacht erlebt hatten oder unversehrt zurückgekehrt waren; hier zu sitzen und zu wissen, daß schon das Aufstehen zur Begrüßung einer Dame mehr Schmerzen und peinliche Verlegenheit mit sich brachte, als die unbekümmerten anderen sich vorstellen konnten: das alles mußte einen Mann mit bitterem Groll erfüllen. Als Adam, jung und gesund, sie jetzt anlächelte und mit besitzergreifender Geste ihren Arm nahm, da spürte sie einen Augenblick so etwas wie Abneigung. Mußte er ausgerechnet jetzt so strahlend gesund aussehen?

Sie blickte Guy an, sagte »Auf Wiedersehen« und ging mit Adam fort. Die vier Offiziere richteten sich steif und ungelenk wie Holzpuppen in ihren Sesseln wieder zum Sitzen zurecht.

Adam war mit Blanche an ihren Tisch zurückgekehrt und fragte: »Uuch – wer war denn dieser gallige Kindheitsfreund?«

»Kurz vor dem Krieg hat sein Vater sich umgebracht«, erwiderte Blanche langsam. »Dann ist er selber schwer verwundet worden. Mr. Heron schrieb damals deiner Mutter, er sei – er sei erledigt. Ich dachte, er wäre tot. Es war ein Schock, als ich ihn heute wiedersah.«

»Ja. Ja, natürlich, mein Mädchen, das verstehe ich.« Adam drückte ihr die Hand. Seine unbekümmerte Art hatte sie verletzt, das merkte er und wollte es wiedergutmachen.

Doch es war zu spät. Das Wiedersehen mit Guy hatte die Champagnerseligkeit zerstört. Blanche hatte den Schock noch nicht überwunden, so schnell konnte sie mit ihren Gedanken und Gefühlen nicht fertig werden. Und Adam, ein extrovertierter Mensch, verstand seine Emotionen ebenfalls nicht zu deuten: Eifersucht, Beschämung ob der eigenen robusten Gesundheit, Abneigung gegenüber einem Rivalen, der mit seiner schweren Verwundung eine unschlagbare Waffe in der Hand hielt. (Aber warum eigentlich betrachtete er diese zerschlagene Kreatur als Rivalen? Erst vor einer Stunde hatte doch Blanche versprochen, *ihn* zu heiraten. Ein glückliches gemeinsames Leben lag vor ihnen. Warum um Himmels willen hatte er einen Mann zu fürchten, der schon das Zeichen des Todes auf der Stirn trug?) Immer noch tapfer bemüht um seine Versöhnung, sagte er: »Hör zu, Blanche, wenn du den Mann irgendwann besuchen willst – mir ist das recht.«

Sie sah erstaunt zu ihm auf. »Ja, natürlich. Warum sollte es dir nicht recht sein?«

»Na weißt du, mein Kind, wir haben uns schließlich gerade verlobt.« Er kam sich vor wie ein Tölpel, und sie war daran schuld.

»Ich weiß, Adam«, sagte sie sanft. »Aber das hat doch nichts damit zu tun, daß man – daß man jemandem hilft, der ganz deutlich Hilfe braucht, findest du nicht?«

»Hm. War er immer so bitter, auch früher schon?«

»Nein, eigentlich nicht. Daran merke ich, daß er Hilfe braucht. Ich werde ihn morgen besuchen.«

»Schön. Ich fahre dich dann rüber«, erbot sich Adam, immer noch reuevoll. Doch der Glanz des Festes war verschwunden, die echte Fröhlichkeit dahin. Mummenschanz war an ihre Stelle getreten, komödiantisches Spiel von Akteuren, die ihre Rollen nicht beherrschten. Selbst Lavinia

Musgrove fand nicht mehr den richtigen Ton. Ihr war ein Winterwald eingefallen, ein Brief von Robert Heron und Blanches seltsam verlorener Blick, als sie mit dem Schlitten voller Stechpalmenzweige nach Hause zurückkehrten. Lavinia hatte Augen im Kopf und konnte rechnen: sie zählte zwei und zwei zusammen und kam auf genau vier.

Am nächsten Tag wartete Adam, der Blanche mit dem Ponywagen ins Krankenhaus hinübergefahren hatte, im Vorhof des Geländes. Er war sehr erleichtert, als sie schon nach zwanzig Minuten wiederkam. Angstbilder hatten ihm vorgegaukelt, sie werde nie wiederkommen, er müsse durch die langen hallenden Krankenhausflure laufen und sie suchen, und wenn er sie fand, müsse er sie aus den Knochenarmen des Todes reißen. Früher hatte er solche Phantasien gar nicht gekannt, doch in den Feldlazaretten Afrikas war er – bis dahin jung und gesund – mit schrecklichen Dingen konfrontiert worden und hatte auch selber böse Schmerzen kennengelernt. Nun hatte er seine süße junge Blanche allein in die feindliche Festung gehen lassen.

Er sprang herunter und half ihr in den Wagen. »Wie geht's ihm denn?« fragte er, obgleich er bei allem Bemühen für den kalten arroganten Kerl kein Mitleid aufbringen konnte.

»O Adam, es ist ganz schrecklich da drinnen. Er saß einfach da, in so einem alten grauen Hausmantel, wie ein lebendiger Toter.« Sie schauerte zusammen.

»Aber er hat sich doch gefreut, daß du kamst?«

»O ja. Er hat versucht, es nicht zu zeigen, weißt du. Aber er muß sich gefreut haben, jemand von draußen zu sehen. Ich muß noch mal hingehen, Adam.«

Er schien damit beschäftigt, das Pony anzutreiben, und sagte nichts. Blanche überlegte halblaut. »Vielleicht könnte man ihm mal gelierte Kalbsfußbrühe bringen, irgendwas Nahrhaftes . . .«

»Blanche«, sagte Adam.

»Ja, Adam?« Sie war noch bei ihren Plänen und hörte

nicht die Ironie und auch nicht die leichte Gereiztheit in seiner Stimme.

Er legte seine Hand auf die ihre, und die Gereiztheit verschwand. Zurück blieb nur ein milder Vorwurf. »Blanche – du wirst doch daran denken, daß du erst gestern abend versprochen hast, meine Frau zu werden, ja?«

»Natürlich, Liebling. Aber wenn du den armen Kerl gesehen hättest – ich kann mir nicht vorstellen, was ihm die Zukunft überhaupt noch zu bieten hat. Oder was man für ihn tun könnte. Weißt du, auch wenn man ihm jeden und jeden Tag des Jahres Kalbsfußbrühe bringen könnte, das wäre immer noch . . .«

Ungeduldig unterbrach er sie. »Wir haben auch an *unsere* Zukunft zu denken, Blanche.«

Sie sah ihn erstaunt an. »Aber er ist doch krank – und verwundet. Vielleicht hat er nicht mehr lange zu leben!«

»Und wir haben noch lange zu leben, mein Liebes. Findest du nicht, daß du auch daran ein bißchen denken solltest?«

»Das wird mein Lebensinhalt sein, Adam. Aber trotzdem kann ich doch versuchen, Guy zu helfen. Oder etwa nicht?« fragte sie plötzlich betont.

Er antwortete nicht gleich, sondern wartete, bis der Verkehr vor ihm geringer geworden war. Dann fragte er: »Blanche – liebst du ihn?«

Sie schüttelte den Kopf. »Nein. Ich liebe doch dich, Adam.«

Darauf ging er nicht ein. »Hast du ihn einmal geliebt?«

»Ja – bis ich richtig sah, wie er war.«

»Aha.« Es klang triumphierend. »Jetzt siehst du also, wie er ist, ja? Bitter und arrogant und voller Selbstmitleid.«

»Deshalb braucht er doch Hilfe«, sagte sie hartnäckig.

»Also Blanche, um Himmels willen!«

»Und ich brauche auch Hilfe. Ich habe Angst, Adam.« Sie schauerte zusammen in der warmen Mittagssonne.

»Du . . .? Wovor hast du Angst?«

»Ich weiß es nicht«, sagte sie unglücklich. »Ich glaube vor der Zukunft. Es sah alles so hell und schön aus, und auf einmal ist jetzt alles dunkel.«

Der erste Streit, noch keine zwölf Stunden seit der Verlobung. Beide schwiegen verletzt, bis er etwas ermüdet sagte:

»Gut, Blanche. Tut mir leid. Ich bin sicher bloß kleinlich und eifersüchtig.«

Sie konnte wieder lächeln. »O Adam – du und kleinlich!«

Sie waren aus der Stadt heraus, jetzt lag der helle Weg neben dem wirbelnden Fluß vor ihnen. Sie lächelten und küßten sich, und die Sonne schien, und das Pony trabte mit fröhlichem Klipklop die Straße entlang. Die Gewitterwolken, die eben noch ihr junges Glück verdunkelten, waren vorübergezogen, zurück blieben Freude und Versöhnung, die wärmer waren als die Sommersonne.

Das jedenfalls glaubten sie an diesem ersten Morgen ihrer Verlobungszeit. Sie glaubten es, weil sie es glauben wollten, denn für junge Liebende ist ein wirklich heftiges Gewitter schwer zu ertragen.

32

Auch Nathan fühlte die Sonne warm im Gesicht, er hörte die Vögel singen und spürte, wie die Natur gleich ihm frohlockte. Sein Herz war voller Glück: Er hatte die Kapelle fertiggebaut mit den eigenen Händen. Und wie Gottvater sah er, sie war gut. Doch die Gottesdienste hielt er immer noch in der Scheune, er wartete auf die Rückkehr von Mr. und Mrs. Heron. Dann wollte er einen Dankgottesdienst halten und Mr. Heron die neue Kapelle übergeben. Bis dahin sollte sie geschlossen bleiben.

Nun konnte es nicht mehr lange dauern bis zu dem großen Tag. Die Männer kamen heim, einer nach dem anderen; als hoher Offizier mochte Mr. Heron zwar zu den letzten gehören, und dann hatte er vielleicht auch noch einiges in London zu erledigen, aber sehr lange konnte es sich nicht mehr hinziehen. Es würde gut sein, ihn wieder hier zu haben. Die Dorfbewohner verhielten sich Nathan gegenüber immer noch mißtrauisch, manchmal sogar feindlich. Aber wenn dann der Krieg endgültig vorbei war und Mr. Heron wieder im Sattel saß, dann mußte sich das bald geben.

Nathan hatte noch einen anderen Grund zum Glücklichsein. Auf dem Wege nach Ingerby hatten Blanche und Adam ihn heute morgen kurz aufgesucht. Adam, braungebrannt und kraftvoll wie ein junger Baum; Blanche, scheu und still und doch überströmend vor Glück.

Sie hatten ihn im Garten angetroffen, und er wußte gleich, warum sie gekommen waren. Er las es aus Blanches frohen Augen. Aber es war nur recht, daß er es Adam aussprechen ließ. »Mr. Cranswick, Sir – gestern abend beim Fest habe ich mir erlaubt, Blanche um ihr Jawort zu bitten.«

»So ...?« Nathan versuchte, streng auszusehen, was aber mißlang. »Und was hat sie gesagt?«

»Sie hat ja gesagt, Sir.« Adam sah etwas beklommen aus, aber gleichzeitig leicht berauscht von dem Gedanken.

Nathan ergriff seine beiden Hände. »Mein lieber Junge, wie bin ich glücklich. Und Blanche ...«, er legte ihr die Arme um den Hals und küßte sie zärtlich, dann wandte er sich an Adam und sagte mit leicht bebender Stimme: »Sie wird Ihnen eine gute Frau sein, auch wenn *ich* das sage. Zilla!« rief er laut. »Tom, Jack!«

Sie kamen nach draußen. Zilla sah aus wie immer, gerötet und heiß mit etwas fettigen Händen, als habe sie gerade selber in der Pfanne gebrutzelt; Tom so ängstlich wie üblich und Jack rund und fest auf zwei kräftigen Beinen. Voller Stolz berichtete Nathan, was zu berichten war.

»Und ich in der Schürze!« rief Zilla aufgeregt. Sie schob eine blonde Haarsträhne zurück, weinte ein bißchen, umarmte Blanche, lachte und wußte nicht, wie sie sich dem jungen Herrn gegenüber verhalten sollte, der nun wirklich und wahrhaftig ihre Blanche heiraten wollte.

So standen sie im Sonnenlicht auf der kleinen Terrasse mit der rostigen Bank, die Nathan immer noch irgendwann anstreichen wollte, und blickten hinaus über das weite Tal mit dem Flußband und den fernen Hügeln. In den Händen hielten sie Becher mit schal gewordener Brause aus der großen Flasche und tranken auf das Wohl des jungen Paares. Zilla vergoß wieder ein paar Tränen und Blanche ebenfalls; Tom weinte, weil Ma weinte, und Jack weinte, weil die Brauseflasche leer war. Als dann das Brautpaar nach Ingerby aufgebrochen war, kehrte Zilla an ihren Herd zurück, und Tom und Jack, die sonst auch bei Regenwetter nicht im Hause zu halten waren, machten sich in der Küche unnütz. Nathan war im Garten geblieben, wo er dem Ponywagen auf dem Flußweg nachblickte und über etwas grübelte, was ihm Blanche vorhin, als er allein mit ihr im Garten war, gesagt hatte. »Dad – rate mal, wer gestern abend auf dem Fest war: Guy Clulow. Und ich dachte« – ihre Stimme schwankte –, »er wäre tot.«

Guy Clulow! Mit einem Schlag war die dunkle Vergangenheit wieder da – die Sünde seiner geliebten Schwester, der furchtbare Freitod von Martin Clulow, der sich einfach davonstahl und seine Liebste der feindlichen Umwelt überließ, und seine eigene Angst, daß dieses Mannes Sohn, den er, Nathan, für unreif und arrogant hielt, die Liebe seiner kleinen Blanche gewonnen haben könnte.

Er war so glücklich gewesen beim Anblick von Blanche und Adam; sie paßten zueinander wie – wie Lammbraten und Minze. Und nun die paar Worte von Blanche: Wie Gewitterregen auf einer sonnigen Terrasse hatten sie auf seine frohe Stimmung gewirkt. Er war unsicher geworden. »Guy Clulow. Und ich dachte, er wäre tot.«

Lavinia Musgrove war es, die die Nachricht brachte. Sie hatte Nathan auf der Straße getroffen. Mit der Reitgerte schlug sie sich an die Wade und sagte, wie immer ohne Umschweife:

»Schlechte Nachricht, Nathan. Robert Heron ist tot. Scharfschütze, am letzten Tag des Krieges. Verdammtes Pech, nicht wahr.«

Nathan war es, als wanke der Boden unter seinen Füßen. Verständnislos starrte er sie an. »Mr. Heron. Das kann doch nicht sein. Der Krieg ist doch schon seit Wochen aus.«

»Stimmt aber doch. Brief von Dorothy Heron. Schwerer Schlag für sie.«

»Mein Gott, die arme Frau. Ich muß – kommt sie hierher zurück?«

»Ja. Sie hat hier nie gern gelebt, war immer lieber in London. Aber sie sagt, sie ist es Robert schuldig, hier weiterzumachen. Kann ich verstehen.«

»Ja«, sagte er abwesend.

Sie blickte ihn mitfühlend an. »Hoffentlich – macht das für Sie nicht alles kaputt, Nathan.«

Er schüttelte den Kopf. »Machen Sie sich da keine Sorgen, Mrs. Musgrove. Ich bin gesund und bei Kräften. Aber – aber Mr. Heron! Solche Männer können wir doch gar nicht entbehren.« Die Stimme klang fast verzweifelt.

»Ja, ich weiß. War ein grundguter Mann, Robert. Konnte manchmal auch schwierig sein. Aber er war doch England, verdammt noch mal.«

»Ja.« Und nun verblutete England auf afrikanischer Erde; das englische Herz ruhte unter fremden Sternen. Der Geist, in dem sich die Traditionen Englands mit Mut und Ehrgefühl und Güte, mit Shakespeare und Milton zusammengefunden hatten, er war nun erloschen. Die blankpolierten Stiefel, der feste Hut, der tadellose Tweed, das wettergebräunte Gesicht, ach, und die guten, klugen Augen – das alles zusammen war Robert Heron gewesen, der nun nicht mehr war. Sinnlose Vernichtung, wie das zwecklose Fällen eines hohen, edlen Baumes.

»Ich muß gleich hingehen zu Mrs. Heron, wenn sie zurück ist«, sagte Nathan. »Ich fürchte, sie wird mein Beileid nicht sehr freundlich aufnehmen. Aber solange ich hier bin, muß ich für sie tun, was ich kann.«

Lavinia nickte. »Ich gebe Ihnen Bescheid, wenn ich von ihr höre.« Sie berührte seinen Arm. »Tut mir leid, daß ich Ihnen so schlechte Nachricht bringen mußte, Nathan.«

»Danke. Aber für Sie ist es ganz gewiß ebenso schlimm. Bitte lassen Sie mich wissen, wenn ich irgendwas . . .«

Tief bedrückt setzte er seinen Weg fort. Er hatte einen Freund verloren, und Moreland ebenfalls, das wußte er.

Der Ring, den Adam für Blanche kaufte, kostete mehr, als sie in ihrem ganzen Leben als Küchenmädchen hätte verdienen können. Es war ein herrlicher Brillant in zarter Filigranfassung aus reinem Gold.

Etwas Schlichteres wäre Blanche lieber gewesen. Doch ihr Vater sagte lächelnd: »Mein Mädchen, du kannst ihn

ruhig tragen. Du bist selber ein kleines Juwel, weißt du.«
Und Mrs. Musgrove gab ihr einen Kuß und sagte:
»Schönheit den Schönen, mein Kind. Er paßt zu dir.«

Als Blanche sich zu ihrem nächsten Besuch bei Guy auf-
machte, wußte sie, im Krankenhaus konnte sie den Ring
nicht tragen. Sie zog ihn auf den Eingangsstufen vom Finger und ließ ihn in ihre Handtasche gleiten. Es war feige
und unehrlich, sagte sie sich; aber sie brachte es nicht fertig, Guy in sein abgehärmtes Gesicht zu sehen und dabei
so sichtbar den Ring, das Zeichen von Liebe und Glück,
zur Schau zu stellen.

Es ging ihm heute nicht gut. Er zuckte rastlos, die Wangen waren gerötet, die Augen glänzten fieberhaft, und es
war kein Spott in seiner Stimme. Aufstehen und Hinsetzen machten ihm Schmerzen, das sah man; trotzdem kam
er mehrmals mühsam auf die Füße und starrte aus dem
Fenster, bis er sich plötzlich umdrehte und Blanche eine
ganze Weile schweigend ansah, bevor er sich wieder
setzte. Endlich sagte er ohne Übergang: »Ich bin heute
nervös. Hab was auf dem Herzen, das – etwas, das ich dich
fragen will.«

Sie wußte nicht, warum ihr auf einmal angst wurde,
aber sie mußte sich mit der Zunge über die Lippen fahren,
bevor sie sprechen konnte. »Was – was willst du mich
denn fragen, Guy?«

Er hatte mit einer Hand die Sessellehne so fest gepackt,
daß die Knöchel weiß hervorstanden. »Wir waren doch
gute Freunde, als Kinder, Blanche. Das könnten wir vielleicht wieder sein.«

»Ja, natürlich, Guy.« Ihr kurzes Auflachen klang fast
traurig. »Ich dachte überhaupt, das wären wir immer
noch.«

»Ja, wirklich?« Er sah sie scharf an. »Aber neulich, auf
dem Siegerfest – ich habe dich beobachtet, als du mit
dem großen Farmer da tanztest. Da warst *du* der Sieger,
Blanche.« Er zog eine Grimasse. »Und ich war der Ge-
schlagene.«

»Du warst ein Held«, sagte sie fest. »Verwundet, aber ein Held.«

Er war immer noch nervös, aber er fragte jetzt ganz ruhig: »Würdest du einen verwundeten Helden heiraten, Blanche?«

Sie meinte, ihn nicht richtig verstanden zu haben. »Was hast du gesagt, Guy?«

»Würdest du einen verwundeten Helden heiraten? Wir haben uns einmal geliebt, das war sicher ein Fehler. Aber wir waren doch Freunde, vor langer Zeit. Und darauf kommt es an.«

»Guy! Lieber Guy, das kann ich nicht. Ich bin . . .«

Er unterbrach sie. »Ich habe dir gar nichts zu bieten, das ist mir klar. Ich kann nur an dein besseres Ich und an unsere alte Freundschaft appellieren, und an – eine kurze Liebe.«

Blanche war tief bewegt. Es kam ihr nicht in den Sinn, daß ein ehrenhafter Mann eine solche Bitte nicht aussprechen durfte. Sie hatte Tränen in den Augen, als sie, von schmerzhaftem Mitleid erfüllt, erwiderte: »Es geht nicht, Guy. Ich bin verlobt.«

Seine Glieder zuckten, als habe ein Puppenspieler plötzlich am Draht gezogen. »Mit dem Farmer?«

Sie nickte.

»Gratuliere. Natürlich sehe ich ein, daß dagegen Leutnant Clulow gar keine Chance hat. Ein gesunder junger Farmer ist zehnmal besser als ein zerschlagener Kavallerie-Offizier.«

»Bitte nicht, Guy«, sagte sie flehend. »Als Adam mich fragte, ob ich ihn heiraten wollte, da wußte ich ja gar nicht, daß du noch am Leben bist.«

»Und hätte es etwas ausgemacht, wenn du es gewußt hättest?« Das war eine geschickte Frage.

Sie schwieg lange und sagte endlich: »Nein.«

Er seufzte. »Auch wenn du gewußt hättest, wie viel mehr ich dich brauche als er?«

»Ich glaube, das kannst du nicht sagen, Guy.«

»Nein –? Braucht der denn ständige Pflege, womöglich für den Rest seines Lebens? Braucht er jemand, der ihm heraushilft aus diesem schrecklichen Haus und ihm ein Zuhause gibt? Braucht er eine mütterliche Frau – ja, eine mütterliche! – wie nur jemand wie du es sein kannst?«

Blanche litt Qualen bei seinen Worten. Sie war nicht imstande, schnell zu denken, sie wußte jetzt nur eins: dieser Mann brauchte sie so nötig, wie noch niemals jemand sie gebraucht hatte. Doch sie hatte nicht zu wählen zwischen einem Leben der Fürsorge mit Guy und einem Leben voller Glück und Freude mit Adam. Es gab für sie keine Wahl mehr. »Ich habe mein Wort gegeben, Guy«, sagte sie traurig. Einen Augenblick kam es ihr in den Sinn, daß es ihr vielleicht erspart geblieben wäre, Guy so grausam zu verletzen, wenn sie Adams Ring nicht abgestreift hätte.

Er war in seinem Sessel zusammengesunken und sagte nichts. Sie berührte seine Hand. »Kann ich wiederkommen, Guy?«

Er blickte auf. »Ja, bitte. Du vertreibst mir damit eine halbe Stunde von den vierundzwanzig«, sagte er müde.

»Gut. Dann also – heute in einer Woche, Donnerstag. Ist dir das recht?«

»Ich glaube nicht, daß ich da etwas vorhabe«, sagte er mit dünnem Lächeln.

Tief bedrückt ging sie fort. Eine Frau mit etwas mehr Erfahrung hätte weniger sich selbst als dem Mann die Schuld an dieser Situation gegeben, in die er sie gebracht hatte. Blanche gab niemals anderen eine Schuld; sie sah nicht den Splitter in den Augen der anderen, wohl aber den Balken im eigenen Auge.

Adam wartete im Wagen. »Wo ist dein Ring?« fragte er, als er ihr beim Einsteigen half. Zum erstenmal hörte sie so etwas wie Argwohn in seiner Stimme.

»Hier ist er«, sagte sie blutrot. Sie zog ihn aus der Handtasche und streifte ihn hastig über den Finger.

»Nanu?« fragte er eher verwirrt als ärgerlich. »Genierst du dich etwa, mein Mädchen?«

Der scherzhafte Ton machte ihr Mut, die Wahrheit zu sagen. »Ach Adam – der arme Guy sitzt da in diesem elenden Krankenhaus, und ich habe so viel – so viel Schönes –« Sie legte ihm die Hand auf den Arm. »Ich wollte es ihm nicht so vor Augen führen.«

»Nein. Natürlich nicht. Aber irgendwann muß er's ja mal erfahren, das von uns. Das heißt, wenn du ihn noch weiter besuchen willst.«

Die Stimme war etwas strenger geworden, das machte sie wieder unsicher. »Ich hab ihm gesagt, ich käme nächsten Donnerstag vormittag wieder. Aber du brauchst mich nicht jedesmal hinzubringen. Ich kann . . .«

»Nächsten Donnerstag? Da ist doch das Sportfest.« Er trieb das Pony zum Galopp an. »Also Blanche, das – ich weiß, er tut dir leid. Mir auch. Hätte ja auch mich treffen können, und so weiter. Aber daß er über uns bestimmt, das geht nun wirklich nicht.«

»Ich hab's versprochen«, sagte sie unglücklich. »Ich muß hingehen. Ich glaube, du kannst dir gar nicht vorstellen, wieviel ein Besuch für ihn bedeutet . . .«

»Aber du wußtest doch, daß das Sportfest –«

»Ich hab's vergessen, Lieber. Wann fängt es an?«

»Um halb drei.«

»Dann habe ich reichlich Zeit für beides, selbst wenn ich zu Fuß hingehe.«

Sie war sehr erleichtert, als er jetzt lachte und sie zärtlich küßte. »Ach du liebes kleines Dummchen! Natürlich fahre ich dich hin.« Und dann ernster: »Aber deinen Ring mußt du tragen, und du mußt ihm auch sagen, daß wir verlobt sind. Das ist nicht mehr als anständig ihm gegenüber – und auch mir gegenüber, offen gesagt.« Und um den letzten Worten jeden Stachel zu nehmen, lächelte er ihr zu, fröhlich und offen.

Zu Robert Herons Lebzeiten wäre das Sportfest eine große und gut organisierte Veranstaltung gewesen, mit Silberpokalen für die Gewinner, mit einem Bierzelt und Bänken für die Zuschauer. Ohne ihn (und ohne seinen Geldzuschuß) fiel es etwas dürftiger aus. Sowohl Nathan wie die Musgroves hatten getan, was sie konnten. Es gab Pferderennen, Wettlaufen für Herren und für Kinder, Sacklaufen und eine Verlosung, aber leider kein Bierzelt, und außerdem Preise von einem Sovereign bis hinunter zu Sixpence.

Eins jedoch ließ keine Wünsche offen, das war das Wetter. Es war ein herrlicher Sommertag, vom Morgendunst bis zum wolkenlosen Sonnenuntergang. Als Blanche von Adam im Vorhof des Krankenhauses abgesetzt wurde, hörte sie jemand ihren Namen rufen und sah erstaunt, daß Guy Clulow draußen auf einem Gartenstuhl vor staubigen Rhododendronbüschen saß.

»Guy!« rief sie und winkte.

Dann sagte sie eilig: »Bitte, Adam, komm mit rüber und sag ihm guten Tag.«

»Wenn du es wünschst, natürlich.« Er band das Pony fest, und sie gingen zusammen hinüber. Guy sah entspannt aus. »Ich kann hier sitzen und den Morgen genießen! Entschuldige, daß ich nicht aufstehe, aber ich sitze gerade so bequem.«

»Aber ja, natürlich.« Blanche legte ihm die Hand auf die Schulter, als wolle sie ihn am Aufstehen hindern. »Du kennst doch Mr. Musgrove noch?«

»Selbstverständlich. Meinen Glückwunsch, Mr. Musgrove.«

»Danke. Aber wozu?«

»Zu der lieben Blanche natürlich. Sie finden doch auch, daß sie ein Grund zum Beglückwünschen ist?«

»Ja, durchaus«, sagte Adam kalt. »Ich wußte nur nicht, daß Sie davon wußten.«

»O ja. Blanche hat es mir letzte Woche erzählt.«

Adam schwieg einen Augenblick und sagte dann steif: »Ich werde im Wagen warten, Blanche. Ihr zwei seid alte Freunde, da braucht ihr mich nicht«. Er nickte Guy zu und ging.

Guy und Blanche sahen sich an. Sie war erschrocken und senkte die Augen; auf seinem Gesicht stand das sarkastische Lächeln, das sie so gut kannte. Leichthin fragte er: »Liebe Zeit – habe ich was Falsches gesagt?«

»Nein. Bloß – ich hatte ihm nicht gesagt, daß ich es dir schon erzählt hatte.«

»Warum solltest du es einem alten Freund nicht erzählen? Kein Grund, nicht wahr? Außer vielleicht, wenn der alte Freund dich durch eine Taktlosigkeit dazu gezwungen hätte. Wenn er dich vielleicht gebeten hat, ihn zu heiraten.«

Sie sagte eine Weile nichts. Dann sprang sie auf. »Ich muß gehen, Guy. Wir müssen früh zurück sein.«

»Aha. Etwas Unaufschiebbares in Stall und Scheune?«

»Nein – das Sportfest im Dorf. Adam hilft mit bei der Organisation und nimmt auch teil.«

»Ah ja, klar. Ich sage dir, er wird reiten und rennen und überall den ersten Preis kriegen. Er hat Glück, der Mr. Musgrove. Der große Adam.«

Sie hielt ihm die Hand hin. »Lebwohl, Guy.«

»Lebwohl, Blanche. Verzeih, daß ich nicht aufstehe. Ich bleibe besser hier sitzen, bis die Oberin findet, die Sonne ist zuviel für mich. Dann schickt sie eine Abordnung Pfleger, die holen mich rein wie einen Gartenstuhl. Alles schön bequem. Kein Galopp mehr, keine Viertelmeilen – alles aus mit dem Hottehü.« Er wandte den Kopf und starrte blicklos in den Rhododendronbusch.

Adam half Blanche in den Wagen. »Ich wollte, du hättest mir gesagt, daß er es wußte, Blanche.«

»Ja, das hätte ich tun sollen. Entschuldige bitte.«

Er lenkte den Wagen aus dem Krankenhausgelände heraus und sagte nachdenklich: »Ich verstehe das alles nicht ganz, Blanche. Du hast deinen Ring vor ihm versteckt, und trotzdem hast du ihm dann erzählt, wir seien verlobt. Und als ich sagte, du müßtest es ihm aber diese Woche sagen, da hast du mir nicht gesagt, daß er es wußte. Ich verstehe deine Gründe nicht, Blanche.«

»Muß man immer für alles Gründe haben, Adam?« fragte sie bittend.

»Du mußt einen Grund haben, wenn du nicht offen zu mir bist«, erwiderte er scharf.

Er hatte ja recht. Warum hatte sie ihm denn nicht alles gesagt? Sie hatte doch Gelegenheiten genug gehabt. »Ach, Adam«, seufzte sie. »Es tut mir leid.« Doch das Wort ›leid‹, das oft der Schlüssel zur Versöhnung und Freude ist, blieb diesmal im Schloß stecken.

Dann kam das Sportfest. Adam gewann das Galopprennen mit mehreren Pferdelängen; er siegte auch bei der Viertelmeile, beim Hundertmeterlauf und beim Weitsprung. Mit entschuldigendem Lachen und einem Scherzwort trat er vor und nahm von seiner Mutter die Preise entgegen. Er war Herr auf dem eigenen Grund und Boden, Sieger unter strahlendem Sommerhimmel, und der sportliche Erfolg, die physische Anstrengung und die Sommersonne hatten die Verstimmung mit Blanche ausgelöscht.

Doch Blanches Gedanken waren gefangen in einem trostlosen Krankensaal mit graubraunen Wänden und dem Geruch nach Desinfektionsmitteln und Hoffnungslosigkeit.

Vielleicht wäre der Sieg für Adam heute noch größer gewesen, wenn sein Pferd ihn abgeworfen hätte und er von den Helfern mit Knochenbrüchen davongetragen worden wäre.

Nathan war auf dem Sportfest fast so begeistert wie Adam.

Bis auf Hose, Hemd und Weste hatte er alles abgelegt, auch den Hut; lieber riskierte er einen Sonnenstich. Bei der Viertelmeile kam er als letzter ans Ziel, beim Hundertmeterlauf als fünfter. Blanche, damenhaft, ernst und schön, blieb in der Nähe von Mrs. Musgrove. Sie erfüllte ihren Vater mit Stolz, genauso wie der Anblick von Tom und Jack, die beim Dreibeinlauf zusammengebunden waren und dank Jacks Beharrlichkeit als erste ans Ziel kamen, obgleich Tom nicht imstande war, die Grundregeln des Spiels zu begreifen.

Doch was Nathan am meisten freute, war die Erkenntnis, daß das dumme Gerede vom Burenfreund offenbar überwunden war. Die Leute waren wieder freundlich, respektvoll, gratulierten ihm zu seinem Anteil an der Organisation des Festes. Schon geriet der Krieg in Vergessenheit. Wenn erst das Herrenhaus wieder bewohnt und die Kapelle offiziell eröffnet war, dann würde bald alles wieder seinen normalen Lauf nehmen.

Nur eines konnte nie wieder so werden wie früher. Eine gähnende Leere blieb, wo einst Robert Heron gestanden und Recht gesprochen hatte. Nichts und niemand konnte seinen Platz ausfüllen, weder für Nathan noch für die Gemeinde. Eine kleine Bleikugel hatte genügt, um ein großes Herz, ein Leben voller Klugheit und Güte und Freundschaft auszulöschen. Es gab viele, die den Verlust dieser Freundschaft beklagten, doch für niemanden war er so groß, so unersetzlich wie für Nathan Cranswick.

33

Und eines Abends quoll aus dem Schornstein des Herrenhauses eine Rauchwolke, bedeutsam wie jene, die die Wahl eines neuen Papstes ankündigt. Das halbe Dorf hatte es gesehen, und es dauerte nur wenige Minuten, bis die Nachricht auch das entlegenste Gehöft erreichte: Mr. Robert Herons Witwe kehrte zurück in ihr einsames Heim.

Natürlich nicht gleich. Erst mal mußte das Gesinde zurück sein, es mußte geheizt werden, die Schonbezüge wurden abgenommen, die Betten gelüftet und Lebensmittel eingekauft. Darauf folgte der Frühjahrsputz. Und schließlich mußte Mrs. Heron in Ingerby vom Londoner Zug abgeholt, heimgefahren und – wie es sich für eine viktorianische Lady nach anstrengender Reise gehörte – zu Bett gebracht werden, mit einem Mittel gegen die Kopfschmerzen und einem anderen zur Nervenberuhigung.

Dorothy Heron mochte in mancher Beziehung töricht sein; doch sie war im englischen Geist ihrer Zeit erzogen worden und betrachtete sich nicht als bekümmertes Weiblein, das sich nun allein gegen eine harte Welt durchsetzen mußte. Keineswegs: für sie war es Ehrensache, Werk und Tradition ihres verstorbenen Mannes weiterzuführen, auch solche, die sie zu seinen Lebzeiten immer scharf kritisiert hatte, und das waren nicht wenige. Selbst die lächerliche Sache mit diesem Handwerker, der in der Gemeinde als eine Art Bettelmönch arbeitete. Ob er da viel nützte, war unwichtig. Robert hatte es so gewollt. Deshalb mußte es dabei bleiben, wenngleich sie nicht vorhatte, mehr als unbedingt nötig mit dem Mann zusammenzutreffen.

Angesichts so lobenswerter Entschlüsse war es daher wirklich Pech, daß der Wagen, der sie vom Bahnhof abholte, auf dem Heimweg an der von Nathan neu erbauten Kapelle vorbeifuhr. Die Sonne stand tief und beleuchtete wie ein Scheinwerfer die Mauern und das neue Holzwerk in allen Einzelheiten.

Im Wagen war ein Keuchen zu hören, dann wurde heftig an die Trennglasscheibe geklopft. »Albert! Anhalten! Was ist mit Mr. Herons Kapelle passiert?«

»Die ist abgebrannt, Ma'am. Hat Ihnen das keiner gesagt?«

»Nein, kein Mensch.«

Albert ließ sich seine Freude nicht anmerken. Er war absichtlich an der Kapelle vorbeigefahren, denn er wußte, da würde Mrs. Heron ein paar abfällige Bemerkungen fallen lassen, wenn sie das sah, und so was machte ihm Spaß. Aber er hatte nicht geahnt, daß sie noch nichts davon gehört hatte und daß er das Glück haben würde, ihr die Neuigkeit mitzuteilen. »Na so was«, sagte er. »Ich dachte, das hätten die Ihnen längst gesagt.«

»Wie ist das passiert?«

»Das weiß keiner, Ma'am. Einige sagen, es waren Burenfreunde, und andere behaupten, es waren die, die die Burenfreunde nicht leiden konnten. Keiner weiß es.«

»Und vermutlich hat sich auch keiner bemüht, es herauszufinden, nehme ich an?«

»Das kann ich nun wirklich nicht sagen, Ma'am.« Albert hatte seinen großen Moment gehabt, jetzt war es Zeit für den Rückzug. Er wußte aus Erfahrung: wenn Mrs. Heron eine Untersuchung einleitete, dann konnte und würde jeder aus dem Personal hineingezogen werden.

»Fahren Sie weiter.«

Albert fuhr weiter, und Mrs. Heron dachte: Komisch – eben noch beantwortet der Mann ganz bereitwillig alle Fragen, und im nächsten Augenblick ist er verschlossen wie eine Auster. Sie mußte Cranswick holen und ihn nach den Einzelheiten fragen. Sie hatte jetzt starke Kopfschmerzen, sie war erschöpft und sehnte sich nach ihrem Bett. Aber sie war es Robert schuldig, die Sache aufzuklären, bevor sie schlafen ging.

Wieder hämmerte sie an die Glasscheibe. »Setzen Sie mich am Hause ab«, sagte sie. »Dann fahren Sie hinüber zur Arche Noah und sagen Sie Cranswick, ich möchte ihn sofort sprechen. Im Verwalterbüro.«

Als Nathan etwas später eintraf, saß Dorothy Heron im Sessel ihres Mannes. »Setzen Sie sich, Mr. Cranswick«, sagte sie höflich.

»Danke, Mrs. Heron.« Er setzte sich. »Darf ich Ihnen zum Tode Ihres Gatten mein tiefstes Beileid ausdrücken, Mrs. Heron.«

»Danke, Mr. Cranswick. Ich bin Ihnen dankbar für Ihre Teilnahme. Und jetzt würde ich gern von Ihnen hören, wie es dazu kam, daß die Kapelle meines Mannes niedergebrannt ist.«

»Ich weiß nicht, wie es kam, Mrs. Heron. Der Wachtmeister hat nichts feststellen können.«

»Und Sie glauben, es war ein Unglücksfall? Jemand könnte unvorsichtig gewesen sein?« Sie beobachtete ihn genau.

Seine Antwort kam langsam. »Ich glaube, es war Brandstiftung, Mrs. Heron.«

Sie stieß ein langes »Aahh« aus. »Wie kommen Sie darauf?«

Was hatte Lavinia Musgrove gesagt? *Lesen Sie das, wenn Sie nach Hause kommen, und dann verbrennen Sie es. Ich glaube nicht, daß es jemand gesehen hat. Lassen Sie es auch niemand sehen.*

Sie war eine prächtige Frau – lauter und ehrenhaft wie kaum eine. Und doch hatte er, ebenso ehrenhaft, seinen eigenen kniffligen Ehrenkodex und sah die Wahrheit anders. Er sagte: »An der Tür war ein Zettel angeheftet, darauf stand: ›Raus mit dir, Burenfreund.‹«

»Zeigen Sie ihn mir.« Sie streckte die Hand aus.

»Das tut mir leid – ich habe ihn verbrannt.«

»Ohne ihn dem Wachtmeister zu zeigen, oder sonst jemand?«

»Ja.«

»Warum?«

Er wußte es nicht. Vermutlich weil Mrs. Musgrove es ihm gesagt hatte, aber sie wollte er nicht mit hineinziehen. Seine Schlachten wollte er allein schlagen. Er schüttelte hilflos den Kopf.

Sie seufzte. »Das war sehr töricht von Ihnen, Mr. Cranswick. Sehr töricht, das muß ich schon sagen.«

Er schwieg. Eine Motte schlug – offenbar in Selbstmordabsicht – mit dem Kopf an den Schirm der Petroleumlampe und lag jetzt wild zappelnd auf der Schreibtischplatte. Mit einer ungeduldigen Handbewegung fegte Mrs. Heron sie zu Boden und fragte dann: »Ob Sie vielleicht annahmen, daß Sie mit dem Burenfreund gemeint waren?«

»Ich war kein Burenfreund«, erwiderte er unbeholfen.

»Nun, ich war überzeugt, Sie wären einer, damals beim Erntefest, und ich bin sicher, das dachten viele andere auch.«

»Ich konnte nicht einsehen, warum Menschen sterben sollten.« Er sah sie sehr ernst an, das wettergegerbte Gesicht von strengen Falten durchzogen. »Hätten Sie damals gewußt, was Sie heute wissen, Mrs. Heron, hätten Sie mir dann nicht recht gegeben?«

»Was fällt Ihnen ein!«

»Entschuldigen Sie.«

Die Petroleumlampe zischte laut. »Dann könnte man also behaupten«, sagte sie, »daß Sie zumindest indirekt schuld waren an dem Brand?«

»Nein«, sagte er dann und stand auf. Zum erstenmal hatte einer von beiden die Stimme erhoben. »Ich habe die Kapelle geliebt. Und wenn ich das sagen darf –« jetzt war seine Stimme nur noch ein Flüstern –, »ich habe auch Mr. Heron geliebt.«

»Ich behaupte ja nicht, daß dem nicht so war. Aber

durch Torheit entsteht oft mehr Unheil als durch Böswilligkeit, Mr. Cranswick. Und bei dem Erntefest haben Sie sich sehr töricht aufgeführt. Mein Mann war sehr verärgert damals.«

Eine Zeitlang hörte man nichts als das Zischen der Lampe im Raum. Dann stützte Mrs. Heron die Ellbogen auf den Schreibtisch, legte die Fingerspitzen zusammen und sagte: »Mr. Cranswick, mein Mann war außerordentlich stolz auf diese Kapelle. Er hat sie geplant, er hat die Bauzeichnungen gemacht, er hat sie bezahlt. Ohne ihn hätte es in Moreland überhaupt kein Gotteshaus gegeben. Es fällt mir schwer, jemandem zu vergeben, der zumindest teilweise schuld war an der Vernichtung, das werden Sie verstehen. Für mich ist es eine schwere Kränkung seines Andenkens.«

Nathan hatte sich wieder gesetzt. »Das heißt ganz klar, daß meine Arbeit in Moreland beendet ist. Ich werde die Arche Noah so schnell wie möglich räumen und nach Ingerby zurückgehen. Aber ich werde es nicht so schnell vergessen, daß Sie mich beschuldigen, Mr. Herons Andenken gekränkt zu haben.«

Mrs. Heron sah ihn erstaunt an. Wenn sie ihren Arbeitern Vorhaltungen machte, erwartete sie, daß die Leute »Jawohl Ma'am« murmelten, die Hand an die Mütze legten und kleinlaut das Zimmer verließen. Sie war nicht darauf gefaßt, daß man ihre Worte analysierte, eigene Schlüsse daraus zog und mit positiven Reaktionen kam. Es ging nicht an, daß dieser Mann da sich weigerte, die Arbeit weiterzuführen, mit der Robert ihn beauftragt hatte. So sagte sie eilig:

»Mr. Cranswick, mein Mann hat gewünscht, daß Sie Ihre Arbeit hier fortsetzen. Irgend jemand hat die Kapelle wiederaufgebaut, vermutlich waren Sie das? Das spricht jedenfalls durchaus für Sie.«

Nathan nickte.

»Damit ist also einiges wiedergutgemacht. Ich habe gesagt, was ich zu sagen hatte, damit ist die Luft wieder rein.

Und nun können wir hoffentlich die ganze Sache vergessen und weitermachen wie bisher.«

Zu ihrer Überraschung reagierte Nathan nicht auf ihr großzügiges Anerbieten. Er sah deutlich verstimmt aus.

»Hören Sie, Mr. Cranswick«, sagte sie, »sind Sie jetzt nicht ein bißchen kindisch?«

Er antwortete steif: »Wenn Sie wünschen, daß ich weitermache, dann werde ich das tun, Mrs. Heron. Um Mr. Herons willen.«

»Also gut«, sagte sie schon etwas geistesabwesend, denn sie war es gewöhnt, bei kleinen Leuten ohne viel Worte ihren Willen durchzusetzen. Jetzt konnte sie es sich auch leisten, ihm einen Schritt entgegenzukommen. »Sie müssen mir eine Abrechnung über die Baukosten geben, Mr. Cranswick. Mein Mann hätte nicht zugelassen, daß Sie solche Unkosten übernehmen.«

»Das ist nicht nötig, Mrs. Heron. Es ist alles bezahlt.«

Sie hob die Augenbrauen. »Offen gesagt – ich kann mir nicht vorstellen, daß Sie über solche Beträge verfügen.«

»Ja, das stimmt.« Zum erstenmal lächelte er. »Mrs. Heron, darf ich einfach sagen, daß der Allmächtige es übernommen hat, und es dabei belassen?«

Sie sah ihn befremdet an. Sie hatte es nicht gern, daß ihr jemand zuvorkam, auch der Allmächtige nicht. Aber sie war erschöpft, und sie hatte es immerhin durchgesetzt, daß Cranswick blieb. Wenn er das Geld nicht haben wollte, so war das seine Sache.

Sie erhob sich. »Gut, Mr. Cranswick.« Sie war zwar zum Umfallen müde, machte aber noch eine letzte Anstrengung. *Noblesse oblige.* »Ich freue mich, daß nun alles so weitergeht wie zuvor. Das hätte auch mein Mann gewünscht.« Sie holte tief Luft und zwang sich noch einen Schritt weiter. »Mein Mann hat Sie sehr geschätzt, Mr. Cranswick.« So – sie war bis zum Äußersten gegangen. Damit hatte sie ihre Schuldigkeit getan.

Auch Nathan genügte der Pflicht: Er neigte höflich den Kopf und ging hinaus. Das war's also – er konnte seine

Arbeit fortsetzen, und darauf allein kam es an. Leicht würde es nie wieder sein, da nun Mrs. Heron das Zepter schwang. Doch seine kleine Gemeinde gehörte ihm, die einfachen Leute brauchten auch weiterhin seine Hilfe und Führung unter Gott. Und noch etwas gab es, das er dabei nicht ganz beiseite lassen konnte: Er und die Seinen konnten in ihrem schönen Cottage bleiben, und seine geliebte Tochter zog ins Gutshaus ein. Über ihm funkelten die Sterne, Gott und seine Engel blickten auf ihn herab und beschützten Nathan Cranswick auf allen seinen Wegen. Doch der Besuch im Verwalterbüro, wo nun Mrs. Heron im Sessel des Herrn thronte, hatte ihm die Größe der Lücke gezeigt, die Robert Heron hinterlassen hatte. Ein einziger Mann hatte der ganzen Gegend den Stempel seiner Persönlichkeit aufgedrückt. Nun war er nicht mehr da. Ja, das Leben auf dem Lande ging weiter; Saat und Ernte, Pflügen und Garbenbinden gab es auch fürderhin, Lachen und Frohsinn und junge Liebe verschwanden nicht, nachdem Robert Heron unter dem Kreuz des Südens seine Ruhe gefunden hatte. Doch für alle hier nahm das Leben eine plötzlich Wendung; und weil der eine Mann verschwunden war, würde nichts wieder so sein wie zuvor.

Ein solcher Mann mußte ein Denkmal haben. Im Dunkel der Sommernacht schwor sich Nathan Cranswick, daß er ihm mit seinem Leben und seinem Dienst an dem Nächsten ein Denkmal setzen wollte. Doch das war nicht genug, es drängte ihn zu einem greifbaren Memento, das noch nach Generationen sichtbar war, wenn man Nathan und all sein Tun längst vergessen hatte. Er ging gerade an der Kapelle vorbei, als seine Gedanken an diesem Punkt angekommen waren. Kahl stand das Mauerwerk unter dem sternenflimmernden Himmel. Und hier fiel Nathan etwas ein, eine große Idee, ein Gedanke, der ihm in der Dunkelheit fast die Tränen in die Augen trieb.

Am nächsten Morgen war er schon früh hinten im Wald mit Spaten und Axt, und danach hatte er draußen vor der Kapelle zu tun. Als der Abend kam, war er fertig:

Robert Heron hatte nun sein Denkmal, und mit ihm die beiden jungen Männer, die wie er im südafrikanischen Veld ruhten. Vor der kahlen Mauer der neuen Kapelle standen jetzt drei junge Silberbirken, und der große Stein zu ihren Füßen trug, von Nathan eingeschnitten, die Inschrift: »DREI BÄUME FÜR DREI MÄNNER AUS MORELAND. 1899–1902.«

Eine Weile stand Nathan da, barhäuptig im Abendwind. Dann setzte er die Mütze auf, hob die Hand mit einer traurigen Geste, die sowohl ein Ehrengruß wie Abschied bedeutete, und machte sich auf den Heimweg. Sein Herz war erfüllt vom Gedenken an jene, die nie wieder frohgemut heimkehren oder in die Welt hinausziehen würden. Für sie gab es weder Willkommen noch Abschied mehr.

Zu Hause traf er Blanche, die gerade gehen wollte, und umarmte sie zärtlich. »Hallo, mein Kleines. Was machst du denn hier?«

»Ich hab mal reingeschaut auf dem Rückweg von Ingerby. Ich habe Guy besucht.«

»Ja – hast du?« Dies war die Gelegenheit. Nathan hatte Guy mehrfach gesehen nach dem Tode des Vaters, und gefallen hatte er ihm nicht. Er fand ihn arrogant und egozentrisch. Schlimmer noch, er argwöhnte, daß der junge Mann die Schwäche seines Vaters geerbt hatte: die Unfähigkeit, allein und auf eigenen Füßen zu stehen. Nathan sagte sich zwar, er habe keinen Grund zur Sorge, Blanche habe sich einem anderen versprochen, und ihr Ehrgefühl war über jeden Zweifel erhaben. Der einzige Grund zur Sorge war ihr weiches Herz. Doch das war wirklich ein Grund. Er mußte sie fragen, ob es ratsam sein, daß sie Guy Clulow so oft besuchte, wenn sie mit einem so grundanständigen Jungen wie Adam Musgrove verlobt war.

Sein Ton war beinahe scharf vor Unruhe, als er sie jetzt fragte: »Meinst du nicht, daß du etwas unfair bist zu beiden, Adam und Guy?«

Sie sah ihn erstaunt an. »Ich habe doch mit Adam gesprochen, Pa. Er versteht das. Und Guy ist so dankbar, daß ich komme. Ich glaube, er hat gar keine anderen Freunde in Ingerby, weil er ja so früh ins Internat kam und dann in die Army.«

Etwas ungeduldig sagte Nathan: »Und du bist ein sehr hübsches Mädchen, Blanche. Wenn der arme Kerl sich nun in dich verliebt?«

»Das tut er nicht. Er weiß ja, daß ich mit Adam verlobt bin. Er hat auch den Ring gesehen.« Sie ließ ihn aufblitzen. »Liebe Zeit, Pa – er ist Offizier und ein Gentleman.«

»Und einsam und verwundet. Denk doch mal nach, Mädchen, wie er dich sehen muß!«

»Ich habe nachgedacht. Deshalb weiß ich ja, wieviel ihm meine Besuche bedeuten.«

»Und wenn Adam dir nun weitere Besuche untersagt, wie es sein gutes Recht wäre – was würde Guy Clulow dann machen?«

Leichthin und scherzhaft ablenkend sagte sie: »Ich bin die Stafford Street hinuntergegangen, Pa. Es sah alles schrecklich eng und ärmlich aus.«

»Du spielst mit dem Feuer, Blanche. Ich weiß, du tust es, weil du ein gutes Herz hast, aber deshalb kannst du doch Feuer fangen. Und andere auch.«

»Pa, unser altes Haus ist wieder zu vermieten – Nummer siebenunddreißig. Ist das nicht merkwürdig?«

»Nein, nicht besonders. Blanche, ich will wirklich nur dein Bestes, Kind.«

»Das weiß ich doch, Pa. Danke.« Sie legte ihm den Arm um die Taille, hob den Mund und küßte ihn auf den kratzigen Bartstrich am Kinn. »Sorg dich nicht, bitte – ich bin ja nicht dumm. Und jetzt muß ich gehen, Pa.«

Er gab es für heute auf – sie hatte es immer verstanden, ihn um den Finger zu wickeln. »Ja, mein Mädchen, das weiß ich. Nun geh du nur. Ich wünsche dir ein schönes Leben mit deinem guten Adam.« Sie lächelten einander ernsthaft an, wie sie es ihr Leben lang getan hatten. Dann ging Blanche, und Nathan blickte ihr nach, wie sie den Hohlweg hinunterschritt und dann weiterging – auf ein

Leben zu, das weit in das junge herrliche Jahrhundert hineinreichte. Ihr gehörte alles: die Zeit der Saat und die Zeit der Ernte, Sommer und Winter, Sonne und Wind. Und die drei Bäume vor der Kapelle – seiner Kapelle – würden Knospen und Blätter tragen, ihr Laub abwerfen und Samen verstreuen und weitere Bäume wachsen lassen, die in noch ungeahnte Jahrhunderte hineinreichten. Drei Bäume für drei Männer. Hätte Nathan die alten Dichter gekannt, so hätte er ausgerufen: »Ich habe ein Denkmal errichtet, stärker als Bronze.« Doch er war nur ein einfacher Mann.

34

Als Tom eines Vormittags den unteren Weg entlangschlenderte, traf er auf eine junge Dame. Es war eine mo-
disch gekleidete junge Dame, die auf hohen Absätzen
stöckelte; ein weißer Sonnenschirm sollte den empfindli-
chen Teint vor der Sonne schützen. Dazu trug sie auch
noch einen Strohhut, der aber nur dazu diente, den Glanz
der rotbraunen Haare noch zu unterstreichen.

Tom wollte gerade seine Mütze abnehmen, wie es sich
bei einer Dame gehörte, als ihn ein lauter und nicht sehr
melodischer Ruf einhalten ließ. »Tom Cranswick –
Mensch, wie bist du gewachsen! Ich hätte dich fast nicht
erkannt.«

»Dina!« Sein Herz tat einen Sprung vor Freude und leiser Angst, wie immer, wenn er Dina erblickte.

Sie wirbelte ihren Sonnenschirm. »Gefall ich dir? Alles
neueste Londoner Mode. Überhaupt – London müßtest
du mal sehen! Fabelhaft, sag ich dir.«

Tom vergaß die Beklommenheit, die bei Dinas Worten
und Gesten in ihm aufsteigen wollte, weil sie ihm mit so
warmer und ungekünstelter Freude entgegenkam. Voller
Bewunderung starrte er sie an, was ihr offensichtlich gefiel. Sie fragte:

»Du – warum bist du nicht in der Schule?«

»Ich geh nicht mehr zur Schule«, sagte er stolz. »Ab
nächste Woche arbeite ich im Gutshaus.«

»Und wo gehst du jetzt hin?«

»Spazieren.«

»Komm mit – wir gehen zum Fluß runter. Weißt du
noch, wie du damals Angst hattest vorm Wasser?«

»Ja«, sagte er unglücklich – nicht nur, weil ihn niemand an seine Furcht zu erinnern brauchte, sondern auch, weil er immer noch Angst hatte vor dem Wasser. Aber er ging mit. Die feine junge Dame im geblümten Rüschenkleid, das bis auf den Boden reichte, hatte ja wohl heute nichts mit Waten im Sinn.

Unter dem schwül drückenden Himmel brütete die Mittagshitze. Die Pferde hielten die Nüstern dicht an die Baumstämme, stampften mit den Hufen und wieherten gedämpft. Die Kühe standen reglos mit peitschenden Schwänzen. Nur die Insekten waren in voller Bewegung, flogen umher und summten und ließen sich von der ungewöhnlichen Hitze nicht stören. Und der Fluß wirbelte und gluckste und tanzte in glitzernden Wellen – er blieb kühl. Tom und Dina saßen am Ufer und sahen ihm zu.

Doch die Versuchung war zu groß. Tom erschrak, als Dina plötzlich die Schuhe mit den hohen Absätzen wegschleuderte, den Rock hochzog, die Strümpfe abstreifte und juchzend ins Wasser lief, wobei sie den Rock über den Knien festhielt. Tom war zu jung, um jemals ein Paar weibliche Knie gesehen zu haben, aber nicht mehr zu jung, um den Anblick nicht interessant zu finden. Er konnte nicht sagen, was lockender war, der silberne Trentfluß oder der lachende und winkende Rotschopf im Wasser. Einerlei: Tom wandte sich schamvoll ab und zog Stiefel und Strümpfe aus. Nur angetan mit Kniehosen, Hemd, Weste, Jacke und Mütze, tat er dann vorsichtig zwei Schritte ins Wasser.

Der erste Schock war die Kälte, denn das Wasser fühlte sich trotz der Mittagshitze eiskalt an. Tom keuchte. Dann war der Schreck vorbei, und er fand sich begeistert in einer silbrig glitzernden Welt. Das Wasser liebkoste nicht nur Füße und Beine, es übertrug auf den ganzen Körper ein Gefühl tiefen Wohlbehagens. Jetzt schlug Dina mit der Handfläche auf das Wasser und bespritzte ihn mit funkelnden Tropfen. Er wollte es ihr gleichtun, doch plötzlich sah er, daß sie es gewagt hatte, ihr Kleid in die Hose zu stopfen, und dieser Anblick raubte ihm die Fassung. Regungslos blieb er stehen.

Aber das genügte Dina nicht. Sie watete auf ihn zu, ergriff seine beiden Hände, hielt ihn mutwillig lachend um Armeslänge von sich ab und begann, sich mit ihm im Kreise zu drehen. Immer schneller, immer schneller wirbelten sie herum, bis Tom schrie: »Nein – nicht!« und dabei lachte, wie er in seinem ernsthaften jungen Leben noch nie gelacht hatte. »Halt – hör auf, Dina!«

Aber sie rief: »Schneller! Schneller!« und ließ ihn nicht los. Sie kreiselten lachend und keuchend weiter und wirbelten mit den Füßen den mulmigen Boden auf, bis das Unvermeidliche geschah: Toms Fuß verfing sich unter Wasser in einer Dornenranke, er schrie auf und fiel rückwärts ins Wasser.

Er hatte wirklich Pech, der Arme. Zum erstenmal im Leben hatte er erlebt, wie köstlich es ist, an einem heißen Tag in kühles Wasser einzutauchen. Und gerade als es am schönsten war, versank er wieder in Scham und Schrekken, und die alte Angst legte sich wie ein schwerer Mantel über ihn. Er geriet einen Augenblick mit dem Kopf unter Wasser, dann half ihm Dina lachend auf die Beine und zog ihn ans Ufer. Mitfühlend betrachtete sie ihn und sagte:

»Was machen wir jetzt? Willst du nach Hause gehen und dich umziehen? Oder schimpft deine Ma?«

Nein, Ma würde nicht schimpfen. »Ich glaube, wenn ich 'ne Weile in der Sonne rumlaufe, werden die Sachen bald trocken.«

»Du, ich weiß was. Zieh die Sachen aus und gib sie mir. Ich guck nicht hin. Dann wringe ich sie aus, und wir legen sie in die Sonne.«

Tom marschierte also ein paar Schritte feldeinwärts und legte Hemd, Jacke und Weste ab, weigerte sich aber hartnäckig, sich auch noch von den Kniehosen zu trennen. Als er dann in sparsamster Bekleidung wieder neben Dina saß, lachte sie und meinte: »Du bist wirklich ganz anders als die Jungens in London – die hätten ihre Hosen gleich ausgezogen.« Und kichernd flüsterte sie ihm zu: »Und meine auch noch.«

Sie sah, wie ihm die Röte ins Gesicht stieg. »Ach du – jetzt habe ich dich wieder verschreckt, was? Mach ich immer. Aber – aber ich bin froh, daß du nicht so bist. Wahr und wahrhaftig.« Langsam kam ihr Gesicht näher. Tom blickte sie so gebannt an wie das Kaninchen die Schlange. Ihre Lippen legten sich auf seinen Mund, er fühlte die wundervolle Weichheit, die leichte Feuchtigkeit ihres Mundes, und er roch ihr Parfum. Sie küßte ihn, sanft und lange und zärtlich. Dann zog sie das Gesicht zurück und sagte leichthin: »Du, was ist denn mit der Kapelle passiert, als ich fort war? Die ist ja ganz neu.«

»Niedergebrannt.« Tom war mit den Gedanken weit mehr bei dem überwältigenden Kuß als bei der Kapelle.

»Na so was. Du, dir ist bestimmt kalt um den Bauch rum.«

»Nein, gar nicht.« Unter keinen Umständen wollte er seine Hose hergeben.

»Mrs. Hill sagt, sie war einfach platt, als sie die neue Kapelle zuerst sah. Sie sagt, dein Vater hat sie aufgebaut, ganz allein, und 'n neues Harmonium und neue Lampen und Gesangbücher hat er auch alles selber angeschafft. Du, sieh mal, wie deine Jacke dampft.«

»Ja. Ich ziehe sie gleich wieder an.«

»Der muß aber klug sein, dein Vater. Mrs. Hill sagt, Mrs. Heron müßte das eigentlich alles bezahlen, weil – na ja, dein Vater ist ja kein reicher Mann.«

»Nein. Aber er sagt, der Herrgott hat's ihm gegeben.«

»Wirklich?« Das schien ihr zu imponieren, ihre grünen Augen leuchteten auf. »So was wie ein Wunder, meinst du?«

»Na ja, es war nicht nur der Herrgott, weißt du . . .« Es war nun alles so lange her, gleich bei Kriegsanfang war es gewesen. Er wußte nur noch, daß irgendeine Angst damit verbunden war. Aber der lange süße Kuß hatte seine Gedanken durcheinandergebracht. Er schluckte und sagte: »Kann ich dich – noch mal küssen?

Ihre Augen tanzten. »Na klar, Tommy!« Sie legte ihm den Arm um den Hals, zog seinen Kopf etwas unsanft zu sich heran und preßte ihm die Lippen auf den Mund. Als sie ihn endlich von sich schob, waren seine Gedanken noch stärker durcheinandergeraten. Doch sein Gedächtnis hatte sogar während der Ekstase funktioniert und brachte jetzt ein Bild zutage: Er sah sich selber und Jack, Bauklötze, Pa las weinend einen Brief, den Ma dann laut vorlas. Ein Brief von Tante Täubchen war es, irgendwas mit hundert Pfund, die Mr. Clulow ihr hinterlassen hatte. Und dann sagte Ma: Das war nicht der Herrgott, das war Tante Täubchen und Mr. Clulow. Und Mr. Clulow tat noch aus dem Grab heraus etwas Gutes, so hatte Ma gesagt, und das hatte Tom so erschreckt, damals.

Aber jetzt war er älter geworden und konnte alles klarer sehen. Er fuhr sich mit dem Handrücken über die Lippen und sagte: »Jetzt ist es mir wieder eingefallen. Ich hab doch gesagt, es war nicht nur der Herrgott. Es war nämlich auch Tante Täubchen. Jemand – Mr. Clulow hatte ihr Geld hinterlassen, und das hat sie meinem Pa gegeben.«

»Wer ist Tante Täubchen?«

»Die Schwester von meinem Pa.«

Dina hatte einen hellen Kopf. Der Aufenthalt in London hatte ihre Erinnerung an die Dame nicht gelöscht, die damals zuerst als Mr. Cranswicks Liebchen und dann als Mr. Cranswicks Schwester auftrat, und die außerdem von der Zeitung als *Frau im Liebesnest* tituliert worden war. Gespannt fragte sie:

»Du, ist das die Dame, die in der Arche Noah wohnte, bevor ihr da eingezogen seid?«

Tom nickte. Er hatte heute zwei große Freuden kennengelernt, Im-Fluß-Waten und Küssen, und er hatte keine Lust, sich jetzt noch mit anderen Dingen zu beschäftigen, auch nicht mit der Kapelle. Lieber zurück zum Küssen, und das bald.

Aber zu seiner Enttäuschung war Dina bereits auf den Füßen und raffte seine Sachen zusammen. »Und Mr. Clulow? War das der Pfarrer?« fragte sie.

Tom nickte unlustig, was Dina jedoch nicht bemerkte. Sie wollte jetzt fort, so schnell wie möglich. Das Leben hatte ihr nicht viele Freuden zu bieten; und wenn man ein bißchen harmlosen Klatsch an Mrs. Hill weitergab, so war das nicht nur eine Freude. Es war das einzige, was die Haushälterin mal von ihrem hohen Pferd herunterbrachte und sie veranlaßte, das kleine Küchenmädel fast wie einen Menschen zu behandeln.

35

Diesmal wurde Nathan nicht zum Sitzen aufgefordert. Mrs. Heron saß im Sessel ihres Mannes und starrte auf die Schreibtischplatte. Erst nach einer Weile hob sie langsam den Kopf, und Nathan sah zum erstenmal den Haß, der ihr Gesicht verzerrte.

Sie starrten einander an, lange und schweigend. Dann knurrte Mrs. Heron wie ein gereizter Hund; es war ein tiefes männliches Grollen, das aus ihrem Innersten zu kommen schien. »Wie können Sie es *wagen*, Mr. Cranswick? Wie können Sie es *wagen*!«

Ihn überkam Angst; er hatte solchen Zorn noch nie erlebt. Aber einschüchtern ließ er sich nicht, und so fragte er äußerlich ruhig: »Was haben Sie mir vorzuwerfen, Mrs. Heron?«

»Sie haben das Andenken meines Mannes geschändet. Erstens das.«

Er sah sie betroffen an. »Das würde ich niemals tun, Mrs. Heron.«

»Wollen Sie mir dann bitte erklären, was die drei Bäume an der Kapelle bedeuten und die Inschrift: Drei Bäume für drei Männer aus Moreland?« Ihre Stimme wurde fast seidenweich. »Wer waren denn die drei Männer, Mr. Cranswick?«

»Das waren Fred Jackson, Alf Watson – und natürlich Mr. Heron.«

Sie starrte ihn immer noch an und drehte dabei einen Bleistift in den Fingern. Knack – der Bleistift war in zwei Teile gebrochen. »Ist Ihnen nicht klar, daß mein Mann Offizier war? Daß er als Kommandeur eine Kavallerieschwadron hinter sich hatte? Und Sie – in Ihrer stupiden Arroganz besitzen die Unverfrorenheit, ihn mit Tom, Dick und Harry in einen Topf zu werfen!«

»Sie sind alle drei für ihr Vaterland gefallen«, sagte Nathan ohne Bewegung.

Sie schwieg einen Augenblick und warf dann den zerbrochenen Bleistift auf den Boden. »Nun, wenn Sie keinen Unterschied sehen zwischen einem Kommandeur und – Kanonenfutter, dann können Sie mir leid tun. Aber ich will damit keine Zeit verschwenden. Es gibt noch etwas sehr viel Wichtigeres.«

»Aber ich bin noch nicht fertig damit«, sagte Nathan rauh. »Ich habe das getan, weil es mir ein Herzensbedürfnis war. Weil ich Mr. Heron und den beiden Jungen eine Ehre erweisen wollte. Und wenn das ausgerechnet Ihnen nicht gefällt, dann tun Sie mir leid, Mrs. Heron.« Er drehte sich um und wollte das Zimmer verlassen. Ihr Befehl hielt ihn zurück.

»Bleiben Sie hier, Cranswick«, sagte sie scharf. »Ich habe gesagt, es gäbe noch eine andere Sache.«

Widerwillig wandte er sich um. »Ja – und?« fragte er böse.

Sie setzte sich im Sessel zurück und verschränkte die Finger im Schoß. Ihr Zorn hatte sich noch nicht gelegt, aber diese Szene wollte sie auskosten. »Mr. Cranswick. Sie haben mir erzählt, der Allmächtige habe für den Wiederaufbau unserer Kapelle gesorgt. Ich stelle fest, das war eine heimtückische Lüge.«

Nathan war in seinem Leben noch niemals einer Lüge bezichtigt worden; es war für ihn so neu und erschreckend, daß er fast zurücktaumelte. Er brauchte eine Zeitlang, bevor er hervorbrachte: »Wollen Sie diese Feststellung bitte begründen?«

»Na schön.« Sie lehnte sich fester zurück in den Sessel. »Es könnte ja sein, daß das Geld wie Manna vom Himmel gefallen ist, zu Ihren Füßen. In diesem Fall nehme ich selbstverständlich meine Worte vorbehaltlos zurück. Ich muß aber sagen, daß mir die andere Version, die mir zu Ohren kam, doch sehr viel wahrscheinlicher vorkommt.«

»Welche andere Version, Mrs. Heron?« fragte Nathan kaum hörbar.

Sie setzte sich gerade auf. »Die Version, daß Sie die Kapelle –« ihre Stimme schwankte – »daß Sie *meines Mannes Kapelle* mit dem Geld wiederaufgebaut haben, das Sie von dieser – Frau, Ihrer Schwester, erhalten hatten. Und nicht nur das. Das Geld wurde ihr hinterlassen von ihrem Liebhaber –« sie spuckte die Worte fast aus – »für geleistete Dienste.«

Nathan starrte sie beinahe ungläubig an. »Ja, Mrs. Heron, die Tatsachen stimmen. Aber ich hätte mir denken können, daß das genau *Ihre* Auslegung ist.« Ohne Aufforderung zog er einen Stuhl heran und setzte sich ihr gegenüber, ohne einen Augenblick die Augen von ihr zu wenden. »Mr. Clulow hat meine Schwester geliebt, und sie liebte ihn. Das Geld war ein Beweis seiner Liebe. Meine Schwester liebt mich, und das Geld war ein Beweis *ihrer* Liebe. Und ich, Mrs. Heron, habe Ihren Mann geliebt und bewundert, und was ich mit dem Geld machte, das war ein Beweis *meiner* Liebe. Und wenn Gott die Liebe ist, wie ich es fest glaube, dann würde ich auch jetzt noch sagen, der Herrgott hat's gegeben.«

»Das ist spitzfindiger Unsinn.«

»Was also soll ich jetzt tun, Mrs. Heron?«

»Tun? Sie sollen überhaupt nichts mehr tun, sondern sich von dort fernhalten. Unsere Arbeiter werden die Kapelle niederreißen, dann werde ich eine neue bauen, und zwar mit Geld, das nicht – das keine Schmutzspuren trägt.«

Wieder sah er sie fassungslos an. »So weit wollen Sie gehen?«

»Was erwarten Sie denn von mir? Sie glauben doch nicht, ich würde jemals dort niederknien? Oder annehmen, daß sonst jemand es täte? Eine Schändung wäre das.«

Nathan sprang heftig auf, doch seine Stimme war beherrscht, als er erklärte: »Das Cottage steht zu Ihrer Verfügung, so schnell ich es räumen kann. Wenn ich wieder in Ingerby bin, werde ich auf der methodistischen Kirchenbehörde Bescheid sagen, daß Sie jemand für den Gottesdienst brauchen. Ich hoffe, Sie werden der Gemeinde einen letzten Gruß von mir bestellen. Ich wünsche Ihnen alles Gute und Gottes Segen.« Einen Augenblick kniff er die Augen zusammen wie in plötzlichem Schmerz. Dann verließ er das Zimmer und schloß die Tür hinter sich. Es fiel kein weiteres Wort.

36

Blanche war zu dieser Zeit im Krankenhaus, um Guy Clulow zu besuchen.

Es ist meist ein trauriger Irrtum, wenn Schwerkranke
meinen, Gesunde könnten ihnen Kraft und Stärke geben.
Guy starrte hungrig auf Blanches weiche sonnenge-
bräunte Wangen. Ach, wenn er sie nur berühren könnte!
Ein Strom der Heilung müßte von ihr ausgehen, wie der
elektrische Strom, der eine Batterie speist.

»Darf ich deine Hand nehmen?« fragte er bittend.

Sie war erstaunt, aber sie erriet, was ihn bewegte:
»Wenn du willst«, sagte sie zögernd.

Ihre Hand war warm und drückte die seine mit festem
Griff. Aber von Zauber war keine Rede; die Lebenskraft
blieb in ihr verschlossen und teilte sich ihm nicht mit. Er
fühlte sich leer und ausgelaugt, und nach einer Weile zog
er die Hand zurück und sagte schwer:

»Ich weiß nicht, wie ich ohne dich mit dem Leben fertig
werden soll.«

»So darfst du nicht zu mir sprechen, Guy. Ich bin verlobt, und das weißt du auch.«

Er sah aus wie ein kleiner Junge, dem seine freundliche
Kinderfrau einen Klaps versetzt hat. »Bitte, sei mir nicht
böse, Blanche. Das könnte ich nicht ertragen.«

Ihr Herz schmerzte vor Mitleid; aber sie verachtete ihn
nicht, sie verachtete nur sich selber, weil sie ihm nicht helfen konnte und weil das Mitleid in ihrem Herzen sich wie
ein kalter Stein anfühlte, dem Wärme und Zärtlichkeit
fremd waren. »Verzeih mir, Guy. Ich hab's nicht so gemeint. Nur – ich bitte dich, vergiß nicht –« sie hob die

linke Hand –»es ist doch sehr großzügig von Adam, daß er mich herkommen läßt.«

»O ja – selbst die Hunde fressen die Brosamen, die von des Reichen Tische fallen, nicht wahr«, gab er mit einem Anflug seines alten Sarkasmus zurück.

»Sei doch nicht so bitter, Guy«, sagte sie ruhig und fast bittend. »Du hilfst niemandem damit.«

Er blickte sie lange und fest an und zuckte dann die Achseln. »Du wirst niemals glücklich werden mit so einem robusten Farmer, Blanche, laß es dir gesagt sein. Du brauchst jemanden zum Bemuttern.« Er starrte sie immer noch an. »Mein Gott – ersticken wirst du bei ihm.«

Sie erhob sich. »Ich muß jetzt gehen, Guy.«

»Du kommst doch wieder?« fragte er drängend.

»Ja, natürlich.« Sie legte eine Hand auf seinen Arm. »Guy, ich will dir was sagen. Versuche mal, dir nicht so leid zu tun.«

Er hatte nicht zugehört. »Nächsten Donnerstag, ja?«

»Nein. Aber ich komme wieder, das verspreche ich dir.«

»Warum dann nicht nächsten Donnerstag?« fragte er barsch.

»Weil ich nach London muß.«

»Nach London? Du, eine Feldmaus? Wozu denn?«

Blanche war nicht imstande, einen Menschen einfach abzuweisen oder sich herauszureden. Kläglich sagte sie: »Ja, es ist – Adam wird das Military Cross verliehen.« Und dann konnte sie doch ihren Stolz nicht ganz verbergen, als sie hinzufügte: »Vom König, im Buckingham Palace.«

»So, so – das M. C. kriegt er. Da ist es ja kein Wunder, daß du für ein Wrack wie mich keine Zeit hast. Dann amüsiere dich nur recht gut.«

»Danke. Auf Wiedersehen, Guy.« Sie ging, und ihr war, als käme sie aus dem Gefängnis. Draußen zog sie die saubere klare Luft in so tiefen Zügen ein, als werde sie dadurch von ihrer Schuld befreit: von der Schuld eines reichgesegneten gesunden Menschen, der nicht das geringste tun kann, um das Los eines Mitmenschen zu erleichtern.

Nathan ging in der Mittagsstille nach Hause. Ringsum hatte sich die Natur so geschmückt, wie es auch an einem schönen englischen Sommertag nicht oft geschieht: Die Vögel zirpten und flatterten in allen Hecken, vierundzwanzig Stunden lang erschien keine Wolke am Himmel, kein Blatt regte sich, und die Sonne zog über den blauen Himmel wie ein goldenes Schiff, das sich durch den weiten Ozean pflügt.

Heute hatte Nathan kein Auge für die Natur. Sein Kopf war zu sehr angefüllt mit anderen Dingen, und auch Schnee oder Hagel wäre ihm kaum ins Bewußtsein gedrungen. Er bebte noch immer, weil man ihn einen Lügner nannte und seine Absichten so gröblich mißverstanden hatte. Vor allem aber bedrückten ihn jetzt praktische Probleme – und der Gedanke, daß die anderen leiden mußten um seinetwillen.

Arme Zilla. Er mußte ihr beibringen, daß für ihn der einzige Weg – aus praktischen und aus Gründen des Ehrgefühls – zurückführte nach Ingerby, wo er Wohnung und Arbeit finden mußte. Armer Tom: grüne Wiesen und Felder mußte er hergeben für graue Straßen, die Arbeit bei Mrs. Musgrove für einen Platz in der Fabrik. Armer Jack: nicht mehr das weite offene Tal, sondern die öde Stadt, in der er aufwachsen mußte. Blanche war die einzige, die von dem Wechsel unberührt blieb. Sie würde unter blauem Himmel weiterleben.

Sein Heimweg führte an der Hall Farm vorbei. Einer Eingebung folgend trat er an die Haustür und klopfte. Er durfte nicht fortgehen, ohne sich zu verabschieden, auch wenn es noch so schwierig und peinlich war.

Blanche öffnete ihm. Er sagte. »Hallo, mein Kleines. Ist Mrs. Musgrove zu Hause?«

»Ja.« Sie trat zur Seite, und er kam herein. Als sie seine Mütze in Empfang genommen hatte, gab er ihr einen Kuß und sagte:

»Bevor ich hineingehe – wir kehren zurück nach Ingerby.«

Sie erschrak. »Warum denn, Pa?« War dies etwa ein Wink des Schicksals, damit sie sich entscheide: für Moreland und Adam, oder für Ingerby und Guy?

»Ich sag's dir später«, flüsterte er.

»In unser altes Haus? Es steht leer, das sagte ich dir.«

»Ach ja, natürlich – das hast du mir ja erzählt. Hatte ich ganz vergessen.«

»Ich sag Mrs. Musgrove Bescheid, daß du hier bist.« Sie verschwand, kam dann zurück und führte ihn ins Wohnzimmer.

Lavinia, ein Glas in der Hand, begrüßte ihn herzlich. »Nathan! Ich kann Ihnen wohl keinen Sherry anbieten, was?«

»Ein halbes Dutzend hätte ich gern«, sagte er müde.

»Mein Gott, was – hier, nehmen Sie Platz. Ich gebe Ihnen erst mal einen.«

Er ließ sich in einen Sessel fallen. Sie füllte sein Glas bis zum Rand und gab es ihm fürsorglich in die Hand. »Sie sehen aus, als seien Sie rückwärts durch eine Hecke geflogen.«

»Bin ich wohl auch. Ich bin gekommen, um Ihnen zu sagen, daß ich fortgehe, Mrs. Musgrove.«

»Das können Sie nicht tun. Wir brauchen Sie.«

Er lächelte, und wie immer verzog sich dabei sein Mund in viele Fältchen. »Ich – es tut mir leid. Aber ohne Mr. Heron habe ich hier wirklich nichts mehr zu suchen.«

Sie sah ihn scharf an. »Hat Dorothy – Mrs. Heron Ihnen irgendwas angetan?«

»Nein, nein. Ich fürchte, ich habe ihr etwas angetan.«

»Verdammt. Aber ich hab's kommen sehen. Kann ich irgendwas tun für Sie?«

»Nein. Aber trotzdem vielen Dank.«

Sie seufzte. »Und was wollen Sie nun machen?«

»Ich gehe zurück nach Ingerby. Blanche hat mich gerade daran erinnert, daß unser altes Haus zu vermieten ist.«

»Ja, aber hatten Sie nicht Ihr Geschäft verkauft?«

»Doch, das stimmt. Aber ich kann wieder zur Eisenbahn gehen; da habe ich mit dreizehn angefangen. So schließt sich der Kreis, könnte man sagen.«

Sie blickte ihn zornig an. »Nathan! Warum schimpfen und toben Sie nicht? Warum sagen Sie nicht laut, daß meine Freundin Dorothy eine dumme und hartherzige Person ist?«

»Es ist ja nicht ihre Schuld, Mrs. Musgrove. Vielleicht liegt es an ihrem Stand und an ihrer Religion, ich weiß es nicht. Im Grunde ist es wohl meine Schuld. Anfangs, als ich herkam, da habe ich bald festgestellt, daß Mr. Heron und ich nicht in allem gleich dachten und daß er zu einer anderen Welt gehörte. Nun, damals hielt ich mich für klug genug, um das auszugleichen.« Er hob die Schultern. »Wäre er am Leben geblieben, so hätte ich es vielleicht auch gekonnt. Aber er ist nicht mehr, und ich gehe nun am besten dahin zurück, wohin ich gehöre.«

»Und fangen noch einmal an«, sagte sie, und er hörte das tiefe Mitgefühl und auch das Verständnis in ihrer Stimme.

»Ja, ganz unten«, sagte er lächelnd und stand dann auf. »Nun muß ich gehen, Mrs. Musgrove. Ich danke Ihnen sehr – für alles.«

Sie hatte sich ebenfalls erhoben. »Sie werden nicht lange unten bleiben, Nathan, dazu kenne ich Sie zu gut.« Liebevoll lachte sie ihn an. »Von Ihnen hätten wir alle noch was lernen können.«

Es mußte am Sherry liegen, daß seine Augen auf einmal voller Tränen standen, so daß er seiner Tochter die Mütze aus der Hand riß und mit gemurmelten Entschuldigungen das Haus fast im Laufschritt verließ. Mrs. Musgrove sagte:

»Komm ins Wohnzimmer, Blanche. Setz dich.« Sie füllte zwei Gläser mit Sherry. »Hier. Und nun sag mir mal, was wird jetzt mit dir? Deine Eltern gehen zurück nach Ingerby.«

»Ja, ich weiß, Mrs. Musgrove.«

»Wenn du in der Nähe deiner Eltern bleiben willst, müßtest du mitgehen, und dann kannst du mir hier im Hause nicht mehr helfen, das ist klar. Wie ist das, möchtest du hierbleiben bis zu eurer Hochzeit?«

Zu ihrem Befremden schien Blanche nicht begeistert von dem Vorschlag. Leicht gereizt sagte Mrs. Musgrove: »Ich denke doch, du hast es gut hier. Und daß Adam hier ist, sollte noch ein weiterer Anziehungspunkt sein.«

Etwas abwesend erwiderte Blanche: »Es ist bloß – in Ingerby ist nämlich jemand im Krankenhaus, den ich besuchen muß. Er ist im Krieg schwer verwundet worden. Das – das liegt mir etwas schwer auf der Seele, Mrs. Musgrove.«

»Tatsächlich?« Lavinia schien nicht gerade erfreut von dieser Mitteilung. »Weiß denn Adam von dieser Last auf deiner Seele?«

»O ja, er fährt mich ja manchmal hin, ins Krankenhaus. Aber das kann ich natürlich nicht immer von ihm erwarten.«

»Nein, Blanche, das kannst du allerdings nicht.« Lavinia war nahe daran, die Geduld zu verlieren. In diesem Augenblick stürzte Adam ins Zimmer.

»Sherry, Mutter. Bitte einen Sherry, um Allahs willen! Hallo, Blanche.« Er umarmte sie so stürmisch, daß ihr Glas überfloß.

»Erzähle Adam, was los ist, Blanche«, sagte Mrs. Musgrove.

Blanche wußte, sie hatte sich bei diesem Gespräch bisher nicht sehr gut gehalten. Etwas unsicher sagte sie: »Meine Eltern gehen zurück nach Ingerby, Adam.«

»Ach ja? Na, da gibt's keine Probleme. Du bleibst eben hier bis zur Hochzeit. Alles völlig in Ordnung – wir haben ja meine liebe Mutter als Anstandsdame.«

»Blanche meint aber, für sie wäre es einfacher, in Ingerby zu wohnen, weil sie dann ihren Freund im Krankenhaus besuchen kann«, sagte Lavinia eisig.

»Nun hör mal zu, mein Mädchen«, sagte Adam. »Ich denke, damit machen wir jetzt Schluß. Ich glaube, ich bin wirklich kein schlechter Kerl. Aber ich mag den Mann einfach nicht.«

»Das hat doch aber wirklich nichts damit zu tun.«

»Es hat sehr viel damit zu tun. Er nutzt deine Gutherzigkeit aus, das ist es.«

Jetzt stampfte Blanche mit dem Fuß auf. »Er ist schwer verwundet, Adam. Er hat für sein Land gekämpft. Und er hat überhaupt keine Freunde –«

»Das wundert mich nicht.« Adam lachte spöttisch.

»Ich verstehe euch nicht – beide nicht«, sagte Blanche bittend. »Guy ist vielleicht nicht dein Ideal, Adam – und meins auch nicht. Aber er ist ein Mensch, und er hat Schmerzen. Siehst du denn nicht ein, daß er Hilfe und Pflege – und Liebe braucht?«

Das war nicht ganz das richtige Wort. Lavinias und Adams Köpfe fuhren auf wie die Ohren eines Feldhasen beim ersten Schuß; so beschrieb es Adam später bei sich. Dann sagte Mrs. Musgrove eilig: »Ich habe noch in der Küche zu tun, ich lasse euch jetzt allein.« Sie ging hinaus und warf Blanche, als ihr Sohn ihr die Tür aufhielt, einen besorgten Blick zu.

Adam schloß die Tür und kam zurück. Seine Sicherheit war verschwunden, er sah unglücklich aus, als er grollend fragte: »Liebe, hast du gesagt?«

»Ich meinte fürsorgliche Liebe, Adam. Wie sie Ärzte und Krankenschwestern für ihre Patienten haben.«

Einen Augenblick schien er erleichtert, er setzte sich neben sie und nahm ihre Hand. »Komm, mein Liebes, dies ist nicht ganz leicht für mich. Ich glaube, wir sollten der Sache mal auf den Grund gehen.«

Sie drückte ihm die Hand. »Ach, Adam, hier ist nichts zum Auf-den-Grund-Gehen.«

»Wirklich nicht?« Er sah sie ernst an, dann beugte er sich vor und küßte sie auf die Nase. Seine Erleichterung hielt nicht lange an. »Tut mir leid, Blanche, aber ich muß dich etwas fragen, obgleich wir verlobt sind. Wen liebst du, mich oder diesen Clulow?«

Schweigen. Blanche dachte an Guy, wie er war, wenn er die Maske aus Sarkasmus und zynischer Abwehr fallen ließ. Sie sah im Geist das blasse hagere Gesicht, den Schmerz und die Hoffnungslosigkeit, und mit Bestürzung erkannte sie zum erstenmal, daß ihre Liebe nicht nur fürsorgliche Liebe war. Guy, egoistisch und voller Selbstmitleid, war ihre erste und einzige Liebe, ein Teil ihrer Kindheit und Jugend, ihres ganzen Lebens; es war sein verwundeter Leib, den sie in die Arme nehmen wollte. Er war es, nach dem sie sich mit ihrer ganzen Zärtlichkeit sehnte.

Und so sagte sie langsam, während sie mit Adams Fingern spielte: »Ich glaube, ich liebe euch beide, Adam. Aber dich könnte ich in einem Jahr vergessen haben. Und du – widersprich mir nicht – du könntest mich in einem Monat vergessen haben. Nur – wenn ich dich heirate, könnte ich Guy Clulow niemals vergessen. Abends im Winter, wenn ich die Vorhänge zuziehe, stände er draußen im Regen und blickte herein. Sein Geist würde unsere Liebe vernichten.«

»Sein Geist«, wiederholte Adam heiser. »Sein Geist.« Dann setzte er sich aufrecht, räusperte sich und fragte: »Meinst du denn wirklich, du könntest glücklich werden, wenn du einen Geist heiratest?«

»Ich spreche nicht von *meinem* Glück. Du hast mich gefragt, wen ich liebe. Ich hatte mich das noch nie gefragt. Jetzt habe ich's getan und hab's dir gesagt. Und mir selber auch.« Sie begann, den Ring vom Finger zu streifen.

»Moment mal. So einfach wirst du mich nicht los. Ich liebe dich doch, weißt du das denn nicht? Und du hast eingewilligt, meine Frau zu werden, weißt du auch das nicht mehr?«

»Adam, ich verstehe das alles nicht ganz richtig«, sagte sie leise. »Wenn ich mich jetzt falsch benehme, dann mußt du es meiner Unwissenheit zugute halten – und mir verzeihen.«

»Du benimmst dich allerdings gründlich falsch, verdammt noch mal.« Er hatte die Stirn gerunzelt und blickte sie trotzdem liebevoll an. »Ehrlich gesagt, bewundere ich dich noch mehr als bisher, aber ich finde doch, du benimmst dich wie eine Närrin. Und auch nicht sehr anständig, muß ich schon sagen.«

Nachdenklich erwiderte sie: »Es ist doch eigentlich nichts Schlechtes, wenn man sich wie eine Närrin benimmt. Es muß nur für eine gute Sache sein.«

»Ich finde nicht, daß es für eine gute Sache ist. Hör zu, Blanche, überleg es dir wenigstens noch mal, um Himmels willen.« Plötzlich hatte er eine wunderbare Idee. »Du weißt ja überhaupt gar nicht, ob der Kerl dich heiraten möchte.«

»Doch, das weiß ich. Er hat mich gefragt.«

»Er hat dich gefragt? So ein Halunke! Wann? Wußte er, daß du verlobt warst?«

»Ja. Nein.« Die scharfe Fragerei verwirrte sie. »Er hat – ich glaube, es war an dem Tag, als – nein, ich weiß es nicht mehr.«

Normalerweise betrat Lavinia Musgrove ein Zimmer mit dem Aplomb eines Polizisten, der eine Verhaftung vornehmen will. Jetzt schob sie sich zögernden Schritts vorsichtig durch die Tür. Adam ging auf sie zu, legte ihr den Arm um die Schultern und sagte ruhig:

»Mutter, Blanche und ich werden nicht heiraten. Sie meint, Clulow brauche sie nötiger als ich, und ich will das gar nicht bestreiten. Ich halte ihn nicht für einen großartigen Charakter, und ich fürchte, es wird ihr noch leid tun, und das wünsche ich ihr nicht. Aber ich bin nur ein einfacher Farmer, ich kann nicht den lieben Gott spielen. Ich kann nicht mal für mein Recht eintreten, weil ich so einen armen Kerl wie den da nicht zusammenschlagen kann.« Er ging zur Tür und öffnete sie. »Lebewohl, Blanche. Küssen möchte ich dich lieber nicht.«

Lavinia Musgrove sagte kein Wort. Blanche sah sie bittend an, doch Lavinia wandte die Augen ab. Blanche ging zur Tür; ihre Lippen formten das Wort »Lebewohl«, aber es kam kein Laut. Als sie durch die Tür ging, verneigte sich Adam mit verzerrtem Gesicht. Sie hörte, wie die Tür hinter ihr ins Schloß fiel. Dann war sie draußen unter dem sonnigen Himmel: verletzt, erschrocken, verwirrt – aber sie wußte, sie hatte nicht anders handeln können.

Sie machte sich ohne Zögern auf den Weg nach Ingerby. Sie wußte, nach dem langen Fußmarsch würde sie erhitzt und zerzaust ankommen, doch für dieses Zusammensein brauchte sie keine verschönernde Aufmachung.

Guy starrte sehnsüchtig in die Sonne und sah sie nicht gleich. Als er sich umdrehte und sie erkannte, wurde sein Gesicht hell vor Freude. Aber er sagte: »Nanu – welche Ehre. Zweimal Brosamen in einer Woche!«

»Guy«, sagte sie ohne Umschweife, »neulich hast du mich gefragt, ob ich dich heiraten wollte. Aber du hast nicht gesagt, daß du mich liebst.«

Er sah erstaunt aus. »Warum – ist das wichtig?«

»Ja. Ich möchte es wissen.«

»Also dann: ich liebe dich, ja.« Leichthin fügte er hinzu: »Soweit ich überhaupt jemand liebhaben kann, außer mir selber.«

»Genug, um mich zu heiraten?«

Er schwieg einen Augenblick und sagte dann mit erstickter Stimme: »Blanche – quäle mich doch nicht.«

»Ich will dich nicht quälen, Lieber. Ich möchte dich gern heiraten, wenn du mich noch willst.«

»Wenn ich dich noch will. Und – dieser andere?«

»Er hat mich gefragt, wen ich liebe, dich oder ihn. Und ich wußte auf einmal, daß ich dich liebe – ganz fest.«

Sehr ernst sagte er: »Ich danke dir, Blanche. Aber bist du ganz sicher, daß es Liebe ist und nicht Mitleid?«

»Es ist Liebe.« Und sie setzte sich neben ihn und küßte ihn auf den Mund.

Er ließ sie nicht los. »Ich müßte nein sagen. Du wirst es verdammt schwer mit mir haben. Alles – alle Schmerzen werde ich an dir auslassen. Aber ich kann's nicht, du. Ich kann nicht nein sagen.«

»Du sollst auch nicht nein sagen, Lieber. Unser Leben kann ganz herrlich werden.«

Er war sehr nachdenklich geworden. »Du weißt ja nicht mal etwas über meine Verhältnisse. Ich könnte völlig mittellos sein, soviel du weißt. So ist es aber nicht ganz. Der Dank des Vaterlandes – also ich bekomme eine Pension. Und mein Vater hat mir eine Summe hinterlassen, davon können wir ein kleines Haus kaufen, und für ein paar Möbel wird es auch noch reichen.«

»Das klingt doch wunderbar.« Sie war auf einmal ganz erfüllt von Glück. Ein kleines Haus – eine Küche, wo sie arbeitete und sich mühte, ein wenig Freude in sein dunkles Leben zu bringen.

»Es wird nicht wunderbar sein, das weißt du auch. Ich werde wie ein Mühlstein an dir hängen. Aber –« er lachte plötzlich, glückselig und hoffnungsvoll, als sei ein Sonnenstrahl in sein nachtschwarzes Dasein gedrungen; es war ein Lachen, wie sie es noch nie von ihm gehört hatte – »aber wenn du wirklich so töricht sein willst?«

Nathan war ein toleranter Mann, aber er war doch der Ansicht, daß seine Blanche den falschen Mann in der falschen Kirche heiratete. Dieses Gepränge! Ein halbes Dutzend weißgekleideter Priester war aufgeboten, um seine Tochter mit Guy Clulow zu verheiraten. In der methodistischen Zionskirche hätte ein einziger Mann genügt. Aber Blanche hatte Guy haben wollen, und sie hatte die Trauung in der St.-Lukas-Kirche haben wollen. Und eine strahlendere Braut hatte Nathan noch nie gesehen. Als sie an seinem Arm durch den Mittelgang schritt, dachte er, so stolze Augenblicke werde ich vielleicht nicht mehr oft erleben. Dies ist der Höhepunkt. Einen solchen Tag hat es für mich noch nicht gegeben.

Kaum zu glauben: Auch Mrs. Musgrove und Adam waren erschienen. Wenn das nicht großherzig war! Täubchen war da und saß neben Zilla. Armes Täubchen – nun war es nicht mehr zu übersehen: Das Lächeln war ein wenig zu strahlend, der Ausdruck etwas zu munter. Sie sah immer noch gut aus und wirkte doch irgendwie altjüngferlich. Das Leben hatte sie übergangen, und sie wußte es. Nathan hatte einmal gehofft, sie werde den großen schlanken Priester heiraten, doch daraus war nichts geworden. Es wäre auch wohl nicht gutgegangen und hätte für alle noch mehr Schwierigkeiten gebracht.

Jetzt war Guy Clulow mit einiger Mühe dabei, seiner Braut den Ring über den Finger zu streifen, und in diesem Augenblick fiel Nathan ein, was Edith damals gesagt hatte: ›Nimm, was du willst, sprach Gott. Nimm es – und zahle dafür.‹ Weiß Gott, sie bezahlte dafür, die Arme. Und nicht nur sie – wir alle müssen mitbezahlen, dachte er zum erstenmal. Wenn Edith nicht gewesen wäre, dann lebten wir alle noch in Moreland, ich wäre immer noch als Laienprediger dort, immer noch als eine bescheidene Persönlichkeit, mindestens Sonntag. Gott sei gedankt, daß ihr das nie in den Sinn gekommen ist. Was sie auch getan hat, diese Last soll ihr erspart bleiben.

Später, nachdem er schweren Herzens von Blanche Abschied genommen hatte, trat er zu Edith. Er nahm ihre Hand und sah sie mit seinem warmen, faltigen Lächeln an. »Wir sind wieder im alten Haus«, sagte er. »Wußtest du das?«

»Ja. Aber ich möchte gern wissen warum«, sagte sie mit gespielter Strenge.

»Mrs. Heron und ich hatten zu große Meinungsverschiedenheiten.«

»Um was ging es denn?« fragte sie argwöhnisch.

»Ach – um fast alles«, sagte er leichthin und küßte sie liebevoll auf die blasse Wange.

37

Die Sterne über der rauchgrauen Stadt hatten die ganze Nacht gefunkelt, kalt und klar. Nun verblaßten sie, einer nach dem anderen; in den Schlafzimmern wurden Kerzen angezündet, gelbliche Lampen beleuchteten freudlos glimmende Küchenfeuer, Hintertüren öffneten sich, und viele Füße trabten über die Steinpfade zur Gartenpforte und dann die Straße hinunter. Eine lange graue Menschenschar schob sich auf ein großes Tor zu, über dem die Inschrift hätte stehen können: »Ihr, die Ihr eintretet, lasset alle Hoffnung fahren.«

Doch es war ja auch Montag morgen, eine Zeit also, zu der die Lebensgeister noch kaum erwacht sind. Nathan Cranswick hatte sich eingereiht, seine Hand lag auf Toms Schulter. Er blickte auf zu den Sternen und war froh, sie verblassen zu sehen. Er hatte sie, während er auf dem Lande wohnte, etwas näher kennengelernt und nie gemocht: fern und überheblich blickten sie ungerührt herab auf das menschliche Ameisenheer tief unten.

Er selber hatte im Licht der Sterne ein paar zögernde Schritte tun dürfen und hatte dann lieber auf sie verzichtet. Oder vielleicht hatten sie auf ihn verzichtet, wer weiß. Jedenfalls war er nun wieder da, wohin er gehörte: im freundlich-gelben Lampenlicht, in der grauen, steinigen Stadt. Ein Feuer in der Küche, eine Lampe auf dem Tisch, wo er nach des Tages Mühen zufrieden mit Zilla und den Kindern saß: das war die Zuflucht, die ihn erwartete und zu der er immer zurückkehren konnte.

Die schweigende Menge schob sich weiter. Nathan preßte Toms Schulter. »Alles in Ordnung, mein Junge?«

Ein blasses Gesicht sah zu ihm auf. »Ja, Dad, danke.« Ach, die Sommerwiesen, der Fluß und Dinas Lippen – wo waren sie geblieben?

Armes Kerlchen, dachte Nathan. Wieso habe ich bloß alles so falsch gemacht? Ich wollte viel zu hoch hinaus. Nun sind Zilla und Jack wieder hier in der Stadt, Tom muß bei der Eisenbahn anfangen, und Blanche gibt ein reiches Leben auf für ein Leben voll dienender Arbeit und Pflege. (Aber das war doch nicht meine Schuld? Wenn ich in Moreland geblieben wäre, hätte sie dann nicht ebenso gehandelt? Ich bewundere ihre Entscheidung und ihren Mut.) Und ich – ich fange zum zweitenmal dort an, wo ich vor dreißig Jahren anfing.

Irgendwo in der Nähe ertönte das melancholische Pfeifen einer Lokomotive. Wagen wurden rangiert und protestierten mit lautem Klirren. Die letzten Sterne zerschmolzen am Himmel. Eine Rauchwolke kroch aufwärts und fing das erste zögernde Licht des neuen Tages ein.

Eine Stimme sagte: »Nanu – ist das nicht Nathan Cranswick? Was machst du denn hier, Mann?« Eine kalte Hand ergriff Nathans Rechte mit freundschaftlichem Druck. »Leute, seht mal, wen wir hier haben – Nathan Cranswick und seinen Jungen. Fängst du auch hier an, Tom?«

Tom schluckte. »Ja.«

Eben noch kalte Sterne und schwarze Nacht – und jetzt plötzlich Wärme und Farbe und das erste Tageslicht. Freundschaft. Arbeit mit der Hand, schaffen und sägen und meißeln und schneiden. Die Muskeln konnten es kaum erwarten. Er wollte auf seine Art für den Allmächtigen arbeiten, auch wenn er bei einer anderen Arbeit versagt hatte. Nach des Tages Arbeit kam er zurück zum Lampenlicht in die behagliche Küche, wo die Teekanne und eine warme Mahlzeit warteten. Seine liebe Zilla, das fiel ihm plötzlich ein, hatte draußen auf dem Lande nie so glücklich und zufrieden ausgesehen wie hier in der Stadt. Was hatte sie doch damals gesagt: »Windet es da nicht immer, auf dem Lande?«

Ja, das Leben war gut, wo man auch war, unter dem Sternenwind oder am Küchentisch im Lampenschein. Beides war gut, und es würde noch besser werden, denn das zwanzigste Jahrhundert lag vor ihm, das Jahrhundert des Friedens. Ihm fiel ein Satz ein, den Mr. Clulow einmal in einer Predigt gesagt hatte: »Einst werden alle gut sein, und alles wird gut sein...« Er, Nathan Cranswick, hatte noch viel zu schaffen in diesem Jahrhundert der Hoffnung. Er hatte zwei Söhne, die seine Arbeit fortsetzen würden, wenn er nicht mehr war. Lautlos sprach er ein schlichtes Gebet. ›Gib, Gott, daß meine Söhne und ich die Welt besser hinterlassen, als ich sie vorfand.‹

Nathan war ein rechtschaffener und einfacher Mann, und die Zeit der Unschuld war noch nicht von der Erde verschwunden.

Frühjahr 1985

Wenig ist geblieben von dem Dörfchen Moreland in Derbyshire: ein paar weit verstreute kleine Häuser, die Ruine einer Kapelle, deren Gott geächtet wurde gleich den Göttern von Baalbek und Theben, deren Mauern zerfallen, durch deren Fensterhöhlen die Schwalben hin und her streifen. Bleiben wird vielleicht ein Sandsteinblock, der in die Mauer eingelassen wurde und die Inschrift trägt:

>»Dieser Stein
>wurde gesetzt von Mrs. Dorothy Heron,
>5. Mai 1903.«

So hat wenigstens der Stein sie überlebt.

Auf einem flachen Hügel steht das einstige Herrenhaus, The Hall, überwachsen von Lorbeer und Rhododendron. Die Fenster starren leer ins Tal, das Dach liegt offen unter Sternen, Wind und Regen. Bald wird Moreland den Nachtkreaturen gehören, die seit Jahrhunderten darauf warten, daß die Menschen gehen. (Sie sind gegangen: in die Stadt, wo sie fanden, was sie vorher nicht kannten – Wärme, Bequemlichkeit, reichliche Nahrung und Schutz vor Wind und Wetter.)

Doch eins noch ist geblieben, etwas Schönes und Aufschlußreiches. Nahe der Kapelle steht eine kleine Gruppe Silberbirken mit drei großen Steinen. Die Inschrift auf dem ersten lautet: DREI BÄUME FÜR DREI MÄNNER AUS MORELAND, 1899 bis 1902. Auf dem zweiten steht: ZWANZIG BÄUME FÜR ZWANZIG MÄNNER, 1914 bis 1918. Auf dem dritten liest man: SIEBEN BÄUME FÜR SIEBEN MÄNNER, 1939 bis 1945.

Die Bäume seufzen im Nachtwind und wiegen sich durch die Lichtjahre, die Betelgeuze von Polaris, Andromeda von Kassiopeia trennen. In jedem Frühling legen sie von neuem das Kleid der Freude an und tanzen wieder im warmen Morgenwind.